日本のデジタル社会と法規制

プライバシーと民主主義を守るために

日本弁護士連合会❖編

［監修］武藤糾明・吉澤宏治・坂本団・二関辰郎・水永誠二・野呂圭・山口宣恭・瀬戸一哉

花伝社

日本のデジタル社会と法規制——プライバシーと民主主義を守るために◆目次

はじめに

1　デジタルプラットフォーマーによる市民情報の収集と利活用

二〇二二年九月、旭川市で「デジタル社会の光と陰～便利さに隠されたプライバシー・民主主義の危機～」と題する日本弁護士連合会主催の第六四回人権擁護大会シンポジウム第二分科会を実施した。

本書籍は、その成果と、現地で行われた研究者、ジャーナリスト、政策担当者によるパネルディスカッションを紹介するものである。

二〇一〇年以降、デジタル社会は大きく変貌を遂げた。スマートフォンが普及し、ツイッター（現「X」）、フェイスブック、インスタグラムなどのSNSが飛躍的に普及した。若い世代では、テレビ視聴よりユーチューブ等の動画視聴の時間が上回るようになった。企業が支出する宣伝広告費も、新聞やテレビに対するものより、インターネットに対するものの方が多くなった。

一人一人に対して最適化された趣味嗜好の情報にアクセスできるし、ソファに寝そべったまま、スマホやスマートスピーカーに聴きたい音楽やほしい商品をリクエストすることもできる。デジタル社会は私たちの生活に快適さと利便性をもたらしている。

他方で、デジタル社会の基盤を提供しているデジタルプラットフォーマーは、私たちのデジタル社会での足跡である、検索キーワード、閲覧した記事やユーチューブチャンネル、GPSをオンにしていることにより蓄積されていく移動履歴など、自分では到底覚えておくことのできない遙か以前から現在に至るまでの行動履歴を収集し、データベース化して保存している。これをＡＩで解析し、特徴を浮き彫りにし、個々人の近い将来の行動予測をしながら、タイミングよく「おすすめ」して効率よく収益を上げている。アメリカでは、フェイスブックにつけた「いいね」を分析するだけで、同僚や友人、配偶者よりもその人の人格を正しく捕捉できることが明らかになっている。

私たちは、自分たちの趣味嗜好を超え、思考過程や性格、癖まで推知可能なほど膨大な情報の収集と分析、利活用がなされているという、「的確でタイミングのよいおすすめ」による快適さ・利便性の裏側にある重大なプライバシー制限の問題点をきちんと意識しているだろうか。

2　ＡＩに操られ、信頼性の高い情報にアクセスすることが困難に

ＡＩにゆだねた便利な生活の中で、私たちが意思決定を行うに際し、自由な判断の前提として必要な情報へのアクセスを確保するのが困難になりつつある。

二〇一六年一一月のアメリカ大統領選挙で、勝者側が利用した選挙コンサルティング会社であるケンブリッジ・アナリティカは、八七〇〇万人分ものインターネット情報をもとに個人の人格を分析し、陰謀論に弱い人を特定の情報につなげ、行動を促すなどの誘導で人を心理的に操って、人の投票行動に影響を与えたのではないかとの疑問を突きつけられた。

好みの情報をフォローするうちに、同種の意見ばかりに取り囲まれる「エコーチェンバー」現象、

ＡＩの誘導により同種の意見以外の情報にアクセスする機会が失われる「フィルターバブル」現象が普通のことになった。一度風変わりな意見の動画を見ると、次々とたくさんの人が同様の主張を行う動画をおすすめされ、「多数の人が支持している」と、洗脳に近い状態に追い込まれるケースも多い。人の感情を揺さぶり、いわばとりこにしてアクセス回数を伸ばすことで収益を図ることを至上と設定したＡＩのアルゴリズム（計算式）に、人が中毒状態にされているとの指摘がある。

アメリカでは、二〇二〇年大統領選において「選挙が盗まれた」との考えを強く確信する市民が約三割存在し、違う考えに耳を傾けて議論することは困難になっており、市民社会は分断されている。ＡＩは、民主主義社会の前提を崩しているのではないかとの深刻な問題提起がなされている。

3　日本のデジタル社会は、主権者が選択した幸福に向かっているか

デジタル改革関連法の成立により、二〇二一年九月にデジタル庁が発足した。行政主体で、官民を横断するデジタルプラットフォームの形成と、データの利活用が図られようとしている。

しかしながら、プラットフォーマーによる圧倒的な情報収集・分析・利活用の問題点を考えると、公権力主導で同様の仕組みを目指すという方法論も含め、検討されるべき問題点は多い。

デジタル社会の形成には「マイナンバーカードの普及、マイナンバーの利活用促進」が中心的な手段と位置づけられている。

マイナンバーカードは、「プライバシーを守るために取得しない」選択が保障されていたはずだが、

従来の健康保険証が廃止され、事実上の義務化が進められている。これは私たち主権者が自ら選択したデジタル社会の入り口だろうか。また、その先に政府が用意している義務的な未来図に、私たち主権者が自ら望む、幸福な姿が描き出せるだろうか。

マイナンバーカードには指紋の一〇〇〇倍の本人識別性を持つとされる顔認証データの収集・利用が不可分一体である。中国では、六億台の顔認証機能付きの街頭監視カメラにもとづき、住民全員の個人情報データベースとの検索がなされている。街角で行った交通違反で減点され、直ちに罰金が科されたり、政治犯が逮捕されたりしている。GDPR（EU一般データ保護規則）九条一項は、顔認証データを代表とする生体情報の収集・利活用等の原則禁止を掲げ、民間事業者の取り扱いにも議会による法律制定を求める。日本弁護士連合会も、顔認証システムに対する制限立法を求める提言を繰り返しているが、今なお適切な法律は存在しない。

4　プライバシー権保障のための仕組みを

利便性・効率性の優先ではなく、あらかじめ必要なプライバシー保護措置を事前に埋め込んだ制度設計によるデジタル社会の設計図がなければ、その後の世界は、プライバシー保護のない社会にならざるをえない。そのため、「プライバシー・バイ・デザイン」（設計段階から組み込まれたプライバシー保護）、「プライバシー・バイ・デフォルト」（初期設定で確保するプライバシー保護）をGDPR二五条が定めている。しかし、デジタル改革関連法には、残念ながら、このような施策は存在しない。

この書籍は、以上の1ないし4に相当する章で問題点を分析し検討している。

また、本年新たに起こったマイナ保険証のひも付けミスの問題や、生成ＡＩの問題も収録した。ありもしない裁判例をねつ造し、それを引用した準備書面が作成・提出された生成ＡＩに関するアメリカの問題事例が現れたり、生徒の授業への集中度を常時監視可能なＡＩの実用化がされたりしている。

デジタル社会のインフラは、いったん作り上げられれば今後数十年は私たちの生活を規定し、そのプライバシー・人権保護レベルを一定水準以下に強制することになる。

デジタル政策を検討すると、政府は、自らがデジタルプラットフォーマーに代わって情報の利活用のセンターになることを指向しているとしか考えられない。

「デジタルに詳しい誰か」に任せてしまうことなく、一人一人の市民が自分の問題と受け止めて主権者であり続けようとしているのか、民主主義社会を維持しようとしているのか。

問われているのは私たち自身ではないだろうか。

武藤　糾明

第1章

二〇一〇年以後のデジタル社会の進展

第1節　はじめに

二〇二〇年一一月に発行されたNHKスペシャル取材班の著作『やばいデジタル〝現実〟が飲み込まれる日』（講談社現代新書）は、大手IT企業が収集するスマートフォンの履歴から、私たちの個人情報がどれほど丸裸にされてしまうかという実態を明らかにしている。

同取材班は、個人データの解析・マーケティングを専門とするIT企業・ミソシル社の協力を得て、匿名の一般人Xを被験者として、同意の上で次のような実験を実施した。すなわち、Xが「グーグルテイクアウト」（グーグルが提供しているサービスで、ユーザー本人がグーグルの利用履歴をダウンロードできる。利用履歴は、インターネットの閲覧履歴（グーグル検索）、本人の位置情報（グーグルマップ）、動画の視聴履歴（ユーチューブ）、アップロードした写真や動画（グーグルフォト）、電子メールのやり取り（Gmail）、予定表（グーグルカレンダー）など多岐にわたる）から、同人のグーグルの利用履歴をダウンロードし、そのデータだけから、ミソシル社が、どこまでXの情報を推測できるかという実験である。

グーグルテイクアウトでダウンロードしたXのデータは、九年間分で二・七四ギガバイトであったが、このデータから次のような詳細な個人情報を推測することができたという。

Xの位置情報から、Xの自宅マンション（の居住フロアまで）を特定し、家族構成（独身、あるいは単身赴任）や年収（約二〇〇万円）、職業（バーの経営者）、自動車を所有していないことを推測した。グーグルフォトにアップされた写真をＡＩに解析させ、Ｘ本人の画像を特定し、その画像から、性別（男性）、年齢（三二歳）を推測した。

検索履歴からも様々な情報が読み取れた。例えば、Ｘが「二〇一八年七月頃に東京で脱サラし、一〇月頃から職業訓練校で観光について学んだ。しかし、二〇一九年初頭に退校し、単身引越しパックを使って大阪市に転居。物件を居抜きで借り上げ、四月頃にバーを開業した」ことが分かった。バーの経営は軌道に乗っておらず、経済的に困っており、貯金はほぼゼロという現在の経済状態も、ファストフードばかり食べていて、自炊はほとんどしていないという食生活も、歯の状態が悪くて抜歯したという病歴も分かった。好きなマンガや作家、趣味等ももちろん判明した。結婚歴がないこと、女性との交際歴はあるものの、その間にＸが浮気をし、この一年間（本人の記憶では二年間であったが、データから推測した一年間の方が正確であった）は特定の交際相手がいないことまで分かった。さらに驚くべきことに、検索履歴から、Ｘがバーの経営を続けながら、他のアルバイトを始める可能性が非常に高いこと、また、体調を悪化させるという将来を予測し、まもなく、その予測は的中したという。

グーグルに蓄積されたデータを利用するだけでも、これだけのことが分かってしまう。現代では、日々生み出される私たちのデジタルデータが、グーグル以外にも、アマゾンやフェイスブック等のデジタルプラットフォーマーを中心に、大量に蓄積され、様々な形で利用されている。

本節では、本書全体の導入として、まず二〇一〇年人権擁護大会で取り上げたテーマを振り返り（第1項）、それらの各テーマが、その後の一〇年間あまりの情報通信技術の進展により、どのように変容したのかを概観し（第2項）、さらに、二〇一〇年当時主に想定していた分野でのデジタル化にとどまらず、私たちの生活全体がデジタル化され、そのデータが利用されようとしている状況について述べ（第3項）、さらに、こうした情報通信技術の進化により、プライバシーのみならず、人格権が侵害され、ひいては民主主義までもが歪められている状況についても言及する（第4項）。その上で、こうした問題への対応としてデジタルプラットフォーマーへの規制が重要となっている状況（第5項）を概観することとする。

第1項　二〇一〇年人権擁護大会

二〇一〇年一〇月に開催された第五三回日弁連人権擁護大会シンポジウム「デジタル社会における便利さとプライバシー～税・社会保障共通番号制、ライフログ、電子マネー～」では、情報通信技術が高度に進展しつつある状況において、個人のプライバシーや人格を守り発展させる方策について検討した。

その際、具体的な素材として取り上げたのは、次の四点、いずれも、当時、情報通信技術の進展によって、プライバシー等が侵害される事態が懸念されるテーマであった。すなわち、①インターネットの利用履歴が収集され、行動ターゲティング広告等に利用されている状況、②電子マネーを使った取引を通じて個人情報が収集され、利用されている状況、③監視カメラ・顔認識システム、GPS等を利用した、人の移動履歴を用いた監視の状況を取り上げて、私たちの生活・行動が電子的に記録されるようになっている様子を紹介した。そしてその上で、これらの電子データを特定の個人と結び付けるための確実な手段にもなりかねないものとして、④税・社会保障共通番号制度の問題点を取り上げた。

第2項　その後の情報通信技術のさらなる進展

その後一〇年余りを経て、情報通信技術はさらに飛躍的な進化を遂げた。

①ターゲティング広告のさらなる進化

ターゲティング広告は、インターネット等におけるユーザーの閲覧履歴や検索履歴等を収集・蓄積し、これらのデータから、当該ユーザーの関心や嗜好等を推測し、これにあわせて広告を表示する手法である。収集できるデータの種類や量が増えれば増えるほど精度の高い推測が可能となり、より効果的な広告を表示させることが可能となる。

この一〇年間で、スマートフォンが一気に普及した。総務省によれば、スマートフォンを保有している世帯の割合は、二〇一〇年の九・七%から二〇二〇年の八六・八%へと大幅に増加した。それとともに、SNSの利用も急拡大している。SNSは、ソーシャル・ネットワーキング・サービス（Social Networking Service）の略で、登録された利用者同士が交流できるウェブサイトのサービスであり、フェイスブック、X（旧ツイッター）、インスタグラムなどが代表例である。SNSでは、友人や同じ趣味を持つ者が集まったりするなど、利用者間の密接なコミュニケーションが可能になっている。個人におけるインターネットの利用目的のうち、SNSへの参加が占める割合は、二〇一〇年には、パソコンからの利用者の五・八％、携帯電話からの利用者の四・八％と、合計しても一〇％余りに過ぎなかったが、二〇二〇年には、SNSへの参加が、インターネットの利用目的全体の七三・八％（特に二〇代では、九〇・四％）を占めるに至っている。

スマートフォンでSNSを利用することが一般化したことにより、インターネット上にアップロードされるデータも激増した。例えば、二〇一七年、フィエスブックには、月間二〇億人のユーザーが、一日あたり三億五〇〇〇万枚の写真をアップロードしたとされる。フェイスブックは、こうした大量の写真を使って、人工知能（ＡＩ）にディープラーニング（コンピュータに学習させる手法の一つで大量のデータを使用することにより精度を高めることができる）させることで、例えば、「自然の状態」の顔であれば、九七・三五％の正確さで対象者を認証できるようになったと発表した。フェイスブックは、大量の写真でディープラーニングさせることにより、二〇一八年までに、活動、関心、気分、視線、衣類、歩行、髪、姿勢まで見分けることが可能になった。こうして得られたデータは、より精度の高い行動ターゲティング広告の手段等として利用されていく。さらには、消費者の購買意欲をかき立て、購買行動を誘発することさえ行われている。

このような大量のデータの収集・利用にはクッキーその他の識別子が利用されるが、大量のデータが集積されることによって、特定の個人が識別され、ひいてはプライバシーが侵害される事態が生じかねない。こうした認識は、今や世界共通になっていると言えよう。

そこで、昨今では、事業者自身がクッキー等の利用を制限する技術を採用する動きや、法律等により規制している国や地域も見られる。このような状況については、本章第2節で紹介する。

②電子マネーからキャッシュレス決済へ

（1）将来の危険性の指摘に留まっていた

二〇一〇年のシンポジウムの基調報告書では、当時日本で利用されていた主要な電子マネーEdy（ビットワレット株式会社）、Nanaco（株式会社アイワイ・カード・サービス）、Suica（JR東日本）及び「おサイフケータイ」（フェリカネットワーク株式会社）を取り上げ、調査した結果を報告している。

しかし、当時は「……電子マネー運営会社の多くは、格別の個人情報を取得しておらず、取引履歴のマーケティング利用も進んでいない。しかし、関連事業者において、電子マネーの取引履歴を個人識別可能な形で管理し、マーケティング利用する可能性はある」、あるいは「電子マネー取引は未だ始まったばかりであり、未だその方向性は定かではない。しかし、電子マネー取引情報はデジタル情報であり、伝達・マッチングが容易であるとの特性を備えている。そのため、以下に紹介するような展開の可能性があるように思われる」として、消費データが今後活用される可能性を指摘していた段階であった。

（2）危惧の現実化

〈1〉しかしその後二〇一三年には、JR東日本のSuicaデータ提供問題が発生した。

二〇一三年六月、日立製作所が、JR東日本の交通系ICカード「Suica」の利用履歴をビッグデータ解析技術で活用し、駅エリアのマーケティング情報として企業に提供するサービスを開始すると発表した。この発表によると、日立製作所は、JR東日本から個人情報を含まない形でSuica履歴情報の提供を受けて分析し、JR東日本と私鉄各線の首都圏一八〇〇駅を対象に、駅の利用者の性別・年代別構成や利用目的、乗降時間帯などを平日・休日別に可視化したリポートを毎月定期的に提供する。企業は駅エリアの集客力や、最寄駅とする居住者の構成などを把握でき、出店計画や広告宣伝計画などに活用できるなどとされていた。

JR東日本は、提供するデータから氏名、電話番号等を除外していたものの、それでも特定の個人が識別される可能性は否定できず、しかも、利用者に対して事前に十分な説明をしていなかったことから、大きな批判を受け、提供の中止に追い込まれた。

しかし、電子マネーの利用履歴を利用する動きは、その後も続々と現れている。

〈2〉現在、日本では、政府がキャッシュレス決済を強力に推進している。そして、キャッシュレス化を推進すべき理由の一つとして、データの活用をあげている。

「未来投資戦略2017」（二〇一七年六月九日）では、「今後一〇年間（二〇二七年六月まで）に、キャッシュレス決済比率を倍増し、四割程度とすることを目指す」との目標が掲げられ、「FinT ｅｃｈの活用等を通じた消費データのさらなる共有・利活用を促進するため、クレジットカードデータ利用に係るＡＰＩ連携の促進や、レシートの電子化を進めるためのフォーマットの統一化等の環境整備を本年度内に行う」ものとされた。

これを受けて経済産業省は、「キャッシュレス・ビジョン」（二〇一八年四月）を取りまとめたが、キャッシュレスを推進すべき理由の一つとして、「世界に視野を広げると、支払サービス事業者の中には、支払手数料やインフラコストを低廉化することで利用を増やし、その結果として集まる支払情報を蓄積・分析することで新たなサービスを創造するビジネスモデルも誕生している」ことを挙げている。そして、具体的な海外事例として、中国のアリペイや芝麻信用社を紹介し、日本のキャッシュレス推進の視点として有用であると評価している。

さらに「キャッシュレス・ビジョン外伝　キャッシュレスから始めるデータ利活用」（二〇二〇年三月）では、日本国内でのデータ利活用の事例として「ＪＣＢ消費ＮＯＷ」（株式会社ジェーシービー）、「Ｃｕｓｔｅｌｌａ」（三井住友カード株式会社）、「ＰａｙＰａｙ」（PayPay 株式会社）など、購買データ等を分析することで新たなサービスを生み出しているものを紹介している。

〈３〉しかし、このような消費データの使い方によっては、プライバシーや人格権が著しく侵害されかねない。詳しくは本章第３節で述べるが、「キャッシュレス・ビジョン」が参考例とする中国では、アリババグループとテンセントが、消費データを含む大量の個人データを収集・分析して、個人を格づけする信用スコアが、社会に深く浸透している。その結果、一旦低く格づけられた者は、そこから抜け出すことが極めて困難となるなどの深刻な弊害も生まれている。こうした問題点に配慮せず、キャッシュレス化や消費データの活用を推進するのは極めて危険である。

③監視カメラ・顔認証システム、④番号法の成立と利用範囲の拡大

監視カメラや顔認証システムは、二〇一〇年当時と比較して、格段に精度が向上している。大量のデータの蓄積が可能となり、また、人工知能（ＡＩ）を用いたディープラーニングを行うことにより、精度の高い照合を瞬時に行うことが可能となった。顔認証システムに関する規制の現状やあるべき方向性については、第２章第１節において詳しく述べる。

また、二〇一〇年当時に、税・社会保障共通番号制度として検討されていた制度は、その後、二〇一三年に番号法として成立した。番号制度や、これを基盤としたデジタル社会の問題点については、本書第３章で詳述する。

第３項　生活全般のデジタル化

以上述べたように、二〇一〇年人権擁護大会で取り上げたテーマは、いずれも飛躍的な進化を遂げ、私たちの生活に深く浸透している。さらに、この間、私たちの生活全般がデジタル化されるという事態が急速に進行している。

①モノのインターネット（ＩｏＴ）

（１）ＩｏＴの進展

まず、二〇一〇年代には、パソコンやスマートフォンだけでなく、家電製品や電子機器、自動車、住宅・建物など、様々なモノがインターネットに接続されるようになった（ＩｏＴ）。

例えば、電気ポットがインターネットに接続されれば、電源を入れたり、給湯したとき、離れて暮らす家族のスマートフォンへ動作状況が伝達され、家族が遠くから見守ることができる。ロボット掃除機がインターネットに接続されれば、外出先からスマートフォンで動作させることができ、帰宅時には、家の中がきれいになっている。玄関ドアをインターネットに接続すれば、外出先から施錠し忘れがないかを確認できるし、また、スマートフォンで施錠や解錠もできる。

センサーを組み込んだ衣類も販売されている。グーグルは、ジーンズの老舗リーバイ・ストラウス社と協力して、袖口にセンサーを組み込んだジャケットを販売している。ジャケットのセンサーとスマートフォンをペアリングすることで、ジャケットの袖口に触れるなどするだけで、スマートフォンを取り出さなくてもデジタル情報にアクセスできる。センサーを組み込んだ衣類が普及すれば、細かな身体の動きまでもがデジタルデータ化され、利用されるようになるだろう。

総務省によれば、世界のＩｏＴデバイス数は急増しており、二〇一六年に一七三・二億台だったものが、二〇二〇年には二五三・〇億台に増加し、二〇二三年には、三四〇・九億台になると予測されている。個人の日常生活全般がデジタルデータ化され、様々な目的で利活用される時代が到来しようとしている。

（2）IoTの進展によるリスクの拡大

〈1〉二〇一六年一月二二日に閣議決定された「科学技術基本計画」では、「ＩＣＴを最大限に活用し、サイバー空間とフィジカル空間（現実世界）とを融合させた取り組みにより、人々に豊かさをもたらす「超スマート社会」を未来社会の姿として共有し、その実現に向けた一連の取り組みをさらに深化させつつ「Society 5.0」として強力に推進し、世界に先駆けて超スマート社会を実現していく」ことが目標として掲げられている。

そして、内閣府のＨＰには、「Society 5.0で実現する社会は、ＩｏＴ（Internet of Things）で全ての人とモノがつながり、様々な知識や情報が共有され、今までにない新たな価値を生み出すことで、これらの課題や困難を克服」するものとしている。

〈2〉しかし、個人の生活全般がデータ化されると、プライバシーに対するリスクも増大する。

ａ　例えば、アイロボット社のロボット掃除機ルンバには、周囲の環境に関する情報を収集する機能を内蔵している製品がある。この製品は、自らの動きに関する情報を収集し、アクセスできる空間の位置マッピングを行う。配置された家の間取りや家具の場所などの情報を収集するのである。そしてその情報は、インターネットを通じてアイロボット社に送信され、デバイスの性能改善、ユーザー体験の向上等、さらには顧客のニーズに合わせたキャンペーンにも利用される。

ルンバをスマートスピーカー（インターネット接続とＡＩアシスタントを搭載し、音声操作が可能なスピーカー。アマゾン・アレクサ、グーグル・アシスタントなど）と連携させれば、スマートスピーカーに「ルンバを使って掃除して」と話しかけると、ルンバが部屋の掃除をしてくれる。このとき、ルンバの収集した間取り図等の情報はアマゾンやグーグルにも提供される。

b　インターネット接続可能なスマートテレビは、通常のテレビ番組を視聴できるだけでなく、映画やドラマをオンデマンドで視聴したり、ユーチューブなどのウェブ上のコンテンツを視聴したりすることもできる。スマートフォンや他の家電製品と連携したりすることもできるだろう。

ビジオ社は、その製造、販売するスマートテレビを通じて、消費者の視聴履歴（どのような番組を観ているのかなどの情報）を収集し、広告業者などに販売していた。しかも、そのことを隠し、単に「番組の提供や提案を可能にする」機能と説明していた。この件が発覚し、二〇一七年、ビジオ社は、FTC（Federal Trade Commission、連邦取引委員会）ほかからの苦情申立てを受けて、二二〇万ドルの和解金を支払っている。

サムスン社のスマートテレビは、音声認識機能を有しており、話しかけることで操作できる。ところが、二〇一五年、同社のスマートテレビは、操作するための音声だけでなく、テレビの近くでの会話のすべてを録音し、音声認識システム等を提供している企業に送信していたことが発覚して、批判の声が上がった。その後同社は、話しかけられた時だけ音声を録音することにした。

c　スマートスピーカーと連携できるのは、ロボット掃除機ルンバだけではない。

例えば、アマゾンは、アレクサのプラットフォームを、照明システムから食洗機に至るスマート家電のメーカーに公開し、アレクサで家中のシステムや家電を操作できるようにしようとしている。また、二〇一八年には、住宅建設業者と契約し、それらの業者が、アレクサを家中の天井に直接設置したり、アレクサで操作できるドアロック、照明スイッチ、セキュリティシステム、玄関チャイム、サーモスタットなどを設置できるようにした。こうしてアマゾンは、人々の生活習慣に関して、より包括的なデータを取得することを目指している。そしてそれは、アマゾンに限ったことではない。グーグルやサムスンといったライバル会社も同様の未来を目指している。

〈3〉ほかにも、家庭の電力消費量がデータ化されると、入浴時間等の生活時間や在・不在の実態が読み取れてしまう可能性がある。自動車の走行データからは、移動履歴のほか、ドライバーの技能や癖といった情報が読み取れてしまう。

このように、ＩｏＴにより収集されるデータには、個人の行動履歴等大量のデータが含まれる。これらのデータはそれ自体もプライバシー性が高い上に、他のデータと照合等することにより、さらにセンシティブな情報が得られる可能性もある。しかも、ＩｏＴが進展し、デバイスが増加するということは、身の回りのセンサーの数が増大するということを意味する。そうすると、本人が十分に認識しないままに、センサーによりデータを取得される可能性があり、また、意図してデータ取得を回避することが困難になってしまう。

ＩｏＴ推進の前提として、実効性あるプライバシー保護の仕組みが不可欠である。

〈4〉また、インターネットに接続する以上、ＩｏＴ製品に適切なセキュリティ対策が施されなければ、情報漏洩や外部からの不正操作などのリスクもある。独立行政法人情報処理推進機構（ＩＰＡ）が二〇一八年三月に発行した「ＩｏＴ製品・サービス脆弱性対応ガイド」から具体例をいくつか紹介する。

ａ　カメラの覗き見サイト（二〇一六年一月：米国・日本・各国）

ロシアのウェブサイトにより覗き見できる監視カメラが世界中に多数存在していることが露呈された。しかもその数が膨大で、映像を閲覧できる件数は、米国の監視カメラは五〇〇〇件以上、日本の監視カメラは一八〇〇件以上（二〇一七年一一月時点）であった。

ｂ　自動車の不正操作（二〇一五年：米国）

セキュリティの専門家が、専用無線回線を通じて、外部から自動車のエンジンを切ったり、ワイパーを動かしたりする実験を成功させたため、開発企業は約一四〇万台のリコールを実施した。人命に影響しかねない脆弱性である。

ｃ　医療機器の不正操作・障害（二〇一七年八月：米国）

ネットワーク経由の攻撃により、ペースメーカーのバッテリ寿命を消耗させたり、心拍数及び心拍リズムを変更したりすることができる脆弱性が発見された。

ｄ　ネットワークカメラが乗っ取られる可能性（二〇一六年：日本）

ネットワークカメラに複数の脆弱性があることが発見された。この脆弱性は、当該機器を乗っ取り、任意で操作したり、踏み台として攻撃に加担させられたりする可能性がある。

ＩｏＴを推進する上では、セキュリティ対策に万全を期す必要があることも当然である。

②スマートシティ、スーパーシティ

(1) スマートシティ・海外の実例

さらに、こうした技術を都市全体の規模まで拡大するスマートシティ、スーパーシティが推し進められている。

〈1〉米国では、グーグル傘下のサイドウォーク・ラボ社が、スマートシティを推進している。二〇一六年、米国運輸省は、同社とスマートシティ推進に関するパートナーシップを締結した。同社は、独自に開発したデータ解析プラットフォーム「フロー」により、様々な交通状況のデータを収集・分析し、活用できるとしている。フローは、グーグルマップ、ストリートビュー撮影車などを活用して、ドライバーと公共スペースからデータを取り込み、分析する。そしてその結果から、人々の移動について予測し、それを元に、行政が交通の流れを改善するとされている。

米国運輸省が実施したコンペでオハイオ州コロンバス市が選ばれ、同市とサイドウォーク・ラボ社による三年間の実証実験プロジェクトが行われることになった。この実証実験では、例えば、駐車場を探しているドライバーの情報と駐車場の利用状況といったデータをリアルタイムで取得し、最適な駐車場を案内したり、あるいは、公と民の駐車場をオンライン市場で統合し、リアルタイムで駐車料金が変わるオンデマンド方式にすることによって、自治体の駐車場収入を増やすことができるなどの提案がされていた。

これを実現するためには、サイドウォーク・ラボ社は、自らデータを収集するほか、行政から、公共交通データだけでなく駐車情報と公共交通機関利用者情報のすべてを、リアルタイムで提供される必要がある。そして同社は、こうしたデータをも活用することで、より正確なターゲティング広告等の商業利用が可能になるとしている。

〈2〉中国杭州市では、アリババグループがスマートシティを手がけている。

同市では、街中に四〇〇〇台以上の監視カメラが配置され、データを集めてAIで分析している。サーバーの数も二～三〇〇〇台に及ぶ。事故や交通違反を五〇〇件まで検知できるほか、混雑状況に応じて信号の色を変えることで、走行時間が一五％速まったところもあるとされる。緊急車両のためにも信号を調整し、救急車の到着にかかる時間も半減したという。

(2) 日本でのスマートシティ、スーパーシティ構想

日本でも、政府が、Society5.0の先行的な実現の場としてスマートシティの推進を掲げている。スマートシティでは、ICT等を活用して、地域の諸課題を解決するとされている。

さらに二〇二〇年五月には「国家戦略特別区域法の一部を改正する法律」（いわゆるスーパーシティ法）が成立した。スマートシティでは、地域の社会課題の解決が中心だったのに対し、スーパーシティでは、生活全般にまたがる複数分野の先端的なサービスの提供、複数分野間でのデータ連携が重視されている。スーパーシティ国家戦略特別区域を全国の自治体から公募し、キャッシュレス決済やクルマの自動運転、遠隔医療などの最先端技術を暮らしに実装することなどが、検討されている。

スーパーシティ構想では、官民で共通する大規模なデータ連携基盤を用いて住民の多くの個人情報を集約し、これをAIを使って分析したり、それぞれの住民個人ごとに一元管理したりすることにより、行政手続、移動、医療、教育等の幅広い分野で先端的サービスを提供するところをその基本としている。したがって、プライバシー侵害を防ぐための措置が当然の前提として確保されている必要がある。この点、スーパーシティ型の国家戦略特区に指定されている大阪府・大阪市共同とつくば市は、一応は、個人情報保護法等の遵守を謳っているが、他方で特区指定されてスーパーシティを作っていくに際して必要となる規制緩和事項の中に、個人情報保護法の規制が挙げられている。そもそも、個人情報保護法等を遵守していればプライバシー侵害にならない、というものではないが、現状のスーパーシティ構想においては、むしろ個人情報保護法等の規制すら緩和してしまおうというのである。

個人情報の保護、プライバシーの保護を蔑ろにしたままスマートシティ、スーパーシティが推進されるならば、それはプライバシーに対する重大な脅威と言わざるを得ない。

第4項　プライバシー、自己決定、民主主義の危機が現実化

①消費行動を誘発する

大量のデータを利用することで、対象者のデータをより詳細に分析し、嗜好や行動パターンなどを把握することが可能となる。例えば、ケンブリッジ大学のミハイル・コシンスキー氏と同大学サイコメトリクスセンター副所長デイヴィド・スティルウェル氏らが二〇一三年に行った研究では、フェイ

スブックの「いいね」ボタンに関する情報から、「一般にプライベートな情報と見なされている幅広い個人属性を、自動的に、かつ正確に、推定できる」ことが明らかになった。その属性には、性的嗜好、民族性、宗教観、政治観、パーソナリティ特性、知性、幸福感、常習性薬物の使用、両親の離婚、年齢、性別などが含まれるという。

また、AIを使って、顔の表情や声などから、喜び、興奮、驚き、難色、悲しみ、落胆、混乱、嫉妬、無関心、退屈、怒り、憂鬱、苦痛などといった感情を、早くかつ正確に認識することも可能となった。顧客の反応まで把握できるようになったのである。

こうしたデータを活用することで、より効果的で効率的な働きかけを行うことが可能になり、ターゲットである消費者の購買意欲をかき立て、消費行動に出ることを促すことさえできるようになっている。人の行動を予測するだけでなく、本人も意識しないうちに人の行動を誘導し、修正することすら可能になっているのである。

②大規模な人の移動を引き起こす

データを利用して影響を与えることができるのは、人の消費行動だけではない。グーグルから独立したベンチャー企業ナイアンティック社が開発したゲーム「ポケモンGO」は、現実世界において大規模な人の移動を引き起こすことに成功した。ポケモンGOは、スマートフォンのGPS機能を使用しながら移動することでポケットモンスターのキャラクターを探したり、捕まえたり、バトルさせたりすることができるゲームである。実際の風景にキャラクターを重ねて表示するAR（拡張現実）の技術を使うことで、現実世界にいながら、仮想キャラクターを扱うことができる。ゲーム内でアイテムを入手できる場所である「ポケストップ」やキャラクター同士をバトルさせる場所である「ジム」は、現実世界では特定の場所にある。ポケストップやジムに指定された場所には、自然と多くのプレイヤーが立ち寄ることになる。店舗に集客したい企業が、ナイアンティックに広告料を支払って店舗をポケストップなどに指定してもらえば、多くの集客が見込めることになる。

③選挙における投票行動まで操作する

データを活用すれば、選挙での投票行動に影響を与えることすらできる。有権者に対してマイクロターゲティングの手法を使った働きかけを行うことは、米国大統領選などの選挙活動で現実に行われている。二〇一六年米国大統領選挙では、マイクロターゲティングの手法を使って、フェイクニュースを効果的に拡散することすら行われ、これが選挙結果に影響したとも言われている。また、フェイスブックは、表示させるメッセージによって有権者の投票行動に影響を与えることができることを米国での実験により実証している。

国政における重要な問題に関して、SNSを通じてフェイクニュースなどを拡散し、民意を歪めようとする働きかけは、日本でも既に発生している。例えば、二〇二〇年九月の日本学術会議会員の任命問題（日本学術会議が推薦した会員候補のうち六人を、菅総理大臣が任命しなかった問題）では、その直後からフェイスブック上に「六人の教授は、共産党の機関紙の常連や『安倍政権全否定団体』にいたりと『政治活動家』そのもの‼　公安監視団体と親密な人を拒否するのは当然！」などとする記事が投稿された。この記事は広告（選挙または政治に関連する広告）であり、二〇二一年五月一二日までに、一二三万円の広告料が支払われている。

このように、進化した技術の使い方によっては、プライバシーが危機にさらされるのみならず、人格の形成や自己決定、さらには民主主義まで歪められかねない状況が生じている。民主主義に与える影響については、ケンブリッジ・アナリティカ事件を含めて、本章第5節で述べる。

第5項　デジタルプラットフォーマーに対する規制の必要性

大量のデジタルデータを収集し、利用することによって莫大な利益を上げているのがデジタルプラットフォーマー（DPF）である。

DPFは、インターネット上のプラットフォームを通じて、オンライン・ショッピングモールや検索サービス、コンテンツ（音楽、動画など）配信サービス、SNS、電子決済サービスなど、様々なサービスを提供するIT企業である。代表的なDPFは、グーグル（アルファベット）、アマゾン、フェイスブック（現メタ・プラットフォームズ）、アップルの四社で、頭文字をとってGAFAと呼ばれている。中国ではアリババグループやテンセント、日本でいえば、ヤフーや楽天もDPFである。

DPFは、サービスの提供を通じて大量のデータを収集し、そのデータを利用することによって、サービスを拡大し、また、新たなサービスを生み出す。そしてそこから新たに大量のデータを収集し、利用している。例えば、グーグルは圧倒的なシェアを有する検索エンジンの検索データを利用し、フェイスブックやテンセントはSNSへの投稿や閲覧データ等を利用し、アマゾンやアリババグループは、ネットショッピングの購買データを利用することで、それぞれサービスを拡大してきた。これまで述べた技術の進化とプライバシー、民主主義の問題は、いずれもDPFの成長とともに顕在化してきた問題であるとも言える。

このようなDPFの提供するサービスは、その性質上、独占化・寡占化が進みやすい。公正取引委員会も「デジタル・プラットフォーム事業者と個人情報等を提供する消費者との取引における優越的地位の濫用に関する独占禁止法上の考え方」（二〇一九年一二月一七日、二〇二二年四月一日改正）において、「複数の利用者層が存在する多面的市場を担うデジタル・プラットフォーム事業者の提供するサービスは、ネットワーク効果〔サービス等の利用者が増えれば増えるほど、サービス等の価値が高まること〕、低廉な限界費用、規模の経済等の特性を通じて拡大し、独占化・寡占化が進みやすいとされている。また、ネットワーク効果、規模の経済等を通じてデータが集中することにより、利用者の効用が増加していくとともに、デジタル・プラットフォーム事業者にデータが集積・利活用され、データを基本とするビジネスモデルが構築されると、それによってさらにデータの集積・利活用が進展するといった競争優位を維持・強化する循環が生じるともされている」と指摘している。

巨大なDPFへのデータ、そして富の集中は世界的規模で進行しており、企業の世界時価総額ランキング（二〇二二年三月末時点）によると、前記のGAFAは、いずれも上位一〇位に入っている（一位はアップル、四位はグーグル（アルファベット）、五位はアマゾン・ドット・コム、九位はフェイスブック（現メタ・プラットフォームズ）。なお、二位はマイクロソフトである）。

利用者のプライバシー等を確保する上で鍵を握っているのがDPFであることは既に共通認識となっている。そのため、DPFがどのようなプライバシーを保護するための取り組みを行うのか、さらには、DPFに対して、どのような規制を及ぼすのが適切なのかが、世界的に重要な課題となっている（詳細は第5章に譲る）。

第6項　小括

以上、二〇一〇年人権擁護大会以降のデジタル化の進展とそれにより生じている問題や議論状況について概観した。以下の章では、デジタル技術によるプライバシー、民主主義への影響という観点で、近時特に問題となっている行動ターゲティング広告（第2節）、信用スコア（第3節）、選挙への介入（第4節）の各論点について、もう少し詳しく紹介する。

第2節　行動ターゲティング広告とプライバシー

第1項　行動ターゲティング広告の動向

①行動ターゲティング広告の仕組み

行動ターゲティング広告は、オンライン上でのユーザーの属性情報や行動履歴に基づいて、広告主が訴求したい属性のユーザーに対して広告を配信する技術であり、効率的なマーケティングを可能にするとともに、個々のユーザーにとっても自身が興味をもつ商品やサービスを知ることができる可能性を高めるという利点がある。

このような利点がある反面、こうした広告手法を可能とするためには、膨大なユーザーデータの蓄積・利用が必要となる。行動ターゲティング広告に利用されるユーザーの行動履歴には、ウェブサイトの訪問履歴、ＥＣサイトでの購買履歴、広告閲覧履歴、検索エンジンでの検索履歴等、インターネット上でのユーザーの行動履歴でシステム的に収集可能なあらゆる履歴が含まれる。

行動ターゲティング広告で利用される情報は、オンライン・トラッキングによって収集されるオンライン上での行動履歴情報が主なものとなっている。広告配信者は、自己の運営するウェブサイト上のユーザーの行動をトラッキングするが、自己の運営するウェブサイトを超えてそれ以外のサイトでのユーザーの行動をトラッキングして行動履歴情報を収集することも、アドネットワークと呼ばれる事業者によって行われている。

行動履歴を収集する仕組みとしては、クッキーを利用することが行われてきた。クッキーは、ウェブサイトのサーバーによって、そのウェブサイトにアクセスしたユーザーのブラウザに保存されるテキストデータをいう。ユーザーが閲覧しようとしたウェブサイトのサーバーから発行されるファーストパーティークッキー[1]のみならず、ユーザーが訪れたサイト以外のウェブサーバーから発行されるサードパーティークッキー[2]も利用されている。

アドネットワークは[3]、サードパーティークッキーを利用することによって、ユーザーの行動履歴情報を広く取得し、さらには cookie Sync[4] の手法を用いて多数のクッキー情報を統合することによって、ターゲティングの精度をより高めている。

クッキーやその他の識別子情報に紐づけて行動履歴情報を取得し、行動ターゲティング広告の対象となるクラスタ分類に利用するのが一般である。行動履歴情報等を集積しても、それ自体では特定の個人を識別できる情報とは直ちにならないため、個人情報とはならないが、それらの集積された情報も、他の情報と容易に照合することで特定の個人を識別できることになれば個人情報にあたることになる。クッキー等により紐づけられた情報は、個人を特定できないが誰かの情報であることは識別できるので、個人のプライバシーの観点からは情報が大量に蓄積されて個人が容易に推定可能となる可能性は無視できない。

②行動ターゲティング広告への利用制限の動き

近年、サードパーティークッキーは、複数のウェブサイトにまたがってユーザーデータを収集することができるため、ユーザーのプライバシー保護の観点から、ウェブブラウザの提供事業者による利用制限の動きが進んでいる。

二〇二〇年一月にグーグルが、Ｃｈｒｏｍｅ（クローム。グーグルが開発したウェブブラウザ）のサードパーティークッキーのサポートの終了を表明したが、この影響に考慮してサードパーティークッキーに代わる Privacy Sandbox の導入を進めることとしている。

二〇二〇年にはアップルが、Ｓａｆａｒｉ（サファリ。アップルが開発したウェブブラウザ）にＩＴＰ（Intelligent Tracking Prevention）を導入し、サードパーティークッキーは即時消去されるようになった。

クッキー情報の制限に対応して、逆にファーストパーティークッキーを収集することができるＤＰＦ事業者にユーザーの行動履歴等が集中することが考えられ、ＤＰＦ事業者が、サードパーティークッキーを用いない新たなトラッキングの仕組みを開発した場合には、ユーザーデータを利用した特定のＤＰＦ事業者による寡占的利用が考えられる。他方でＤＰＦ事業者への情報集中に対しては情報銀行の役割を期待できるとする考えもある。

③サードパーティークッキーに代替する技術の利用

ユーザートラッキングに利用される技術としては、ピクセルタグやブラウザフィンガープリンティングといった技術が用いられている。

いずれにせよ、行動ターゲティング広告が、広告手法として大きな地位を占めている状況が変化しない限りは、ユーザーの行動履歴情報といった個人のプライバシーに関わる情報が集積され分析されること自体は変わらない。

第2項　行動ターゲティング広告関連規制の状況

①日本

個人情報保護法において、クッキーや行動履歴情報は、単体では個人情報には当たらない。リクナビ事件では、クッキー情報等が第三者提供される場合には、提供先で個人情報と紐づけられる可能性があるのであれば、個人情報保護法の第三者提供規制の潜脱になるとも指摘された。

行動ターゲティング広告に対しては、JIAA（一般社団法人日本インタラクティブ広告協会）が「行動ターゲティング広告ガイドライン」を定め、ユーザーへの「透明性の確保」（データの取扱いについての分かりやすい説明）と「関与（オプトアウト）の機会の確保」（データの取得または利用の可否を容易に選択できる手段の提供）を原則としている。そしてJIAAの「プライバシーポリシーガイドライン」では、適用対象を個人情報に限定せず、個人情報以外のユーザーに関する情報まで含めて「個人関連情報」と定義して、これにクッキーなども含ませた上で、公表や利用範囲、第三者提供についても遵守すべき事項を定めている。

②EU

EUで施行されているGDPR（二〇一六年制定）では個人データ（Personal Data）は、識別されたまたは識別されうる自然人に関連するあらゆる情報であると定義されており、クッキーは、オンライン識別子として個人データに含まれうる。

またePrivacy Directive（eプライバシー指令、二〇〇二年制定）五条三項によれば、事業者がユーザーの端末に情報を保存する場合およびユーザーの端末機器に既に保存された情報にアクセスする場合には、ユーザーに対して明確かつ包括的な情報を与えた上で、ユーザーから同意を取得しなければならないとする。そのため、クッキーの取得には、原則として同意を要するものとされ、クッキーによる行動ターゲティング広告に一定の規制が加えられている。

③アメリカ

米国では、連邦法のレベルでの消費者に関する個人情報保護については、FTC法（Federal Trade Commission Act）五条（商取引におけるまたは商取引に影響を及ぼす不公正な競争方法、および、商取引におけるまたは商取引に影響を及ぼす不公正もしくは欺瞞的な行為または慣行は、本法による違法と宣言する）を根拠として、FTC（連邦取引委員会）が消費者の個人情報やプライバシーに影響を及ぼしうる「不公正もしくは欺瞞的な行為や慣行」を行っている企業に対する法執行を行っている。

また、一三歳未満の子どものプライバシー保護を目的とする連邦法COPPA（Children's Online Privacy Protection Act）があり、子ども向けのオンラインサービスを提供する事業者や、子どもの個人情報を収集していることを現に認識している事業者は、子どもから個人情報を取得するに際して保護者の同意を得なければならない。COPPAにおける個人情報には、IPアドレス（インターネット上でコンピュータ等の機器を特定するために割り当てられる番号の列）やクッキーも含まれている。

カリフォルニア州では、ＣａｌＯＰＰＡ（California Online Privacy Protection Act）が行動ターゲティングについて規制する。ＣａｌＯＰＰＡは、ウェブサイトを運営する事業者に対し、当該ウェブサイトを利用するユーザーを第三者がオンライン・トラッキングできるか否かを公表しなければならないものとしたうえで、ユーザーから Do Not Track のオプトアウトの要求があった場合の対応方法も公表すべきものとしている。

同州では、さらにＣＣＰＡ（California Consumer Privacy Act）が施行されている。二〇二〇年一月一日施行の包括的プライバシー保護法であり、消費者の権利をも規定している。行動ターゲティング広告との関係では、オプトアウト権を認めており、消費者は事業者に対し、自らの個人情報を販売することを中止するよう請求することができる。そして、ＣＣＰＡにおいては、オンライン識別子のほか、閲覧履歴・検索履歴等のオンライン上の行動履歴は個人情報に該当しうるものとして列挙されてもいる。行動ターゲティング広告の配信、特にＲＴＢの仕組みを用いて配信する場合は、関係者間において閲覧履歴等のやりとりが必然的に発生する。ＣＣＰＡの販売規制の外延は定かではないが、二〇一九年に自主規制団体であるＩＡＢ（Interactive Advertising Bureau）が公表したＣＣＰＡの販売規制に関するフレームワーク（IAB CCPA Compliance Framework for Publishers & Technology Companies）においては、パブリッシャー（ウェブサイト内の広告スペースを広告主等に販売する事業者）が自身のウェブサイト等から収集した個人情報をアドテク企業（インターネット広告を提供している企業）に対して販売する場合、またはユーザーがそのような販売に対してオプトアウト権を行使した場合に、パブリッシャーとアドテク企業の双方が遵守すべきルールを定めている。

第3項　ユーザーを追跡しないコンテキスト広告

行動ターゲティング広告は、ユーザーの行動履歴情報等をトラッキングすることで、その趣味・嗜好等を推測し、それに合わせた広告を表示させる。これに対して、ユーザーの履歴に着目するのではなく、表示されているウェブページの文脈（コンテキスト）に着目して広告を表示させるコンテキスト広告が注目されている。

コンテキスト広告は、ウェブページのキーワード、文意、画像などをＡＩが自動で解析し、文脈にあった広告を配信する。この手法では、ユーザーが現に閲覧しているウェブサイトのコンテンツや文脈、画像を元に広告が配信されるので、当該ユーザーの興味をひきやすく、より親和性のある広告を配信することができる。例えば、観光地の紹介をしているウェブページを閲覧中のユーザーは、旅行することを検討中である可能性が高いと判断して、旅行代理店の広告を表示させる、というような手法である。

コンテキスト広告は、ユーザーの履歴をトラッキングする必要がないので、サードパーティークッキーを使用する必要がなく、サードパーティークッキー規制の流れに合致しており、プライバシー保護の観点で優れた手法である。

また、行動ターゲティング広告は、（ユーザーの行動履歴から推測される趣味・嗜好等には適合していても）現在ユーザーが閲覧しているウェブページとは関連性の薄い広告が表示されるといったこともあったが、コンテキスト広告は、現在ユーザーが閲覧しているウェブページのコンテンツに関連した広告を表示するので、現在のユーザーの興味・関心により適した広告を表示できるとも考えられている。

このようなことから、今後はデジタル広告のトレンドがコンテキスト広告に移行すると予測する事業者もいる。

第4項　小括

以上のように、行動ターゲティング広告に一定の制限を及ぼす必要性があること自体は既に共通認識となっており、事業者自らクッキー等の利用を制限する新しい技術を採用しているし、あるいは、日本を含めた各国で法律等による規制が行われている。もっとも、規制の状況は国により異なっており、プライバシー保護を十分にするために、どのような技術や規制を採用すべきであるかが問われていると言うべきである。

第3節　信用スコア・バーチャルスラム

第1項　ＡＩによる信用スコアリングの現状……中国の状況から

①中国での信用スコアの利用状況

金融機関が融資の際に行う与信審査では、融資希望者の「信用力」に点数（クレジットスコア）を付けるスコアリングが実施されてきた。しかし、近年、ＡＩ（人工知能）技術の発展に伴い、ＡＩによるスコアリングがなされるようになりつつある。

スコアリングサービスについては、中国・アリババグループ傘下のアントフィナンシャルグループの芝麻信用社（Zhima Credit）が提供している信用スコアがよく知られている。

ここで、芝麻信用社の信用スコアを紹介する前提として、中国における電子商取引やモバイル決済の現状に言及しておく。経済産業省の公表資料によれば、中国では近年、電子商取引（ＥＣ）が爆発的に拡大している。二〇二〇年の世界全体のＢｔｏＣ-ＥＣ市場規模は、約四・二八兆ＵＳドルとされているが、一位は中国の二兆二九七〇億ＵＳドル、二位が米国の七九四五億ＵＳドル、三位が英国の一八〇四億ＵＳドル、日本は一四一三億ＵＳドルで四位である。中国のＢｔｏＣ-ＥＣ市場規模は、世界全体の半分以上を占めており、二位のアメリカに三倍以上もの差を付けて圧倒的な世界一である。その中国ＥＣの最大手がアリババグループである。

そして、中国ECの拡大を支え、それと共に普及してきたのが、モバイル決済である。中国のモバイル決済は、アリババグループのアリペイと大手IT企業テンセントのウィーチャットペイが二強で、両者のシェアを合計すると九二％に達するとされる。

アリペイは、元々はEC向けの決済システムだったが、その後、実店舗での支払いにも使えるようになり、広く普及している。また、テンセントのアプリ「ウィーチャット」は、スマホ用のメッセージアプリであり、二〇二〇年九月時点で月間アクティブユーザーは一二億人を超えるといわれている。ウィーチャットには、ウィーチャットペイと呼ばれる決済機能があり、ネットサービスの支払いに利用できるのはもちろん、実店舗での支払いにも広く利用されるようになっている。

一般社団法人キャッシュレス推進協議会の「キャッシュレス・ロードマップ２０２１」によれば、二〇一八年の中国のキャッシュレス決済比率は、七七・三％に達しているとされる（ちなみに日本は二四・二％）。そのほとんどがアリペイとウィーチャットペイによるものである。

こうして、アリババグループとテンセントは、商取引に関して生み出される膨大なデータを収集し、利用することが可能となったのである。

しかも、両社のアプリは、様々なアプリのハブとなる「スーパーアプリ」とも呼ばれている。したがって、モバイル決済の情報に加えて、こうしたスーパーアプリの利用を通じて収集されたコミュニケーションに関する情報や、様々なサービスの利用状況に至るまで、極めて膨大な情報も、あわせて両社に集中することになる。

芝麻信用社は、アリババグループのネットショッピングの取引情報やアプリの利用を通じて得られた情報に加え、政府から提供される学歴情報や公共料金の支払記録等の大量のデータを収集し、個人の信用スコアをＡＩで自動算出しているのである。この信用スコアを活用することで、社会生活における消費者の「待ち時間」や「担保」等のコストが削減でき、同時に、信用スコア提供先の事業者において、消費者の個別の特性に応じた付加価値あるサービスの提供や顧客基盤を拡大することが可能になるとされている（前記キャッシュレス・ビジョン）。

②中国の「社会信用」システム

（1）「社会信用」システムとは

中国の信用スコアは、より大きな視点で見れば、政府が主導して計画している、包括的な「社会信用」システムと呼ぶべきものの重要な一部と位置づけられる。

社会信用システムの目的は「市民の行動を改善するために、……爆発的に増える個人データを活用することであり、個人と企業は、行動のさまざまな側面――どこに行くか、何を買うか、誰が知っているか、に基づいてスコアリングされる。そのスコアは、包括的なデータベースに統合され、政府が集めたデータだけでなく、民間企業が集めたデータともリンクする」とされる。

このシステムは、さまざまな経済活動や社会的活動における「良い」行動と「悪い」行動を追跡し、罰則と報酬を自動的に割り当てることで、経済的、社会的、政治的生活において「誠実さを構築する」行動を形成していく。「目的は、公的および私的ソースからのデータを編集し、すべての中国国民を追跡するようにすることだ。……個人のデータは指紋や生体情報の特性によって検索できる」とされる。

この社会信用システムの核心をなすのは、「判決不履行者リスト」すなわち、債務者や過去に裁判所の命令に従わなかった者を列挙したリストであると言われている。このリストに載っている人は、飛行機、新幹線等のチケットを購入できない。家の売買、建築もできず、学費の高い学校に子どもを入学させることもできない。党や軍隊への加入、昇進、名誉や称号を受けることも制限されるという。そうした人物との社会的接触によって、リストに載っていない者のスコアが下がることから、周囲の者とのつながりも断たれてしまう。

（2）社会信用システムを支える顔認証技術と信用スコア

社会信用システムが「市民の行動を改善する」目的を達成する上で、大きな役割を果たしているのが、顔認証技術と信用スコアである。

〈1〉顔認証技術は、今や中国では、学校や空港を含めた建物の出入口、コンビニなどでの決済、スマホによる鍵開け、防犯カメラ、犯罪捜査などに広く使われている。顔認証技術を搭載した監視カメラが近年大量に配備されている。調査会社ＨＩＳマークイットの二〇一九年のリポートによると、世界には七億七〇〇〇万台の監視カメラがあり、そのうち五四％が中国にある（すなわち、四億一五八〇万台ということになる）。世界の監視カメラの台数は二〇二一年末に一〇億台を超え、その半分強を引き続き中国が占めると予想されている。二〇一八年には、赤信号無視をした歩行者は即時に特定され、すぐそばのディスプレイで、顔と名前がしばらくの時間、さらされるという運用がなされていた。

監視カメラが大量配備された結果、中国人の行動パターンは変容しつつあると言われている。例えば、タクシーは制限速度を守り、歩行者は信号を守り、街に散乱していたゴミは消えた。ルール違反は監視カメラによって捕捉され、顔認証技術によって、個人が特定されてしまうからである。これにより、逃亡犯の多数が逮捕され、防犯に大きく貢献しているとも言われている。他方で、中国では犯罪とされる政府批判を行った者が顔認証機能付き監視カメラで特定・検挙されており、公共の場において政府批判の言動をとることは抑制されていると考えられる。

〈2〉前記のとおり信用スコアは、購買歴のような商取引に関するもの以外の情報、すなわち、SNSでの発信履歴、友人関係、ルール違反や犯罪歴などを含めてポイント化する。したがって、例えば、高い信用スコアが、大学の試験での不正行為といった、消費行動とは無関係の理由で、突然急落する可能性もある。ポイントが高いと融資や担保などで優遇措置が受けられるが、低いと鉄道や航空機のチケットさえ買えない。

例えば、前記した芝麻信用社の信用スコアでは、学歴や職業などの「身分特質」、支払い能力の「履行能力」、クレジット履歴などの「信用歴史」、交友関係などの「人脈関係」、消費の嗜好を表す「行為偏好」を独自のアルゴリズムで三五〇点から九五〇点の範囲で点数化する。場合によっては男女の交際や結婚相手の判断にも使われるという。

（3）スコアリングを回避する術はない

中国では、社会信用システムにより、身分証や戸籍情報、宗教・民族、学歴・職歴、口座情報、納税・保険情報、顔認証を中心とした生体情報、位置・移動情報、SNSを通じた発信履歴や交友関係、購買履歴、閲覧履歴などが紐づけられる。中国では、モバイル決済の普及で、ただでさえ、スマホを持っていなければ、社会生活上様々な不便を強いられるに至っている。しかも、信用スコアは、政府が進める社会信用システムの重要な一部として位置づけられているのである。そうした社会にあっては、信用スコアによる評価を回避することは、極めて困難である。

次に述べるように、ＡＩによるスコアリングには、様々な問題点が指摘されている。しかし、中国では、もはやスコアリングを回避する術もないと思われる。

第2項　ＡＩによるスコアリングの問題点

従前から用いられているアルゴリズムと比べると、ＡＩによる機械学習アルゴリズムは精度が向上しており、人間が発見することができない複雑な関係を表現することも視野に入れることができるとされている。

①評価基準たるアルゴリズムの不明確性とバーチャル・スラム

中国では、芝麻信用社の信用スコアが官民のさまざまな機関で「第二の身分証」のように使われており、スコアが高い人は住宅ローンを低金利で組めたり、家を借りるときに敷金がいらなかったり、外国ビザを取得する手続を一部免除されたりする。その一方で、スコアが低い人は、社会の至るところで差別的な扱いを受ける。芝麻信用社のスコアを考慮する多くの企業によって採用を拒否されたり、芝麻信用社と連携する婚活サイトで不当な扱いを受けたり、ロースコアの人は飛行機などのチケットが買えず、移動すら不自由になるという。

社会生活への大きな影響力にもかかわらず、スコアの評価基準の大部分は「ブラックボックス化」しており、一度低いスコアをつけられると自分で改善を図ることが難しい構造となっている。この点を捉えて、慶應義塾大学の山本龍彦教授は、信用スコアがロースコアの人は社会の下層で固定されてしまう、「バーチャル・スラム」現象が生じることを危惧する。

②基礎となるデータの誤差に基づくスコアリング精度の低下

また、アルゴリズムに起因するのではなく、アルゴリズムが基礎とするデータの誤差により、スコアリングの精度が低下するという問題もある。

偏ったデータと偏ったアルゴリズムが、低所得者や少数派の人々に不利な形で自動意思決定を歪めることは既に知られているところである。例えば、銀行がクレジットカードの借金を返すかどうかを予測するために使用するソフトウェアは、通常、裕福な白人の申請者を優遇する。多くの研究者や多くの新興企業が、こうしたアルゴリズムをより公正なものにすることで、この問題を解決しようとしており[5]、AIによるスコアリングはその有効な是正手段になることが期待されていた。しかし、現実は期待どおりには運んでいないようである。

スタンフォード大学ビジネススクールのローラ・ブラットナー助教授は、シカゴ大学ビジネススクールのスコット・ネルソン教授と共同で、実際の住宅ローンデータを用いた過去最大の研究を実施した。その結果、同教授らは、クレジットスコアのアルゴリズム自体が不利な借り手に対して偏っているというよりも、むしろ、そのような借り手はクレジットヒストリーが少ないため、基礎となるデータの信用度を予測する精度が低いことを指摘する。「薄い」クレジットヒストリーはそれだけでその人のスコアを低下させる。しかも、過去に何年も支払いを延滞していたなど、一つや二つの小さな傷が、その人のスコアに大きなダメージを与える可能性がある。[6]

このようなデータ誤差は、単に予測モデルを改善するだけで解決するのは困難であり、信用スコアリングシステムの範囲外での介入を必要とする。ノースウエスタン大学の弁護士兼研究者のラシダ・リチャードソン助教は、こうした結果を是正・防止するため、不平等な構造条件を生み出し、人種隔離のように個人と集団の差別的扱いに寄与する制度的・社会的慣行の解決に取り組まなければならないと指摘する。

第3項　日本における信用スコアの状況と問題

日本でも近年、信用スコアを提供する企業は徐々に増えている。しかし、サービスが乱立気味で、今のところ利用もそれほど広がってはおらず、現状では、中国のような状況には程遠い。

ところが、そのような日本においても、ウェブの閲覧履歴等から個人がいわばランクづけされ、それによって不利益な取り扱いをされる可能性があることを示す事件が発生し、大きな話題となった。いわゆるリクナビ事件である。

二〇一九年に発覚したリクナビ事件は、リクルートキャリア社が提供する大手就職情報サイト「リクナビ」において、リクナビ上での学生の閲覧履歴等をもとに、同社が作成したアルゴリズムに基づいて学生の内定辞退率をスコアリングし、顧客企業に対して学生ごとの内定辞退率スコアを提供していたという事件である。提供元のリクルートキャリア社は、内定辞退率と個々の学生を結びつけるデータを有していなかったが、提供先の顧客企業では応募者管理IDの突合により、提供された内定辞退率スコアを特定の個人と紐づけることが可能となっており、リクナビを利用する学生にとってはきわめて不利益の大きい方法でデータの取扱いがなされていた。

この事件を受けて、個人情報保護委員会は、リクルートキャリア社とその親会社であったリクルート社（現在はリクルート社がリクルートキャリア社を吸収合併している）に対し、勧告及び指導を行った。この事件の影響は大きく、二〇二〇年の個人情報保護法の改正にまで及んだことは記憶に新しい。

本件では、第三者提供の同意の取得漏れがあったことや、同意を取得するにあたっての説明が不明確であったこと等が問題視された。

しかし、そもそも、学生に対して、「リクナビ上での行動履歴等が分析され、自身が選考を受けている企業に内定辞退率スコアとして提供されること」が十分想起できる説明が行われていたとしたら、およそ学生は同意を望まないであろう。ところが現状では、就職活動をする学生にとって、リクナビはもはや必要不可欠なサービスになっている。仮に内定辞退率スコアの提供に同意しなければ、リクナビに登録できない、あるいは登録できても十分なサービスを受けられない、というのであれば、学生は就職活動のためには同意してリクナビを使うほかなく、そのような同意は真摯な同意とは評価できない。

したがって本件により、本人の同意（形式的な同意）があるからといって、プロファイリングをすることが許容されるとは限らないことが明らかになったと言うべきであろう。[7]

さらに言えば、仮に将来、信用スコアが広く普及し、これを利用しなければ、就職活動の場面のみならず、通常の社会生活を送ることが困難な社会が到来することがあるとすれば、信用スコアリングを回避することは事実上不可能になってしまうであろう。

第４項　ＡＩスコアリング規制のあり方

些か極端な形の「仮定」との留保付きではあるが、ＡＩスコアリングが広く普及してバーチャル・スラムが顕現した場合に新たに貧困に陥りうる「デジタル貧困」とでも呼ぶべき層は、Ｇ20では三・四億人以上（最大では五・四億人）であるという試算もなされている。[8]

山本龍彦教授は、信用スコアリングのブラックボックス化に関連し、信用スコアの算出基準が見えないことに伴う萎縮効果によって、社会の多様性や創造性が失われることを懸念する。他方で、同教授は、アルゴリズムの公開により評価を受ける側が算出基準に見合った行動をとるようになるため、本当の信用力が測れなくなる「ゲーミング」問題が生じることを指摘し、企業に公開のインセンティブが働きにくい構造を指摘する。

その上で、同教授は、予測精度が著しく下がらない程度にできる限り説明すべきであるとの立場から、個人の自由や自己決定の確保の観点から、特にスコアを上げる具体的な方法など一定の行動指針は提示する必要があると指摘し、何よりもＡＩの評価は絶対ではないと認識した上で、人が最終的に評価の責任を持つべきであると指摘する。

第４節　民主主義への影響と規制の動向

第１項　選挙への介入〜ケンブリッジ・アナリティカ事件

こうした技術の進化により、選挙の結果までもが不正に歪められる事態まで発生し、民主主義が危機に瀕していることが明らかになった。

①マイクロターゲティング

「マイクロターゲティング」とは、消費行動などのビッグデータを利用することにより、従来のターゲティングよりも、より個人の属性に特化して、ターゲットを定める手法である。

アメリカ大統領選挙では、オバマ陣営が初めて、有権者に関するビッグデータを分析し、この手法を利用した。アメリカでは、有権者の氏名、住所、選挙投票記録及び銃の所有などのデータが公開されているため、各政党は、これらの公開データ、戸別訪問で蓄積したデータ、及び民間業者から購入した消費者データ（クレジットカード利用履歴、ネット上の購買記録、ネットの使用頻度やサイトの訪問記録、スマホの使用状況、ＳＮＳへの参加など）を統合することで、有権者のプロフィールを作成することができる。

それらのプロフィールデータを細かく分析し、自陣営の候補者を支持する可能性の低い有権者に対して働きかけるのではなく、支持者でありながらも投票にいかない者や投票するが支持者ではない者に対して、重点的に選挙活動を行う。ただし、この中でも投票する可能性が著しく低い者や支持者になる可能性が著しく低い者は、選挙活動を行う意味がないとして除外される。

またその選挙活動の方法も、各有権者（ターゲット）に画一的なメッセージを送付するのではなく、ターゲットに対して効果的なメッセージを選びだし、特定のメッセージを送るというものである。そのため、受け取るメッセージは人により異なることとなり、その人の興味のある分野に関するメッセージを送ることで、無駄を省いた効率の良い選挙活動を行うことができる。

福田直子著『デジタル・ポピュリズム――操作される世論と民主主義』（集英社新書、二〇一八年、五六頁）では、オバマ陣営が有権者のデータを集めた手法について報じた、リベラル系のニュースサイト「マザージョーンズ」の記事が紹介されている。

「たとえば、ジェーンという民主党支持の有権者がいるとする。ジェーンのツイッターには、オバマのウェブサイトへ誘導を促すリンクが送られる。ジェーンが自発的に名前、住所、郵便番号に相当する五桁の〝ZipCode〟などの基本データを入力するとジェーンのコンピュータには「クッキー」が送られ、ジェーンがどのようなサイトを見ているかなどの情報が集積される。ジェーンは、オバマの選挙キャンペーンサイトをはじめ、健康や環境に関するサイトをよく閲覧しているという結果から、ジェーンの関心ごとが浮き彫りにされる。また、キャンペーン本部は、ジェーンが若く、スペイン語を話す看護師であることなど、大体のプロフィールを把握。ネット購入に加え、クレジットカード会社の購入記録から、どのような雑誌を購読し、どのような車を所有し、どのスポーツクラブに所属しているかなど、消費活動もモニターする。それを過去の民主党への投票記録と照らし合わせ、献金リストと見比べ、さらにフェイスブックでどういうことに対して「いいね！」ボタンを押しているかを分析し、ジェーンが今回もオバマに投票するための選挙活動をどのように進めるべきか、検討される。そうして、オバマの選挙本部は、分析結果をもとに、ジェーンに、オバマ大統領が家族計画を重視していること強調し、「対立候補が当選すると『女性の選択の余地が狭められる恐れがある』というメッセージをメールで送るのだ」。

この方法では、ジェーンは、ジェーンのためのメッセージを受取り、ジェーンの配偶者は、同じ家に住んでいても、異なるメッセージを受け取ることとなる。

マイクロターゲティングは、画期的な方法ではあるが、本来、選挙においては、その候補者がどのような主張をしているのかを有権者が知ることが非常に重要である。街頭演説で誰もがみな同じメッセージを受け取ることで、その候補者が相応しいか否かなどを他者と議論できるのであり、個別化したメッセージしか受け取らなければ、議論も公開討論をするにもその材料がない。また、個別化が過剰になれば、候補者は各ターゲットに対して、そのターゲットに耳触りの良い約束をばらばらにしてしまうことになりかねない。そうなるとその約束を守っているのかどうかも、みなが知らなければ、確認すらできず、守っていないことの政治責任が問えなくなる。

是非はともかく、オバマ陣営のマイクロターゲティングの手法は、その後のアメリカの選挙活動を大きく変貌させた。そして、その手法をさらに発展させ、トランプ大統領の誕生に大きく貢献したと言われているのが、後述するケンブリッジ・アナリティカ社（ＣＡ社）である。

②フェイスブックによる投票実験

世界で最大の利用者がいるＳＮＳの代表格フェイスブックは、選挙活動に利用されるだけでなく、自ら積極的に投票に関する実験を行っている。米カリフォルニア大学サンディエゴ校の教授とフェイスブックの研究者らが二〇一二年に発表した論文「A 61-million-person experiment in social influence and political mobilization」によると、フェイスブックは次のような投票に関する大規模な実験を行った。

二〇一〇年一一月二日、フェイスブックにアクセスしたアメリカ国内の一八歳以上の市民を無作為に三つに分類し、次の操作を行った。

（1）約六〇〇〇万人の「ソーシャルメッセージグループ」には、「ニュースフィード」のトップに

「Today is Election Day」というメッセージと、投票所情報のリンク、「I Voted」ボタンを押して投票したことを友人たちに知らせましょうというメッセージ、既にボタンを押した友人の写真が最大六枚まで表示される。

（2）約六〇万人の「インフォメーションメッセージグループ」には、「ソーシャルメッセージグループ」の画面と同じ表示がなされるが、友人の写真は表示されない。

（3）約六〇万人の「コントロールグループ」には、これらの一切の表示がされない。

ユーザーの個人情報と投票所の公式記録を照合すると、「ソーシャルメッセージグループ」は他のグループと比較して投票率が〇・三九％高いという結果が得られた。

この実験結果は大きな反響を呼び、フェイスブックは、アルゴリズムを利用して選挙結果も動かせるのではないかとの懸念も生まれた。

③ケンブリッジ・アナリティカ事件

（1）ケンブリッジ・アナリティカ社

ケンブリッジ・アナリティカ社（ＣＡ社）は、イギリス国防省や北大西洋条約機構軍などもクライアントとする、行動学を基にした軍での心理作戦を得意とするコンサルティング会社ＳＣＬの子会社である。二〇一三年に選挙コンサルティングに特化した会社として、アメリカのデラウェア州法に基づき設立された。トランプの後援者であり、ヘッジファンドで巨万の富を築いた大富豪ロバートマーサが筆頭株主を務めており、同人により、大金がＣＡ社に投じられている。[9]

CA社は、近年の選挙で、少数票が決定的な票差として勝敗を左右することから、マイクロターゲティングの重要性を掲げ、「行動学的マイクロターゲティング戦略」により、同業他社よりも有権者に対してより効果的な選挙メッセージを送ることできることを売りにしていた。「行動学的マイクロターゲティング戦略」とは、CA社の説明によると、地理的、統計学的な情報を分析し、アメリカ人有権者の政治・消費行動、ライフスタイル及び個人の心理を分析する五つの要素「ビックファイブ」を用いた個人データを総合分析することで、一人一人が関心を持っているテーマを細かく知ることができ、その人にどのようなメッセージを送ればよいのかが分かるというものである。

CA社は、アメリカ大統領選挙でトランプ陣営側に関与し、結果、誰もが知っているとおり、泡沫候補とみられていたトランプは、旋風を引き起こし、劇的な勝利を飾った。

しかし、二〇一八年三月、CA社が、マイクロターゲティングの基礎となる個人データを不正に収集していたことが、内部告発により明らかとなる。その不正に収集されたデータが類をみないほどの数でありかつプライバシーにかかわる重要な情報であること、その不正行為が選挙の結果に影響を及ぼした疑いがあること、アメリカ大統領選挙のみならず、イギリスのEU離脱を問う国民選挙にも関与していた疑いなどから、イギリスの情報コミッショナー事務局（ICO）やアメリカの連邦取引委員会（FTC）などにより捜査・調査が行われ、大きな社会問題となった。

アメリカ大統領選挙及びイギリスのEU離脱という世界情勢に大きな影響を与える選挙に関する不正事件であり、ロシアなど他の国からもデータへのアクセスが認められたことから、世界中の注目を集めるも、国境を越えた多数の利害が複雑に絡んだ問題であること等から、調査は難航し、今も真相不明な点が多く残されている。

(2) アメリカ大統領選挙への関与

CA社は、イギリスのケンブリッジ大学の心理学者であるアレクサンダー・コーガン氏と結託し、約二七万人のフェイスブックユーザーに対して、回答することで少額の報酬をもらえる「GSRApp(グローバルサイエンスリサーチアプリ)」をダウンロードさせた。

GSRAppは、フェイスブックからのデータ収集の許諾条件に「あなたの名前その他の識別可能情報はダウンロードしません」という文言をかかげていた。しかし、実際には個人に紐づけられる利用者のフェイスブックID及び利用者自身の、性別、生年月日、位置、タグづけされている写真、タイムライン・ニュースフィードへの投稿内容、Eメールアドレス、公表されているフェイスブックページへの「いいね」及びフェイスブック上のメッセージが収集された。また、利用者本人のみならず、その「友だち」のフェイスブック利用者ID、氏名、性別、生年月日、位置、「友だち」がタグづけされている写真及び公表されているフェイスブックページへの「いいね」が収集された。CA社がこの方法により得たフェイスブック上のデータは、最大で八七〇〇万人分にも上ると言われている。

フェイスブック上のデータは、個人データを調査・分析する資料として、非常に有効なものとされている。フェイスブック上のユーザーが押した「いいね!」ボタンは、その人の自然な人間行動を示すデータが詰まっており、三〇〇個の「いいね!」ボタンを分析するだけで、その人の配偶者よりも、人間行動を予測できるようになるとの研究結果がある。

CA社は、GSRAppにより得た個人の特性に関する情報とフェイスブック上のデータ収集により、より精度の高いマイクロターゲティングを行うことができることとなった。そして、これをアメリカ大統領選挙で利用し、トランプ大統領の誕生に貢献したと言われている。

(3) イギリス国民投票への関与

CA社の内部告発者からは、イギリスの国民投票にもCA社もしくはグループ会社がEU離脱派の陣営側で関与し、アメリカ大統領選挙と同様に、不正に入手した個人データをもとにマイクロターゲティングやフェイクニュースの投稿を行ったと言われている。[10]

しかし、三年にわたってCA社の調査を行ったICOは、二〇二〇年、CA社が、ブレグジット国民投票に影響を与えるために、個人データを直接悪用してはいなかったと結論づけた。もっとも、ICOの担当者は、CA社のデータ保護慣行は効果的なセキュリティ対策についてほとんど考えられておらず、CA社の活動は政治に対するテクノロジーの影響についてより広い懸念を引き起こしたと警告している。

(4) フェイクニュース

CA社は、個人情報の不正収集及び利用だけでなく、このアプリから得た個人の特性に関する情報とフェイスブックから得られた個人情報を組み合わせて、有権者それぞれの嗜好や政治的方向性を把握したうえで、トランプ候補に有利な情報、対立候補のクリントン氏にとっては不利な情報、いわゆるフェイクニュースを流したとも言われている。

その方法も、フェイスブックの機能を巧妙に利用している。フェイスブックでは、ニュースサイト上で記事の「シェア」ボタンを押すと、フェイスブックの友人に記事を読ませることができるという機能や、レコメンデーションエンジン（ウェブサイトやモバイルアプリの利用者等に対して、適切なオファーや製品、コンテンツを特定し、顧客体験をパーソナライズするためのソフトウェア）により、既に似たようなコンテンツに「いいね！」している有権者のニュースフィード上に記事を表示させることができる機能があるが、これらの機能を利用しているのである。CA社は、この方法により、ネット上で多くのフェイクニュースを拡散したと考えられている。

第2項　フェイスブック等のプラットフォーム（DPF）改革の動き

こうした事態を背景に、フェイスブックやツイッターなどのDPFは政治上、安全保障上の重要性から近年内部的な改革を行い、大幅な増員を行い、国家安全保障のエキスパートやインテリジェントオフィサーを雇い入れるなどの措置を講じている。

DPFが選挙や安全保障上の問題についての対応を強化したのは、選挙・国際紛争においてフェイスブックがプロパガンダの手段として利用され、不正な選挙、あるいは暴力拡大の一因となったことが原因である。

また、DPFの問題は不正確な情報の流布によるプロパガンダの他に、閉鎖的な空間において自らと同じ考えを持つユーザーの意見に取り囲まれることにより自己の偏見が肯定・助長されるエコーチェンバー現象、またはSNSのアルゴリズムにより自己を肯定する情報に取り囲まれるフィルターバブル現象などがある。これらの現象はアメリカ議事堂襲撃事件や反ワクチン運動にも影響していると言われている。

①選挙問題

フェイスブックの選挙問題については、先に紹介したケンブリッジ・アナリティカ事件が著名である。フェイスブックは国際的な選挙問題のオペレーションセンターを二〇一八年に立ち上げ、選挙に関する公正なプラットフォーム運営の努力を各地（インドネシア、オーストラリア、タイ、インド等）で行っていると言われている。

ツイッターも二〇二一年一月六日のアメリカ議事堂襲撃事件の後、QAnonに関連する七万件以上のアカウントを停止し、さらにトランプ前大統領のアカウントも停止した。

②暴力拡大問題

ミャンマーでは、フェイスブックによるプロパガンダや扇動が広まった際、対応が遅れ、大規模な宗派間・宗教間暴力の一因となり、少数民族ロヒンギャに対する大規模な残虐行為にフェイスブックが加担していると非難する声が多くあがった。このため、フェイスブックは紛争地域における暴力の激化問題に取り組むための戦略的対応チームを設立した。

また、二〇二一年五月のイスラエルとガザの衝突やイスラエル国内の宗派間暴力の際に、フェイスブックはグローバルアフェアーズとパブリックポリシーのトップを派遣して、イスラエルとパレスチナの当局者と会談した。これは、フェイスブックがプラットフォームを通じた暴力の拡散を抑制するために十分なことをしていないという批判に対応するためであった。

また、同プラットフォームは、選挙の状況から「ウォー・ルーム」モデルを採用し、状況を監視し、偽情報、暴力扇動、暴力の連携に対する執行をリアルタイムで改善するために「特別作戦センター」を結成した。

③フェイスブックに対する内部告発

上記のように、フェイスブックをはじめとした巨大DPFは内部的な改革を行っているとされているが、これらの改革が十分でないことを指摘する内部告発が二〇二一年に行われた。

フェイスブックのデータサイエンティストであったフランシス・ホーゲン（Frances Haugen）氏は、大量の内部文書を持ち出し、フェイスブックは一貫して自社のプラットフォームに安全策を講じるよりも成長を最大化することを選んでいたと議会において証言した。また、同氏は、二〇一八年にフェイスブックがアルゴリズムを変化させてからより多くの怒りや偽りの情報が拡散しやすくなったと指摘し、情報開示のための立法が必要であると主張している。

参考文献

ショシャナ・ズボフ『監視資本主義』野中香方子訳、東洋経済新報社、二〇二一年

福田直之『内側から見た「AI大国」中国』朝日新聞出版、二〇二一年
倉澤治雄『中国、科学技術覇権への野望』中央公論新社、二〇二〇年
山本龍彦「AIが人を評価する時代…気鋭の憲法学者が抱く危機と希望」日刊工業新聞社、二〇二〇年
Chachko Elena, *National Security by Platform December*, 1, 2021, *Stanford Technology Law Review*, Vol.25, 1, 2021.

注

1　ユーザーがアクセスしたウェブサイトのウェブサーバーから発行されるクッキー情報をいう。アクセスしたウェブサイトから送られたクッキー情報がユーザーの端末に保存され、ユーザーが再び同じウェブサイトにアクセスするとウェブサーバーからクッキー情報を参照してウェブサイトを表示するためのデータを返すため、前回アクセスしたときの情報を前提としたデータを表示することができる。例えば改めてログインし直す手間を省いたり、カート内の商品をいれ直す手間を省いたりすることができる。

2　ユーザーがアクセスしたウェブサイト以外のウェブサーバー（例えば、当該ウェブサイトに掲載されているデジタル広告の広告配信に関与するサーバー全般）から発行されるクッキー情報をいう。ファーストパーティークッキーは、ユーザーデータを収集できる範囲が、ユーザーのアクセスした同一ドメインのウェブサイトに限られるのに対して、サードパーティークッキーは、複数のウェブサイトに掲載されるデジタル広告のアドサーバー等を通じてユーザーデータを収集できるため、ユーザーデータを収集できる範囲は限定されない。ユーザーは、アクセスしたつもりのないサードパーティのサーバーから、ブラウザを識別され情報を把握されてしまう。

3　複数の媒体サイトを広告配信対象としてネットワークを組んで広告の受注を請け負うサービス又はサービス業者をいう。アドサーバーによって複数サイトへの広告の一括配信を行っている。

4　それぞれ別の管理者の複数のクッキーを同期させ、ユーザーに発行されたクッキーを連携させて、そのユーザーに発行されたクッキーの情報を統合させる技術

5　Will Douglas Heaven(2021) "Bias isn't the only problem with credit scores–and no, AI can't help."

6　Edmund L. Andrews(2021) "How Flawed Data Aggravates Inequality in Credit Stanford Institute for Human-Centered Artificial Intelligence."

7　職業安定法の観点からこの点を指摘するのが、厚生労働省「募集情報等提供事業等の適正な運営について」第三及び第四（二〇一九年九月六日職発〇九六）。

8　矢守亜夕美＝石井麻梨「ＡＩ時代の新たな貧困――『バーチャル・スラム』とは」

9　ジェイミー・バーレット『操られる民主主義』、草思社、二〇一八年、七九頁。

10　クリストファー・ワイリー『マインドハッキング』新潮社、二〇二〇年、二四一頁。

第2章

顔認証システム、AIによる情報処理、フェイクニュース

第1章で扱った二〇一〇年以後のデジタル社会の進展のテーマのうち、顔認証システム、AIによる情報処理、フェイクニュースをテーマとして取り上げ、現象面に加えて法的規制についても検討する。

第1節　顔認証システム

第1項　概要

スマートフォンやパソコンへのアクセスなどに迅速に対応でき、より安全に感じられる本人確認の手法として顔認証技術の需要が高まっている。

スタンフォード大学の研究によれば、二〇一九年の世界のAI投資のうち、一位は自動運転、二位は製薬・がん研究・治療法、三位は四七億ドルに近い投資がなされた顔認証システムであった。

一般に顔認証システムとは、不特定多数の人の顔画像データを収集し、個々人を特定するための特徴点を数値化したもの（以下「顔認証データ」という）を生成し、これらのデータとあらかじめ生成している特定人の顔認証データで構成されるデータベース（以下「顔認証データベース」という）との一致を検索して同一性を照合するシステムをいう。

スマートフォンやPCのログインなど本人同意に基づく場合を「顔認証」、特定の顔写真をデータベースと照合する場合を「顔照合」、公共空間で不特定多数を対象として行う場合を「顔識別」と区別し、これらを総称して「顔認識」とする用語例もあるが、本書では、本人同意に基づくか否かにかかわらず、前記の意味で「顔認証」「顔認証データ」等の用語を用いる。

第2項　顔認証技術について

①認識の形態

認識には、1対1照合型と1対N照合型の二つの形態がある。

（1）1対1型

1対1照合（verification）は、パスポートや社員証での本人照合などのように、二つの顔のテンプレートが同じ個人のものかを検証する。顔認証技術の利用を本人が認識できる場合が多い。

（2）1対N（多数）型

1対N（多数）の識別（identification）は、入場ゲートや駅構内の監視カメラなど不特定多数人のデータベースから特定の顔を抽出するように、ある顔テンプレートを他のテンプレートと比較し、データベース中に同じ顔の画像があるかどうか確認する。顔認証技術が利用されていることを本人が認識するのは難しいことが多い。

②ビデオカメラ型の監視カメラとの対比

旧来型の監視カメラは単に映像を記録するだけで、画質も荒く個人が特定できないことも多かった。これに対し、顔認証システムを備えた監視カメラは、個人の特定のために顔の特徴をデータ化して記録し、特徴データを他の顔のテンプレートと照合して自動処理する。大容量のメモリーに顔の特徴、性別、人種や位置情報といった情報を長期間集積できる。人工知能（ＡＩ）が学習を重ね、大量の顔テンプレートの中から対象者の顔を検索・識別し不断に分類し、特定の顔テンプレートを高い精度で瞬時に照合できる。このように、顔認証システム搭載の監視カメラは、旧来型の監視カメラと情報の精度やボリュームの次元がまったく異なる。

③顔認証システムと生体認証との関係

生体認証とは、人の外的な特徴や行動から個人を識別し、照合して確認する技術である。

生体認証の種類としては、生体的特徴によるものとして、指紋や手の形、指、静脈パターン、眼（虹彩）や顔の形などの外形によるもの、ＤＮＡ型、血液型、唾液、尿といった生物学的分析によるものがある。また、行動的特徴によるものとして、声紋、筆跡（ペンを動かすスピードや筆圧、傾け方）や歩容（姿勢や歩き方）によるものが知られている。

顔認証システムは、顔に着目した外形による生体認証の一種である。

④顔認証技術とは

顔認証システムは、一九九〇年代に登場し、ＡＩを利用したディープラーニングの技術によって飛躍的に進化した。顔認証に使われる顔認証技術は、顔を検知（detection）し、そこから個人を識別、照合し、分類する技術である。顔認証技術では、まず個人の顔の外的な特徴をデータ化していく。顔認証技術の特徴としては、複数の特徴を組み合わせることで、ジェンダー、人種、民族、年齢を評価できる。さらに最近では表情を分析して「笑顔」かどうかや「幸せ、悲しみ、怒り」といった人の感情まで判別できる。

第3項　利活用の実態例

①様々な利活用実態

顔認証技術は、スマートフォン、コンピュータ、扉の錠などに搭載され、アクセス認証として利用されている。金融分野では、より安全に本人確認を行う需要から、専用アプリやインターネットバンクのアクセスに利用されている。

また、入国管理やパスポートコントロール、各種イベントなど、不特定多数の人が集まる場所で多数人の顔の特徴をデータ化し照合することで、非接触かつウォークスルーの本人確認を実現し混雑解消に大いに貢献している。そのほか職場や教育の現場での出欠確認や、選挙の際の投票者や患者の本人確認にも利用されている。感情を識別できるため、顧客行動分析や政治的性向の分析にも利用されていくことが想定される。

②海外での利活用実態

(1) 公的機関による利活用

アメリカの空港の保安検査場でIDカードを提示せずとも生体認証（指紋、虹彩、顔）で本人確認が実施された例、ニューヨーク市警察（NYPD）で顔識別ユニット（Facial Identification

Section）による顔認証を行った例、ロンドン警視庁で公共イベントや不特定多数人が行きかう場所でライブの顔認証実証実験を行った例などがある。

スウェーデンでは学校での出欠確認に顔認証の実証実験が行われた。この例では、スウェーデンの個人情報保護監督当局（ＤＰＡ）がこれを問題視し、二〇一九年八月、自治体に二〇万スウェーデン・クローナ（約二一八万円）の制裁金を科した。限られた時間で一クラスを対象にした実験に過ぎなかったため金額は限定的であったと報じられている。

（2）民間による利活用

民間による利活用は無限の広がりを見せている。

例えば、中国の一般の小売店で多用されているアリペイやウィーチャットペイの代金決済には、本人確認用に顔認証システムが利用されている。英国では、例えばカジノでギャンブル依存症対策としての「自己除外リスト」に自らを登録することができ、ギャンブル依存症患者は入口に設置された監視カメラ映像で顔認証によって入店を拒否される。

米国の Clearview AI は、フェイスブック、グーグル、ユーチューブなどから取得した三〇億以上の顔画像のデータベースを使って米警察などの顧客から送信された被疑者の顔画像と照合し、一致した場合にはリンク情報を提供するアプリを提供している。同社の顧客には、ＦＢＩや英国国家犯罪対策庁など各国の六〇〇以上の法執行機関が含まれており、民間企業・学校・銀行などもこれを利用している。同社に関しては批判も多く、英国では違法なデータ収集があったとして課徴金が課された例がある。フランスの個人情報保護当局も、ネット上の写真データを再利用したデータについて消去命令を出したことがある。米国では和解決着した例もある。

③国内での利活用実態

（1）公的機関（準ずるものを含む）

日本では、二〇〇二年の日韓ワールドカップの際にフーリガン対策として関西空港と成田空港の税関に設置されたのが、公的機関による顔認証システムの使用の始まりとされる。

〈1〉警察

二〇一四年二月二八日付『毎日新聞』記事によれば、二〇一四年度、全国五都県警察（警視庁、茨城県警、群馬県警、岐阜県警及び福岡県警）は、顔認証システム実施装置を実験的に導入した。この記事には、八一四八万人の運転免許証データが捜査に事実上自由に利用されてきたとの元警察幹部のコメントが紹介されている。福岡県警は、監視カメラは具体的な組織犯罪が疑われた場合、主に暴力団対策部（他の県警察での組織犯罪対策課）で使用しているとのことだが、使用範囲を組織犯罪に限定する法令があるわけではない。使用の範囲が警察の裁量に委ねられていること自体、強制処分法定主義や法の支配の観点から問題である。

二〇一九年三月一日付アエラの記事によれば、二〇一八年一〇月のハロウィーン直前に、東京都渋谷センター街で軽トラック横転事故を起こした容疑で四人が逮捕され一〇人が書類送検された事件で、顔認証システムが決め手になった。捜査員は、事件現場とその周辺の動画を集め、コンビニや警察の防犯カメラを確認し、被疑者の画像を切り取り、警察の持っている犯罪歴データや免許証データとこれを照合したという。警視庁には、防犯カメラ画像の解析や顔照合などを行う「ＳＳＢＣ」と呼ばれる専門部隊があり、身元が特定されると、自宅までの経路にある防犯カメラ映像を追って被疑者のその日の行動を特定できるとのことである。この捜査支援分析システムは警視庁以外の全国の警察に広がりつつあり、犯罪を企図する者の方では防犯カメラを避ける研究をしたり、都会を避けるようになっているとも報道されている。

二〇二〇年九月一二日付ロイター電子版は、全国の警察で二〇二〇年三月から顔認証の運用が開始されていたと報道している。

〈2〉情報通信研究機構（ＮＩＣＴ）

情報通信研究機構（ＮＩＣＴ）は、二〇一四年四月から二年間ＪＲ大阪駅一帯の商業ビルや公共空間で監視カメラの画像データと顔認証技術をもとに人流解析を行う計画であったが、懸念する市民の声を受け同年三月に実施計画を延期した。

〈3〉札幌市

札幌市は、「札幌市ＩＣＴ活用戦略」の先行事業として、二〇一六年度から二〇一八年度にかけて顔認証カメラ、人感センサー、デジタルサイネージ等のＩＣＴ機器の設置による人流や属性情報等を収集・蓄積・提供する実証実験を検討していたが、市民の不安が高まったことからこれを見送った。

〈4〉入国審査

二〇一六年一〇月一五日付『毎日新聞』記事によれば、テロリストの入国防止目的で、外国人の入国審査に顔認証システムが採用された。二〇一七年七月四日付『毎日新聞』電子版の記事によれば、二〇一七年一〇月以降は日本人の出入国審査にも採用されている。

〈5〉マイナンバーカード

二〇一六年に交付が開始された個人番号カード（マイナンバーカード）には、顔認証データの生成が可能な顔画像データがICチップに登載されており、自治体では、申請者の顔画像データが顔認証可能な精度と確認できた場合にのみカードを交付している。個人番号カードと健康保険証の一体化において、厚生労働省は、顔認証機能付きカードリーダーを全額国負担で医療機関に普及させるとしている。医療機関の窓口のカードリーダーにマイナンバーカードを置き、カードリーダー内蔵のカメラで捉えた患者の顔と、カードのICチップの顔画像データから生成された顔認証データを照合する。厚生労働省は、マイナ保険証に対応するための機器の整備を二〇二三年四月から全国の医療機関などに義務づけ、将来的には、従来の保険証の「原則廃止」を目指す方針を提案した。そして、健康保険証をマイナ保険証に一本化するマイナンバー法改正法案が二〇二三年六月成立した。

二〇二〇年一二月、菅首相（当時）は、二〇二四年度末をめどに運転免許証と個人番号カードを一体化すると表明した。これを受けて、二〇二二年四月、運転免許証と個人番号カードの一体化等を定めた道路交通法一部改正案が成立した。一体化に関する規定は公布から三年以内に施行される。一体化はあくまでも申請に基づき希望者にのみ行われる。

（２）民間による利活用

二〇〇七年一一月一日、ＵＳＪユニバーサルスタジオジャパンが、年間パスポートの入場確認で顔認証システムを導入した。

二〇一四年二月一四日、顔認証を利用した万引き防止・監視システム「ＬＹＫＡＯＮ（リカオン）」の販売が開始された（『朝日新聞』電子版）。二〇一五年一一月二〇日付『日本経済新聞』電子版記事によれば、ジュンク堂書店は万引き防止のため、顔認証システムで入店を検知している。同書店池袋店では二〇一四年六月に顔認証システムを本格導入済で、来店客を防犯カメラで撮影し、万引き常習犯のデータベースと照合し、怪しい人物が来店した場合に現場保安員にデータを送信している。

二〇二一年三月二四日付『日経新聞』電子版は、スーパーや書店をはじめ全国約一〇〇〇店舗で民間大手の顔認証システムを導入済みであると報道した。

高額で入手困難なチケットについて、コンサート会場等への入場時に顔認証を行う仕組みは二〇一七年ころから本格導入されるようになっている。仕組みとしては、事前に入場者から顔情報を提供してもらい、会場等で照合する。照合すること自体は、チケット不正転売禁止法五条一項が「興行主等は、……不正転売を防止するため、興行を行う場所に入場しようとする者が入場資格者と同一の者であることを確認するための措置その他の必要な措置を講ずるよう努めるものとする」と定めていることから問題ないようにも思われる。しかし、ＥＵでは顔認証以外の方法での入場が確保できなければ顔認証システムでの入場は認められない。米国でも空港などで顔認証入場しかないことが批判され他の方法での入場措置が追加された例がある。

報道によれば、ホテルでも、二〇一七年ころから非接触で本人確認して入室が可能となる顔認証入室システムが導入されている。

二〇二一年七月のJR東日本のプレスリリースでは、東京オリンピック・パラリンピックのためのセキュリティ向上を目的として、首都圏の一部の駅に、刑務所からの出所者等を検知する顔認証技術を搭載した防犯カメラが導入されている。これに対しては、同年一一月二五日、市民のプライバシー権の侵害の程度が大きいとして日弁連が中止を求める会長声明を公表している。

第4項　企業の技術開発の現状

インターネットやSNS、監視カメラなどを通じて収集される顔の特徴データは、本人の認識なしに遠隔で収集される。ディープラーニング技術の格段の向上もさることながら、メモリーの進化や高速化によって、人の顔や容姿といった情報が大量かつ安価に集積されるようになっている。そのため、本人が到底確認できない量の顔認証データが、さまざまな事業者等により蓄積されている。

データが大量に集積し保有され続ければ、漏えいや流失、悪用のリスクも当然大きくなる。

実証実験によれば、顔認証システムの技術の信頼性は未だ限定的とのことである。通常、顔認証のソフトウェアは、偽陰性と偽陽性という二種類の誤謬（エラー）可能性を含んでいる。偽陰性は画像にある顔を発見できないエラー、偽陽性とは顔でない構造を顔と識別するエラーを指す。一般に誤謬の確率は低解像画像だと光や影、背景、ポーズや表現によって高く、年齢差に幅があるとエラーが出やすい（例えば、ある人の画像とその10年後との比較）。学習未熟なデータもアルゴリズム的にバイアスがかかりやすいと指摘されており、人権侵害のリスクも高くなる。顔認証は一般に精度が高いと考えられており、実際にはエラーがあっても認識されない場合も起こりうる。そのようなことが犯罪捜査で生じた場合などエラーがあった場合の代償は大きく、より慎重な人権への配慮が求められる。

世界には、人権侵害のリスクの高さから、顔認証市場から撤退する企業もある。例えば、米国の警察用カメラのサプライヤー大手ＡＸＯＮは、人権侵害の恐れと技術的限界から、顔認証技術の商業化を取りやめる旨宣言した。ほかにも、マイクロソフトやアマゾンが顔認証技術に関する製品の延期を発表し、ＩＢＭが顔認証技術ビジネスからの撤退を表明している。

第５項　法的問題点の検討（海外、日本）

①法的規制の動向

（1）GDPR、EDPBのガイドライン

ＥＵのＧＤＰＲにおいては、顔データは生体情報としてセンシティブ情報に属し、法的根拠なしに収集・利用できない。具体的には、ＧＤＰＲ九条二項に基づき、明白な同意がある場合、生命身体の保護の必要がある場合、一定の重要な公共の利益を理由とする場合などでないと適法に取り扱えない。

同様の指摘は、ＥＤＰＢ（欧州データ保護会議。ＥＵ域内での個人情報保護規則の統一的な運用の

ためにＥＵ域内の個人情報保護当局間の協力を促進する欧州の独立機関）が公表している、ビデオデバイスによる個人情報の処理に関するガイドライン（二〇一九年三月）でもなされている。このガイドラインは、単に画像を録画する監視カメラと個人を特定できる顔認証などの生体データを集める場合とを明確に区別している。後者の場合には取得時から本人の明白な同意などの法的根拠なしには取り扱うことができない。例えば、空港で混雑緩和などの利便性向上のために本人確認作業を顔認証システムで代替する場合、個人に対し、いかなる個人情報が収集されるのか事前に情報提供し明白な同意を取得する必要がある。また、顔認証システムを希望しない人のために、顔認証システムを利用しないルート等を準備する必要がある。ビルの入退館管理も同様で、顔認証システムのデータ取得より前に、本人から明白な同意を確実に得る必要があり、そのために本人にシステムの開始ボタンを押させる工夫が紹介されている。さらに、ビルの管理者は、顔認証システムによらない方法での入館方法も用意しなければならない。コンサートホールのセキュリティゲートについても同様である。

このように、ＧＤＰＲのもとでは、顔認証システムによって生体認証情報などを取得されたくない個人から同意が得られない場合に備え、生体情報を提供しない別の方法を用意しない限り、適法に顔認証システムを導入することは困難である。

また、日本がオブザーバーとして参加する条約第一〇八号（個人データの自動処理に係る個人の保護に関する条約）の諮問委員会が二〇二一年六月に公表した顔認証ガイドラインにおいても、生体認証を導入する際に、①どのように使用するか詳細を示し目的を明示すること、②使用されるアルゴリズムについて最低限の信頼性や正確性を確保すること、③画像が利用される期間を示すこと、④これらの基準を後日監査できること、⑤処理（利用）が追跡できること、⑥安全管理措置については法的な枠組みがあることが求められている。特にリアルタイムでの顔認証システムの利用については、人権・自由権の侵害のおそれが高く、民主的に議論し状況を分析できるまでの間、データ収集（利活用）をしない期間（猶予期間）が必要と指摘されている。このほか、人の性格や内心、メンタルヘルス、会社への帰属意識などを顔の表情・感情によって読み取る技術については、個人・社会的の両面でさらなる懸念があり、特に雇用、保険、教育へのアクセスといった分野で感情と顔認証システムを紐づけて用いることは禁じられるべきとされている。

（2）米国の禁止法（地方政府レベル）

二〇一九年五月、米国サンフランシスコ市は、警察やこれに準ずる公的機関での顔認証システムの使用を禁止した。同年九月、カリフォルニア州議会は、顔認証技術を利用したボディカメラを州警察が利用することを一時的に禁止する法律を成立させ、同年一〇月には同法が施行されている。ただしこの禁止は二〇二三年一月一日までの時限立法であったため同法はいったん失効し、その後新法案が議論されている。米国の二〇二二年五月の記事によれば、二〇一九年から二〇二一年の間は、正確性とプライバシー権侵害への懸念から、米国の多くの州政府、市政府において、警察などの法執行機関による顔認証システムの活用を禁ずる法律が成立した。しかし、犯罪の増加や顔認証技術の精度の向上に伴い、再び顔認証システム利用の動きが高まっているとのことである。

②あるべき法的措置

（1）顔認証に関する法的措置

〈1〉法的根拠・比例原則

個人情報、プライバシー、差別の禁止といった観点から人権を保障するためには、顔認証システムを法の規制に服せしめる必要がある。

顔認証システムは、構築の過程で顔の特徴といった個人情報の自動処理を必要とし、個人の行動や動態が大量に集積される。性癖、個人の心情や考え方といった一般に秘匿したい情報が容易に観察できてしまう。

したがって、法的根拠のない安易な顔認証データの利用は許されるべきでなく、その利用は必要な範囲に限られ、かつ比例原則に従うべきである。

必要な範囲でかつ比例原則に従うべきことは欧州では共通認識であり、例えば、ドイツのハンブルグの個人情報保護局（ＤＰＡ）は、現地警察による顔認証システム利活用につき、法的根拠が不十分であり、侵害が必要最小限ではなく比例原則違反であると判断している。

〈2〉透明性・公平性

プライバシー権、個人情報保護の観点から、顔の特徴データの取得その他の処理内容は、情報を取得される個人に対し十分情報提供され、透明性を確保すべきである。顔認証システムの導入の際、いかなる顔認証システムかを事前に情報提供する必要がある。

個人情報利用（処理）者と、利用される側の間には通常大きな情報格差があるが、これを公平なレベルにする必要がある。

〈3〉監視カメラの問題点

顔認証システムの利用例の中でも、不特定多数人を対象とする監視カメラは問題が多い。かつての一定時間を超えると上書きされる監視カメラと異なり、現代の顔認証システム付き監視カメラには膨大な質と量の情報が蓄積される。蓄積されたデータをディープラーニングにより自動処理・学習し、人の顔を特徴を持つ対象者ごとに分類する。イタリアの個人情報保護当局は、このような状況を「無差別な大量監視」と評している。

監視カメラの多くは、不特定多数の者が自由に出入りする場所に設置されているが、映った本人には映された認識がほぼなく、どのような情報が何のためにどの程度集積されているか知る機会もない。それゆえ、同意や権利放棄の前提を欠くのであり、黙示の同意やプライバシー権の放棄という形で問題を片づけることはできない。

しかも、監視カメラが無数に設置されている現在では、監視カメラは、人を点で観測するだけでなく、複数の監視カメラが蓄積したデータをつなぐことで線や面での観測が可能である。対象者がどのような人か、その行動履歴が、本人の覚えていない細部に至るまで正確に記録され、蓄積される。

多くの人々は、個人データの流出や悪用の事態が生じない限り、監視カメラが蓄積する情報に無関心である。監視カメラが設置されただけでは「監視」されているとは感じず、むしろ、それで犯人が逮捕されるといった、メリットを感じている人も多いのではないか。

しかし、顔認証システムも人がつくるシステムである以上は完全ではなく誤謬を含む。利用するのが結局は「人」であり、取扱いの際の間違いは避けられない。自由に表現することや集うことを通じて確保されるべき思想信条や信教の自由への萎縮効果は計り知れない。このように、人々の無関心の中で大量の監視が進行すれば、気づいたときには手遅れになりかねない。

公権力が自由に利用できるとすると大衆監視として許されないはずが、公共交通機関や大規模小売店などに設置される監視カメラ情報は「任意」という形で大量に警察に提供されている。この状況を踏まえると、監視カメラの設置や運用には官民を通じたルールが必要と考えられる。

顔認証技術の向上によって顔認証情報の精度は上がっているが、信頼性が増せば増すほど時にむしろ厄介な問題を引き起こす。多くの人にとって顔認証技術から得られた情報こそ真実と受け取られてしまうおそれが高まるからである。間違いが間違いと認識されるまでに時間を要し、えん罪がえん罪であると認識されにくくなるから、事態は深刻である。

(2) 日弁連の意見

日弁連は、二〇一二年一月一九日付で「監視カメラに対する法的規制に関する意見書」を公表した。この意見書は、監視カメラの設置基準として、移動、表現、思想・良心の自由を侵害するような設置の禁止、運用基準として画像の収集利用の事実や利用目的の明示、顔認証システムでの分析の原則禁止、不要画像の消去等を指摘している。また、監視カメラを監督する第三者機関の設置も求めている。

その後日弁連は、二〇一六年九月一五日付で「顔認証システムに対する法的規制に関する意見書」を公表した。この意見書は、犯罪捜査のための顔画像データの収集は裁判官が発する令状によるべきで不要データは削除すべきこと、被疑者・前科者等の顔画像データから顔認証データを生成できるのは重大組織犯罪の前科者に限定すること、データ保有期間を定めて期間経過後ただちに消去すること、顔認証データベースの照合は重大組織犯罪に対する具体的な捜査への必要性がある場合に限定し、照合方法も法定すること等を提言した。

二〇二一年九月一六日には「行政及び民間等で利用される顔認証システムに対する法的規制に関する意見書」を公表した。この意見書は、官民の不特定多数者に対する顔認証システムの利用について、市民のプライバシー権が不当に侵害されないよう、国は、①明示の同意のない顔認証データベース等の作成及び顔認証システムの利用の原則禁止、②例外的に行政機関や民間事業者が顔認証データベース等を作成し顔認証システムを利用できる場合の厳格な条件を定めること、③個人情報保護委員会による実効的な監督、④顔認証システムに関する基本情報の公表、⑤誤登録されている可能性のある対象者の権利保護などを含む法律を制定し厳格に規制すべきこと等を求めている。特定人に対する顔認証システムについても、①根拠となる法律の必要性、②不同意の者にシステムが適用されないこと、③同意しなくても不利益を受けないこと、④設置者による個人情報保護委員会への届出を提唱した。また、中止すべき施策として、①重大組織犯罪捜査以外の捜査に法律なしに実施される警察の顔認証システムを利用した捜査、②医療機関受付での個人番号カードを用いた顔認証システムの利用、③個人番号カードを健康保険証や運転免許証と紐づけて顔認証システムの利用範囲を拡大することを挙げている。

鉄道事業者が駅構内で数千を超えるカメラを使い個人の顔情報を自動照合した事態に対しては、二〇二一年一一月二五日「鉄道事業者における顔認証システムの利用中止を求める会長声明」を公表した。JR東日本が、①過去にJR東日本の駅構内などで重大犯罪を犯し、服役した後の出所者や仮出所者、②指名手配中の被疑者、③うろつくなど不審行動をとった人の顔情報をデータベース化し、主要一一〇駅などに設置されネットワーク化された八三五〇台のカメラに映った不特定多数者の顔情報と自動照合し、対象者の検知時は警備員が顔を確認した上で警察への通報や手荷物検査をしていることを問題視し、市民のプライバシー権の侵害の程度が大きく問題であるとの意見を表明した。

特に不特定多数者に対する顔認証システムを搭載した監視カメラについては、官民を問わずその利用を原則禁止し、法律によって利用できる場合を規制すべきである。そのうえで厳格な設置・運用条件を設定し、第三者機関による監督のもとでのみ運用すべきである。

特に警察のような公権力による顔認証システムの利用は慎重であるべきである。そもそも顔認証システムによる犯罪抑止効果の科学的根拠は不確かで、仮に効果があるとしても、顔認証システムや利用する人間の不完全さを前提とすると、厳格なルール無しの利用は差別や冤罪につながりかねない。

補論　EUの法執行分野における顔認証ガイドライン最終版

二〇二三年四月二六日、EDPB（欧州データ保護会議）は、法執行分野における顔認証技術に関するガイドラインの最終版を採択した。本ガイドラインは、顔認証システムは法執行機関指令（LED）[1]を厳密に遵守すべきことを強調しており、EU基本権憲章に規定されているように、必要性及び比例原則にしたがって使用されるべきであるとする。同ガイドラインは六つの事例をあげて、顔認証システムの利用が認められる場合と認められない場合を説明している。例えば、子どもの誘拐事件で被害者を特定するための利用は認められる場合があるが（ガイドライン・シナリオ2）、暴動が起こったデモにおいて、暴動参加者を識別するためにデモ参加者や周辺の映像をデータベース化するシステムは認められない（同3）。また、事前に捜査機関の関心がある捜査対象者のリストを作成しておき、対象者がショッピングモールなど公共空間に現れたとの情報を得た場合に、現場で遠隔地から顔認証を用いて通行人等との照合を行うことも認められない（同5）。シナリオ5の結論を出す過程で、ガイドラインは、「公共の場所における匿名性」に触れている。公共の場所における匿名性は、市民集会への参加、そのような場ですべての社会的・文化的背景をもった人々と交流するといった民主的な過程の前提となり、情報やアイディアを集め、交換するために不可欠である。公共の場所における匿名性の保護を弱体化することは、市民に重大な委縮効果を与える。こういった指摘をしたうえで、ガイドラインは、シナリオ5で顔認証システムの利用は認められないという結論に至っている。

第２節　ＡＩによる情報流通、意思決定のゆがみ（国内の現状と問題点の検討）

第１項　ＡＩブームの変遷

ＡＩとは、Artificial Intelligence の略称で、人工知能を意味する。ＡＩブームには、以下の三段階がある。

①第一次ブーム

一九五〇年代後半から六〇年代の第一次ブームでは、コンピュータによる「推論」と「探索」が可能になった。ただし、当時のＡＩが対応できたのは明確なルールや定義がある問題に限られ、現実社会で生起する様々な要因が複雑に絡み合う課題の解決には対応できなかった。

②第二次ブーム

一九八〇年代から九〇年代の第二次ブームでは、「エキスパートシステム」の誕生により知識表現が可能になった。同システムは、「Ａのときは甲に、Ｂのときは乙にせよ」などのルール群で知識を構成している。自ら学習する仕組みはないが、あらかじめ専門家が考え得る限りの状況を予測して対処方法や判断を用意する。ルールが多ければ多いほど正確性は向上するが、必要な情報をすべて人の手でコンピュータに理解させる必要があり、実際の活用領域は医療などに限られていた。

③第三次ブーム

二〇〇〇年代以降の第三次ブームでは、ＡＩ自身が大量のデータ（ビッグデータ）から知識を獲得し、プログラミングされた以上のことができるようになる「機械学習」の実用化が進んだ。機械学習とは、入力データを学習しながら未知データに対する予測の精度を自動で改善するアルゴリズムで、事例となるデータを繰り返し学習させ、特徴やパターンを発見させ、発見した特徴を新たなデータに適用することでさらに新たなデータ分析や予測をさせる。機械学習には次のようなものがある。

（1）教師あり学習

教師あり学習では、学習データに正解（教師データ）を与えた状態で学習させ、未知の情報に対応することができる回帰モデルや分類データを構築する。

（2）教師なし学習

教師なし学習では、学習データに正解を与えない状態で学習させる。大量画像を学習させることで、正解を与えずとも画像の特徴からグループ分けや情報の要約ができる。

（3）強化学習

強化学習では、与えられたデータから学習するのではなく、自ら行動を起こし、試行錯誤を繰り返し、「報酬」と呼ばれる行動の望ましさの手掛かりを得て、精度を高めていく。

（4）ディープラーニング（深層学習）

二〇〇六年には知識を定義する要素（特徴量）をＡＩが自ら習得するディープラーニング（深層学

習）が提唱され、情報の有り様、社会の有り様を激変させている。ディープラーニングでは、十分な学習データさえあれば入力層、中間層（隠れ層）、出力層で構成されるニューロン（生物の脳を構成する神経細胞）の構造と働きをモデルにしたＡＩ（ニューラルネットワーク）が、データ群の特徴を自動抽出できる。マルチスケールの中間層が入力データを様々な大きさに切り取り特徴を割り出すので、与えられたデータを基に細部のパターンから大きな構造、全体の輪郭まで抽出できる。画像・言語・音など非構造化データのような記号化できないデータのパターン認識ができる。入力情報が最終的な出力に決定的影響を与える。入力時における情報に〝偏り〟があれば、出力も偏る。

第２項　活用法

①画像認識

入力された画像や動画の背景から特徴を分離し、目的となる対象の特徴を抽出する。例えば、アイフォンの顔認証やフェイスブックのタグづけがある。医療分野では画像認識技術が進んでおり、ＡＩの深層学習により、人の目では判別の難しかった高い精度で画像からガン細胞を検出できるようになり、医療レベルを全体的に高めることができる。

②音声認識

人の声を認識する技術。例としてＳｉｒｉ（シリ）、Ａｌｅｘａ（アレクサ）の音声入力などがある。

③自然言語処理

日常的なコミュニケーションで使われる書き言葉や話し言葉をコンピュータに理解させる技術。例として、機械翻訳、言語モデリング、質問への回答などがある。従来、専門性が高い人が時間をかけて翻訳していたものを、機械がリアルタイムで同時翻訳、文字翻訳できるようになった。

④異常検知

センサーから収集した時系列データを用いて異常を検知する技術。例として、行政への不正申請やクレジットカードの不正利用の発見、製造業の品質管理などがある。AIを活用した機械学習モデルを適用して、大規模なデータセット内で異常パターンを検出し、不正な失業給付申請を特定した事例では、処理時間の大幅な短縮とヒューマンエラーの回避が可能になった。物流業界では、入出庫作業・受注処理・検品業務・荷物仕分けなど各工程でAIによる自動化が進んでいる。

⑤実例／自治体におけるAI活用

例えば、二〇二〇年に新型コロナウイルス対策として特別定額給付金一〇万円の給付を行った際、武蔵野市ではAI-OCRとRPAを活用して申請情報入力業務を自動化し、手入力の約四倍のスピードで処理し、他の自治体の二倍以上の速さで給付を達成した。

今日、日本では確実に少子高齢化社会化が進んでおり、財政的にも人的にも地方自治体の運用は危機的状況になっている。自治体の業務には類型的な大量事務処理が多い。これをAIが処理することで事務処理時間の大幅短縮、ミスの大幅減少、不正手続の排除などが可能になる。職員を単純作業から解放し人が判断すべき業務に注力できれば、職員と住民の双方にとってよい環境が生まれる。総務省情報流通行政局地域通信振興課は、「地方自治体のＡＩ活用・導入のためのガイドブック」を公表し、全国各地の取り組み二〇例を紹介している。

埼玉県さいたま市では、認可保育所の入所選考にＡＩが優先順位に沿って入所希望者全員の可能な限りの希望を叶える割当てを自動判断するマッチング技術を活用し、延べ約一五〇〇時間であった数千人規模の入所希望児童の選考が数十分程度（一次利用調整約三〇分、二次利用調整約三分）になった。東京都練馬区・中央区では、住民税賦課業務で、住民や事業所から提出される各種課税資料の併合処理（各種課税資料を住民ごとに合算する処理）にＡＩを導入し、作業時間が、練馬区では一四五〇時間から六一七時間（五七・四％減）、中央区では一三〇〇時間から六〇〇時間（五三・八％減）になった。

第３項　ＡＩによる進化がもたらす深刻な弊害

①人の思考を誘導するＡＩ

スマートフォンの例で考えてみよう。人々が世界中の人を相手に簡単に情報をやりとりできるのは、デジタルプラットフォームを経由して情報が行き来しているからだ。スマートフォンを使うたび、個人データの収集・集積、解析、プロファイリングが行われ、その反応をみて、また人の選択や行動を予想し、デジタルプラットフォームが情報を提供することが繰り返されている。スマートフォンを使うとき、私たちは白紙の状態で情報を集めているのではなく、デジタルプラットフォームが、望まれているであろう情報を先回りして表示し、本人の思考を誘導している。これを可能にしているのがAIの深層学習だ。スマートフォンを使ったときのデータがすべて蓄積され、それを元にAIが深層学習をしている。私たちが忘れていることも全部記憶（記録）して活用している。

新聞記事とスマートフォンに表示されるニュースを比べると、紙の新聞は版が同じなら掲載記事も共通だ。これに対し、スマートフォンに表示されるニュースは一人一人違う。だれにどのニュースを表示するかはプラットフォーム側のAIが各人の趣味思考に合わせた広告表示と同様に各人に合わせている。ある情報を検索したことに合わせて、AIが、こういう広告やニュースを出せば関心を示すと予測して表示する。便利かもしれないが、それを良いことと捉えるだけでよいだろうか。AIの判断で情報を選んで提示するということは、AIが人の思考を誘導していると言ってよい状態である。

スマートフォンを便利に利用している私たちは、無意識のうちに同じ思考の人と（感情的に）群れ、異なる思考の人と（感情的に）対立しやすくなるよう思考や感情をコントロールされている。

デジタルプラットフォームが基盤を提供する人々の同調と対立は、趣味嗜好に止まらず、人権や政治、経済、平和などあらゆる課題に連動している。人の意識を誘導するためにAIが分析したビッグデータが使われる。ある人にある情報を提供するとどのような反応をするか。AIが答えを教えてくれる。二〇一六年のアメリカ大統領選挙でトランプ陣営がビッグデータを活用し選挙人の意識を誘導していたことが有名だが、二〇一二年オバマ陣営も選挙キャンペーンにビッグデータを活用していた。ジェイミー・バートレット『操られる民主主義』（秋山勝訳、草思社文庫、二〇二〇年）は、新しい監視社会、ビッグデータと大統領選、加速する分断社会などをテーマに取り上げている。同書は、二〇一二年のアメリカ大統領選挙で、オバマ陣営が有権者を説得可能か否かで三〇グループに分け、グーグルのエリック・シュミットが選挙キャンペーンにアドバイスしていたと指摘している（一三三頁）。

人々は多様な情報に接する手段としてスマートフォンを持つようになったはずなのに、実際はその逆で、プラットフォーマーが選別した情報に接するようになっている。煽情的な言論に感情的に反応し、主権者として互いの意見に冷静に耳を傾けて合理的判断をすることができにくくなっている。だれもが過激な発言をするわけではないが、いつどのような発言に過激な反応があるか分からない不安を持つと、人は発言を躊躇せざるを得なくなる。クリス・ベイル『ソーシャルメディア・プリズム―SNSはなぜヒトを過激にするのか？』（松井信彦訳、みすず書房、二〇二二年）は、ソーシャルメディアがごく一部の人を過激にし、多くの穏健派は〝ミュート〟せざるを得なくなると指摘する。個人の思考を豊かにし、民主主義にとって有益になっていいはずのＡＩが、個人を翻弄し個人の尊厳を損ない無言を強いる状況は、民主主義を崩壊させかねない。ＡＩの活用について何らかのルール化が必要なのは、このような危険な側面もあるからだ。

②プライバシーの喪失

スマートフォンをいつどのように使ったかを人は忘れる。しかし、ＡＩは記録（記憶）している。

ＡＩに依拠するタイプの家電製品では、稼働状況をＡＩが記録（記憶）している。私たちのプライバシーはＡＩに対してはもはやお手上げで個人データを悉く取得されている。ＡＩを管理している企業は、ＡＩが蓄積している特定の人の個人データを全部引き出して本人に提供することができる。二〇二二年六月一五日付『朝日新聞』朝刊の記事では、同新聞社の記者がグーグル、フェイスブックのサイトから自分に関するすべてのデータをダウンロードする申請をし、入手したデータ内容について説明している。二〇〇九年一〇月以降の五万六〇九件の検索結果、記者が押した「いいね」のすべて、コメントのすべて、「友人」になった人や時期、一〇秒毎に記録される位置情報などを見ることができたという。

私たちは、ＡＩに、そしてＡＩを管理している企業に対し、プライバシーを失っている。

③採用の効率化と差別の危険

社員採用にＡＩを導入している企業がある。毎年約三万人の学生が応募する某大手企業では、エントリーシートの対応に年間八〇〇時間以上費やしていたが、ＡＩ導入で合否判別を自動化し、処理時間を七五％削減できたという。そのほかにも、ＡＩは過去のデータに基づいて判断するため「学歴フィルター」など採用担当者の色眼鏡のみで合否判定されることがなく、過去の内定者のエントリーシートの写しを見抜く、担当者ごとの基準のズレを解消できるなどのメリットもあると言われている。

しかし、合否判別基準は人が決めている。その基準は合理的で、十分に人権的配慮がなされているか。差別的要素はないか。特定の企業が求める人材はその企業に相応しい人かもしれないが、差別を固定化するものであってはならない。ＡＩでも基準の設定の仕方如何では「学歴フィルター」をかけたのと同じことになる。人が差別しているのを機械にやらせているだけの可能性もあり、機械なので恣意的ではないとは限らない。毎年の積み重ねでＡＩが賢くなることも、その中身を検討しないと「ある種の人たち」をエントリーシート段階で不合格とする運用が固定化する危険性がある。そうなると、本当は有益になり得た人に面談する機会を企業は失っていることになる。

④極限化する経済的不平等社会

経営者にとっての「労働負担の解消」「人件費削減」は消費者にもメリットがあるが、それは同時に「人の仕事がいらなくなる（減る）」ことを意味する。今まで人間が行った業務がＡＩに置き換わることで時間短縮や作業効率化ができれば多くの雇用は不要になる。技術、情報、資産を有する世界規模の大企業が圧倒的優位に立ち、人にかわってＡＩが仕事をする場面を急激に広げていく。大企業はますます強大になり、膨大な数の人々は貧困層として固定化し、中間層はごく僅か（貧困層に落ちる可能性はあっても大富豪になる可能性はない）という不平等社会に進んでいくおそれがある。

⑤民主主義

民主主義は個々人が自律し他者のことをお互いに考え維持し合うという基盤が必要であるが、分断が進み格差が拡大する社会は民主主義の基盤を欠くことになる。膨大な貧困層が固定した社会では民主主義を維持することは困難になる。

第4項　日本では

①ＡＩ利活用原則案

日本では、ＡＩネットワーク社会推進会議（総務省）の「二〇一八年報告書―ＡＩの利活用の促進及びＡＩネットワーク化の健全な進展に向けて―」（二〇一八年七月一七日）（以下、「ＡＩ報告書」という）が、ＡＩの利活用の促進やＡＩネットワーク化の健全な進展に向けて、次の一〇項目を「ＡＩ利活用原則案」として取りまとめた。

（1）適正利用の原則：利用者は、人間とＡＩシステムとの間及び利用者間における適切な役割分担のもと、適正な範囲及び方法でＡＩシステム又はＡＩサービスを利用するよう努める。

（2）適正学習の原則：利用者及びデータ提供者は、ＡＩシステムの学習等に用いるデータの質に留意する。

（3）連携の原則：ＡＩサービスプロバイダ、ビジネス利用者及びデータ提供者は、ＡＩシステム又はＡＩサービス相互間の連携に留意する。また、利用者は、ＡＩシステムがネットワーク化することによってリスクが惹起・増幅される可能性があることに留意する。

（4）安全の原則：利用者は、ＡＩシステム又はＡＩサービスの利活用により、アクチュエータ（電気その他のエネルギーを、回転等の機械的運動に変換する装置）等を通じて、利用者等及び第三者の生命・身体・財産に危害を及ぼすことがないよう配慮する。

（5）セキュリティの原則：利用者及びデータ提供者は、ＡＩシステム又はＡＩサービスのセキュリティに留意する。
(6) プライバシーの原則：利用者及びデータ提供者は、AIシステム又はAIサービスの利活用において、他者又は自己のプライバシーが侵害されないよう配慮する。
(7) 尊厳・自律の原則：利用者は、AIシステム又はAIサービスの利活用において、人間の尊厳と個人の自律を尊重する。
(8) 公平性の原則：AIサービスプロバイダ、ビジネス利用者及びデータ提供者は、AIシステム又はAIサービスの判断によって個人が不当に差別されないよう配慮する。
(9) 透明性の原則：AIサービスプロバイダ及びビジネス利用者は、AIシステム又はAIサービスの入出力の検証可能性及び判断結果の説明可能性に留意する。
(10) アカウンタビリティの原則：AIサービスプロバイダ及びビジネス利用者は、消費者的利用者及び間接利用者を含む利害関係人に対し説明責任を果たすよう努める。

「AI報告書」の論点説明によると、(6)では、パーソナルデータの収集・分析・提供等におけるプライバシーの尊重、AIを利用したプロファイリング時のプライバシー等への配慮、(7)では、人間の尊厳と個人の自律の尊重、AIによる意思決定・感情の操作等への留意、AIと人間の脳・身体を連携する際の生命倫理等の議論の参照、(8)では、AIの学習等に用いられるデータの代表性への留意、アルゴリズムによる不当な差別への留意、人間の判断の介在をそれぞれ論点としている。

ただし、これらはAI利活用原則「案」の「論点」としての提示にとどまり、法的規律を当然に予定したものではない。その点で、「プロファイリングなどの自動化された取扱いのみに基づき、当該データ主体に関する法的効果をもたらすか、または当該データ主体にそれと同様の重大な影響をもたらす決定に服しない権利」を認めたGDPR二二条とは大きな開きがある。GDPR二二条は、「AIの予測力に基づき個人が——ベルトコンベアに載せられた商品のように——効率的に分類、仕分けされていくような世界を否定し、個人が常時ネットワークとつながっているような情報環境の中で、なお個人の主体性を実現させようと試みるものとして大いに注目される」（山本龍彦編著『AIと憲法』日本経済新聞出版社、二〇一八年、一〇一～一〇八頁）。

その後の二〇一九年版のAI報告書は、AI開発ガイドライン案を示し、上記一〇原則を再確認している。

②独占禁止法とアルゴリズム

公正取引委員会は、二〇二〇年三月、「飲食店ポータルサイトに関する取引実態調査報告書」を公表した。この中の第四（飲食店ポータルサイトに係る取引における公正な競争の促進）、第三（飲食店ポータルサイトに掲載される情報について）の（3）で、店舗の評価（評点）を取り上げている。公正取引委員会は、飲食店ポータルサイトが特定の飲食店の評価を落とすことで直ちに独占禁止法上の問題になるわけではないが、有力な地位を占める飲食店ポータルサイトが、合理的根拠なく恣意的にルール（アルゴリズム）を設定・運用して特定の飲食店の評価を下げるなど他の飲食店と異なる扱いをする場合、その行為が特定の飲食店に対して著しく不利な影響を与え、競争機能に重大な影響を及ぼし、飲食店間の公正な競争秩序に悪影響をもたらすおそれがある場合問題になりえると指摘する。

そして、望ましい対応について、大要、次のように説明している。

実際に店舗の評価（評点）を決めるルール（アルゴリズム）等は、飲食店ポータルサイトの特徴を直接的に表す重要な競争手段で、そのすべての公開は飲食店ポータルサイトの競争力を弱める可能性がある。しかし、重要な要素について、飲食店及び消費者に対し可能な限り明らかにするなど透明性を確保することが公正かつ自由な競争環境を確保する観点から望ましい。加えて、飲食店間の公平・公正を確保するため、例えば、第三者がチェックする体制を構築するなどが望ましい。

二〇二二年六月一六日、東京地裁判決は、大手グルメサイト「食べログ」で、チェーン店であることを理由に不当に評価点を下げられ多大な損害を受けたという焼肉チェーン店の訴えについて、原告である店側の損害賠償請求を一部認めた。食べログ側は、点数をつけることは独占禁止法上の「取引」ではないと主張しアルゴリズム変更の内容を明らかにしなかったが、東京地裁から照会を受けた公正取引委員会が「取引に当たる」との意見を出したため、アルゴリズム変更の「概要」を裁判所に提出した。裁判所は、今回のアルゴリズム変更は「チェーン店である原告に不利益を与える取引」で、食べログが公表していた評価方法（「利用者の評価の単純平均ではない」「表示順位が優遇される有料会員の店かどうかは点数に影響しない」）に照らして「あらかじめ計算できない不利益」を与えると認定し、営業利益の一部の賠償を命じた。原告被告双方が控訴している。

第5項　欧州ＡＩ規則案

欧州委員会は、二〇二一年四月二一日に、「人工知能に関する整合的規則（人工知能法）の制定および関連法令の改正に関する欧州議会および理事会による規則案」（以下「欧州ＡＩ規則案」という）を公表した。これは世界で初めてＡＩの法的枠組みを提案したものである。

①規制対象

規制対象は、①機械学習アプローチ、②論理ベースまたは知識ベースアプローチ、③統計的アプローチのいずれかの技術を一つ以上使用し、人間が定めたある目的のために、当該システムが相互作用する環境に影響をもたらすコンテンツ、予測、推奨または決定等のアウトプットを行うソフトウェアである（三条一号、附属書Ｉ）。この定義は、システム管理や契約書チェック等に用いるＡＩソフトウェアを含め、普段ＡＩとしてイメージするようなソフトウェア全般を広く補足している。

②規制対象者

規制対象者は、①ＥＵ域内においてＡＩを市場投入しまたは稼働させるプロバイダー（ＥＵ域内に拠点を有するか否か問わない）、②ＥＵ域内に所在するユーザー、③ＡＩシステムにより生み出されたアウトプットがＥＵ域内で利用される場合におけるＥＵ域外のプロバイダーまたはユーザーである（二条一項）。ここにプロバイダーとは、ＡＩシステムを開発した者あるいは自己の名や商標でＡＩシステムを市場投入又は自己の役務に利用するためにＡＩシステムを持つ者をいい、ユーザーとは、ＡＩシステムを個人的な非専門的活動の一環として利用する場合を除き、ＡＩシステムを権限に基づいて利用する者をいう（三条）。

③規制対象行為

規制対象行為は、危険性の高さに応じて規制の厳格性が四段階に変わるように分類されている。

④禁止されるAIシステム

「禁止されるＡＩシステム」を市場に投入し、サービスとして提供または使用する行為は原則として禁止される（五条一項）。禁止されるＡＩシステム（概要）は、①サブリミナル技術を使用し、身体的・精神的危害を引き起こすもの、②子どもや精神障害のある人の脆弱性を悪用し、身体的・精神的危害を引き起こすもの、③自然人の信用性を評価等するもので、特定の自然人やその人の属するグループ全体を不利益に取り扱うこと等につながるようなものなどである。

⑤ハイリスクAI

(1) ハイリスクAIの類型

人の安全や権利に影響を及ぼすリスクが高いＡＩは「ハイリスクＡＩ」に分類される。ハイリスクＡＩシステムは、①自然人の生体識別および分類化、②道路交通、水道ガス電気などの重要インフラの管理と運用で安全性確保のために用いられるＡＩ、③教育、職業訓練機関等で成績評価等の目的で使用されるＡＩ、④雇用、従業員管理および自営業者に対して用いられるＡＩで、採用・昇進・契約関係の終了等の決定や業績評価等のために用いられるもの、⑤重要な民間、公共サービスおよび公的給付へのアクセスに関連するＡＩで、サービスの受給資格等の審査、受給者の信用スコアや与信評価、緊急時のサービス提供の判断のために用いられるもの、⑥法執行機関が用いるＡＩで、個人の犯罪もしくは再犯のリスク評価、個人のプロファイリング等のために用いられるものなどである。

（2）プロバイダー等の義務

ハイリスクＡＩシステムについては、リスク管理システムを構築、実行、文書化、維持し、継続的にアップデートを行うことを前提としたマネジメントシステム要求事項を充足する必要がある。具体的な要求事項の概要は、①適正なリスクマネジメントシステムの構築（九条）、②評価データ等についての正確性および公平性等の確保（一〇条）、③ＡＩシステムに関する技術文書の作成（一一条）、④特にＡＩシステムのオペレーションの記録等（一二条）、⑤透明性の保証および利用者への情報提供（一三条）、⑥人間による監督の保証（一四条）、⑦堅牢性、正確性、安全性の保証（一五条）である。

（3）透明性義務を伴うＡＩ

自然人との間で相互にやり取りが生じるＡＩについては、ＡＩシステムが関与していることを人に通知する義務が課されている。存在する人物等に相当程度似せた画像、動画コンテンツ等を生成または操作するシステム（ディープフェイク）を利用する場合には、利用者に対して当該コンテンツが人工のものであることを開示する義務が課されている（五二条）。

（4）最小限リスク／リスクなし

上記三分類に該当しないＡＩシステムは、一般的な法令を遵守して開発および使用でき、欧州ＡＩ

規則案上、特に遵守すべき法的義務は定められていない。ただ、欧州委員会と欧州人工知能会議は、それらＡＩシステムの提供・利用にあたっても、ハイリスクＡＩの提供・利用と同様の行動規範の自主的策定を促している（六九条）。

（５）制裁金

プロバイダー等が禁止されたＡＩシステムを使用した場合やハイリスクＡＩにつき要件を遵守していない場合等に莫大な制裁金が課される（七一条）。

欧州委員会は、欧州ＡＩ規則案の目的について、基本的権利の保護とユーザーの安全を確保すること、ＡＩの開発と普及に対する信頼強化にあるとしているが、企業は大きな負担を強いられることから、米国テック企業だけでなく、ＡＩイノベーションの促進を図る経済界も同規則案に否定的である。

今後、二〇二四年以降にＡＩ規則が運用されるようになれば、ＧＤＰＲと同様に、ＥＵ市場を対象にビジネスを行う日本企業などはこれに応じなければならなくなる。日本でもＡＩ規則の考え方や構造をどのように取り入れられるかを積極的に検討しておく必要がある。

第６項　デジタル権とその原則に関する欧州宣言

二〇二二年一月二六日、欧州委員会は、欧州議会、欧州連合理事会に対し、デジタルの権利と「デジタルの一〇年」の原則に関する欧州宣言を支持するよう提案した。

①前文

宣言の前文は冒頭で次のように述べている。「デジタルの変革は、人々の生活のあらゆる側面に影響を及ぼす。それは、より良い生活の質、イノベーション、経済成長及び持続可能性のための重要な機会を提供するが、同時に、我々の社会及び経済の構造、安全及び安定性に対して新たな課題をもたらす。デジタル変換の加速に伴い、欧州連合（EU）は、その価値と基本的権利をオンラインの世界でどのように適用すべきかを明示する時期に来ている」。

EUは、デジタルの変革を民間企業の自主的判断に委ねるのではなく、基本的権利をオンライン上でどのように守るかという課題についての見解を表明することにした。従来の人権・自由が国家を侵害者と捉え、国家からの個人の人権・自由を重視していたのに対し、上記宣言は、国家が個人の人権・自由を守る関係にあるとしている。ここには、世界規模で情報の流通をコントロールするデジタル企業の影響力が、国家や地域を越えて絶大になっていることを自覚し、個人の人権・自由が空洞化されることへの民主主義国家としての深刻な危機感がある。

宣言に法的拘束力はないが、EUはこの宣言をもとに今後必要な法制を作っていくと想定できる。世界規模のデジタル企業は、どのような振る舞いをすればEUと協調的になれるかを予測できる。

宣言前文は、「デジタル変革に関するEUのビジョンは、人々を中心に据え、個人に力を与え、革新的な企業を育成するものである」と述べている。これは個々の人間の尊厳こそ最重要とするEUの価値観と繋がっている。その上に、革新的な企業の育成がある。

宣言は、「デジタル変革の文脈で最も関連性の高い権利を想起させるだけでなく、企業やその他の関連アクターが新しい技術を開発・展開する際の参考となるべきものである」とし、単なる規制ではなく、新しい技術の開発等の参考になるように経済界を誘導している。

この宣言は、政策立案者がデジタル変革のビジョンを考える際の指針となることも意図しており、「デジタル変革の中心に人々を置くこと、連帯と包摂の基礎をなすこと、選択の自由の重要性を再確認すること、デジタル公共空間への参加、安全、セキュリティ、エンパワメント、そして持続可能性」を原則として明示している。

その実現のために、「法の支配の原則、効果的な司法及び法の執行を十分尊重した上で、デジタル社会及び経済の民主的な監視を更に強化する必要がある」としている。

そして、「デジタル原則の推進と実施は、EUとその加盟国がそれぞれの権限の範囲内で、EU法を完全に遵守した上で、共通の政治的コミットメントと責任を負うものである」としている。日本は欧州委員会からGDPR（一般データ保護規則）四五条の十分性認定を受けているから、この宣言に沿った考え方ないし価値観に基づいた政策や法制を積極的に進めていくべき立ち位置にいる。

②原則

以下、宣言に含まれる原則の概略を説明する。

（1）デジタル変革の中心は人とその権利

デジタル技術は人々の権利を保護し、民主主義を支え、すべてのデジタルのプレイヤーが責任をもって安全に行動しなければならない。ＥＵはこれらの価値を世界中で促進する。

（2）連帯と包摂

技術は、人々を分断するのではなく連帯させなければならない。誰もがインターネット、デジタル技術、デジタルの公共サービス及び公正な職場環境へのアクセスを持たなければならない。

（3）選択の自由

人々は、公正なオンライン環境から便益を受け、違法及び有害コンテンツから安全で、ＡＩのような新しく進化する技術とかかわる場合には力を与えられるべきである。

（4）参加

市民は、すべてのレベルで民主的な過程に関われるようにすべきであり、自分自身のデータをコントロールできるようにすべきである。

（5）安全と安心

デジタル環境は安全で安心なものでなければならない。子供から高齢者まですべての利用者は、力を与えられ保護されなければならない。

（6）持続可能性

デジタル端末は、持続可能性と自然環境の移行を支えるものでなければならない。人々は、自分たちの端末の環境に与える影響やエネルギー消費を知る必要がある。

第7項　国連人権高等弁務官事務所の年次報告書

二〇二一年九月一三日付国連人権高等弁務官事務所の年次報告書「デジタル時代におけるプライバシーの権利」（The right to privacy in the digital age）（以下、「報告書」という）は、プライバシーとAIとの関係について、世界に向けて発した問題提起として重要である。

報告書は冒頭「I．はじめに」で、AI技術は、社会が現代の大きな課題を克服するための大きな力となり得ると指摘する一方、人権への影響を十分に考慮せずに導入された場合、負の影響、さらには破滅的な影響を及ぼす可能性もあると指摘する。具体的には、次のような事項を指摘している。新型コロナウイルス感染症（COVID-19）に関連して、複数のタイプのデータ（地理的位置、クレジットカード、交通システム、健康、人口統計）と個人ネットワークに関する情報を使用した接触追跡システムが病気の広がりを追跡するために使用され、AIシステムが、個人を潜在的な感染者または感染症であると判断し、隔離または検疫を義務づけるために使用されている。成績の予測配分に使われたAIシステムは、公立学校や貧しい地域の生徒を差別する結果を招いた。こうした動きは、AIシステムが人々の日常生活に及ぼす影響の広範さを示している。AIが個人情報を利用し、人々の生活に具体的な影響を与える決定をすることで、プライバシー権はこれらすべてのケースで影響を受ける。プライバシーの問題と深く関わっているのは、健康、教育、移動の自由、平和的集会の自由、結社の自由、表現の自由といった他の権利の享受に対する様々な影響である。

報告書が要約するように、二〇一九年に国連事務総長の公表した「最高の願望：人権のための行動への呼びかけ」は、デジタル技術が、例えば人権擁護者を含む監視、抑圧、検閲、オンライン・ハラスメントなどを通じ、特に脆弱な立場にある人々や取り残された人々の権利を侵害することに頻繁に使用され、福祉制度のデジタル化は、効率性を高める可能性があるにもかかわらず、最も必要としている人々を排除する危険性があると指摘した。事務総長は、新しい技術の進歩が、人権を侵食し、不平等を深め、既存の差別を悪化させるために利用されてはならないことを強調した。また、AIのガバナンスには、公正さ、説明責任、説明可能性、透明性を確保する必要があると強調した。あらゆる課題がデジタル時代特有の問題として立ち現れたことを踏まえ、国連は全世界に取り組みを求めている。

報告書の「Ⅱ．法的枠組み」では、世界人権宣言一二条、自由権規約一七条、その他いくつかの国際的な人権に関する文書がプライバシーの権利を基本的人権として認めていることを指摘のうえ、「プライバシーの権利は、国家と個人の間の力の均衡において極めて重要な役割を果たすものであり、民主主義社会の基礎となる権利である。データ中心がますます進む世界において、オンライン及びオフラインで他の人権を享受し行使するために、その重要性はますます高まっている」とし、巨大企業を意識して「企業は、国際的に認められたすべての人権を尊重する責任を負っている」と指摘する。

「Ⅳ．課題への対応」では、「A．基本原則」で、「AIに対する人権に基づくアプローチでは、平等と非差別、参加と説明責任など、多くの基本原則を適用する必要がある」、「合法性、正当性、必要性、比例性の要件は、AI技術に一貫して適用されなければならない。さらに、AIは、経済的、社会的、文化的権利の実現を促進する方法で、その主要要素である可用性、手頃な価格、アクセス性、質の達成を保証することにより展開されるべきである。ＡＩの使用に関連する人権侵害や虐待を受けた人々は、効果的な司法上および非司法上の救済を受けることができるべきである」と指摘している。

「Ｂ．立法と規制」では、「膨大な情報の非対称性を含めて複雑で不透明なグローバルなデータ環境に対抗する重要な要素の一つが独立したデータ・プライバシー監督機関で、これらの機関は効果的な執行権限を持ち十分な資金を提供される必要がある。市民社会組織は、堅牢な苦情処理メカニズムの確立を含め、データ・プライバシー法の執行を支援する権限を与えられるべきである」と指摘する。

「Ｅ．透明性」では、「ＡＩシステムの開発者……は、ＡＩの使用に関する透明性確保の努力を大幅に増やすべきである。第一段階として、国、企業、その他のＡＩ利用者は、どのようなシステムをどのような目的で利用しているか、また、システムの開発者・運営者の身元に関する情報を公開すべきである。影響を受ける個人は、自動的または自動化ツールの助けを借りて意思決定が行われている、または行われていた場合、体系的に通知されるべきである。また、提供した個人データがＡＩシステムで使用されるデータセットの一部となる場合、個人は通知されるべきである。さらに、人権上重要なアプリケーションについては、国はＡＩツールおよびその使用に関する重要な情報を含む登録簿を導入すべきである。データ・プライバシーの枠組みに含まれる透明性義務およびデータ・アクセス、消去、修正の権利の効果的な執行を確保する必要がある。特に、個人が自分について作成されたプロファイルをよりよく理解し、管理できるようにすることに注意を払うべきである」と指摘している。

第8項　アルゴリズムの説明義務

チェスや将棋などルールが決まっているゲームでAIが名人たちを次々に打ち負かしたことは、今では古いニュースになっている。戦法を知らない最初のうちはあっさり負けていたが、すべてを学習するので、AIは驚くべき短時間で名人にも勝つようになった。

しかし、AIのアルゴリズムには個人の尊厳の尊重という価値観が備わっているわけではなく、この価値観に照らすと常に合理的なわけではない。ルールがはっきり決まっているチェスや将棋などと異なり、人間を対象とするとき、何を目的にどのような条件づけをすればよいかAIが知っているわけではないから、AIのアルゴリズムのブラックボックス化は、取り返しのつかない被害を無数の人々にもたらす危険性がある。「デジタル権とその原則に関する欧州宣言」が、その前文で、「デジタル変革に関するEUのビジョンは、人々を中心に据え、個人に力を与え、革新的な企業を育成する」とし、人間を中心に据えることを強調しているのは、この危惧感を明確に持っているからである。

同宣言は、「選択の自由」のため、「アルゴリズムと人工知能の使用に関する透明性を確保し、人々がそれらと対話する際に力を与えられ、情報を得られるようにすること」を挙げている。透明性の確保によって、アルゴリズムの影響を受ける人々はその内容を理解し、その合理性・不合理性、欠陥の発見、修正の要否など意見が言えるようになる。人間がAIのアルゴリズムに従属しなくて済むようにするためにこのことは重要である。

個人の尊厳を価値原理とする憲法を有し、GDPR四五条の十分性認定を受けている日本としてもこの方向に進むことが望ましい。少なくとも影響力が大きく十分な対応能力や財務的基盤もあるデジタルプラットフォーマーは、ＡＩのアルゴリズム（ディープラーニング開始後も含め）とその適用後のデータ処理について基本構造を公開し、その構造を説明すべきことを速やかに法制化すべきである。

補論――生成ＡＩ

生成ＡＩとは、インターネットなどに存在する既存の文章や画像イメージを大量に機械学習し、これに強化学習を組み合わせるなどして、一定レベルの品質の文章や画像を生成するシステムをいう。二〇二二年一一月には、人からの質問に答えて自然な言葉で文章を生成できるチャットＧＰＴが公開され、公開二か月間でユーザーが1億人を突破したと言われているなど著しい速度で普及している。

生成ＡＩは、上手く制御すれば人々の言語活動や知的創作活動を補完し、生活の向上に大きく寄与すると期待される一方、偽情報の拡散や個人情報の漏えい、著作権侵害、人々の仕事を奪うのではないかなど今後の社会への悪影響も懸念されている[2]。

イタリアでは、データ保護当局（Garante）が、利用者の年齢確認や情報提供義務、法的根拠を特定できていない点、正確性原則違反などを理由に一時的にチャットＧＰＴの利用を禁止したが、その後、チャットＧＰＴの開発会社であるOpenAIが対応措置を講じたことから禁止を解除している。

日本では、二〇二三年五月一一日に内閣府によりＡＩ戦略会議の第一回が開催された。そこで配布された資料によれば、ＡＩの懸念・リスクとして、次の事項が指摘されている。

・プライバシーの侵害、犯罪への使用など人権や安心を脅かす行為にどう対処するか？
・機密情報の流出、サイバー攻撃の巧妙化などセキュリティ上のリスクにどう対処するか？
・誤情報、虚偽情報、偏向情報等が蔓延する問題にどう対応するか？
・ＡＩが知的財産権を脅かしていないか？
・透明性をどのように確保すべきか？
・ＡＩの利用に当たっての責任をどのように考えるか？
・諸外国におけるルール形成、国際的な規律・標準の検討などにどのように対応するか？

第3節　フェイクニュース

第1項　フェイクニュースとはなにか

二〇一六年にフェイクニュースという言葉が普及する契機になった出来事があった。一つは米国大統領選挙で、大量の偽情報がソーシャルメディアで拡散され、トランプ候補当選の選挙結果に影響があったと言われている。もう一つは英国で実施されたＥＵ離脱を問う国民投票（ブレグジット）で、この投票行動に対しても偽情報が影響を与えたと言われている。最近では、ロシアのウクライナ侵攻にともない、国に都合のよいプロパガンダが発信されている。

フェイクニュースという言葉に国際的に定着した定義はなく、「disinformation」（偽情報）や

「misinformation」（誤情報）という表現が諸外国の政策文書等ではよく用いられる。「偽情報」は害を与える意図で作成された誤った情報、「誤情報」は害を与える意図はないが間違っている情報を指す。

フェイクニュースの範囲ないし分類についても様々な議論があるが、ここでは、主にインターネット上を流通する偽情報を念頭において、フェイクニュースの語を用いる。

第2項　フェイクニュースが広がる背景

真偽不明な情報が人々の間に伝播される現象は古くから存在した。社会心理学の古典的文献であるオルポート「デマの心理学」では、「噂の流布量＝話題の重要さ×状況の曖昧さ」という定式が示されていた。震災直後のデマなど情報不足の状態で噂が広がることは想像しやすいが、状況の曖昧さは情報不足によってのみ生じるのではない。ＳＮＳなどが発達し情報過多な状況でも生じうる。さらに、人が有する認知の歪みのため、客観的には状況の曖昧さが存在しないはずの場合でも、フェイクニュースの広がりが止まらない場合もある。

総務省「プラットフォームサービスに関する研究会最終報告書」（以下、「総務省報告書」という）では、偽情報を顕在化させるプラットフォームサービスの固有の特性として、次の指摘をしている。

①ＳＮＳでは一般の利用者が容易に情報発信や拡散が可能で、偽情報も容易に拡散されやすい。

②多くの利用者がプラットフォームサービスを通じて情報を収集・閲覧しており、情報が広範囲かつ迅速に伝播され影響力が大きい。

③偽情報は、SNS上において正しい情報よりも早く広く拡散する特性があり、SNS上の「ボットアカウント」[3]が拡散を深刻化させている。

④自分と似た興味・関心・意見を持つ利用者が集まるコミュニティが自然と形成され、自分と似た意見ばかりに触れてしまう（＝「エコーチェンバー」）、パーソナライズされた自分の好み以外の情報が自動的にはじかれてしまう（＝「フィルターバブル」）技術的な特性がある。

⑤各利用者の利用者情報の集約・分析によって、個々の利用者の興味や関心に応じた情報配信（例：ターゲティング広告）が可能であるなど、効果的・効率的な利用者へのアプローチが可能。

ここでの指摘事項は、ITの発達やIT機器の利用率向上といった肯定的事象にともなう負の側面（①、②、③後半、⑤）、あるいは人が有する認知的バイアスに由来する事項（③前半、④）とに分類・整理できる。

フェイクニュースが広がる理由に広告が密接に結びついているとの指摘がある。新聞やテレビの場合は広告考査があり、怪しげな広告は弾かれるのに対し、ネットは誰でも広告が出せる。また、アクセス数に応じて広告収入が得られる仕組みのため、記事の品質にかかわらず偽物でもアクセス数が多ければ広告収入が得られる。このことが、フェイクニュースのエネルギーになっているという指摘である（「ネットメディアの本質的問題は『広告』」『Journalism』二〇一七年一一月号、一四頁、藤代博之発言）。

第3項　対策の必要性

総務省報告書が指摘するとおり、「プラットフォーム上において多くの不確かな情報や悪意のある情報が容易に流通・拡散することは、利用者が多様な情報をもとに物事を正確に理解して適切な判断を下すことを困難にし、結果として……利用者の知る権利が阻害されるのみならず、利用者に直接的な損害を与え得るなど、利用者にとって様々な不利益が生じるおそれがある。選挙の候補者等に関する不正確な情報が流布されることなどによって有権者の理性的な判断が妨げられることで投票結果が歪められたり、政治的分断が深まるおそれ……なども考えられる」。「特にSNSを始めとするプラットフォームサービスは、経済活動や国民生活などの社会基盤になりつつあり、情報流通の基盤にもなっていることから、また、上記のプラットフォームサービスの特性が偽情報の生成・拡散を容易にし、偽情報を顕在化させる一因となっていると考えられることから、特にこうしたプラットフォーム上の偽情報への適切な対応が求められる」。

第4項　対策とその難しさ

①ファクトチェック

フェイクニュース対策として代表的なものの一つがファクトチェックである。ファクトチェックとは、発信された情報が客観的事実に基づくものかを調査し、情報の正確さを評価のうえ公表することをいう。

ファクトチェックの難しさは、仮に自分がファクトチェックを実施することを想定してみると分かりやすい。まず、どの言説を検証対象とするか。世の中に不確実な情報は数えきれないほどある。人が信じることもなさそうな言説は、わざわざ検証対象にする必要はないようにも思えるが、いい加減な度合いが大きい情報が仮に信じられれば悪影響は大きい。次に、根拠のない言説に根拠がないことを示すためには何をすればよいか。不確実な言説を拡散する行為に比べて、それを検証する行為には多くの労力を要する。また、選挙報道などの場合、候補者の取り上げ方を公平にすることも重要だが、ある候補者に対するフェイクニュースの方が多い場合に、その候補者に関するファクトチェックの方が多くなることの影響をどのように考えるか。人の認知バイアス（自分の意見や価値観に一致する情報ばかりを集め、それに反する情報を無視する傾向）の中には、「バックファイアー効果」という概念があると言われている。これは、自分の世界観にあわない情報に接したときに、自分の世界観にかえって固執する傾向を言う。このような認知バイアスが存在するならば、真実を伝えても問題が解決するとは限らないことになる。つまり、ファクトチェックをして正確な情報を伝えさえすればフェイクニュースに対する誤解がとけるとは言い切れない。

さらに、ファクトチェックを行う主体がインターネットメディアの場合、それによってページビューを稼ごうとすることになる点では、フェイクニュースと共通する問題を抱えているという趣旨の指摘もある（藤代裕之『フェイクニュースの生態系』青弓社、二〇二一年、一五〇頁）。

ＩＦＣＮという団体が出しているファクトチェックに関する原則（Code of Principle）があり、①党派性なしに公正であること、②情報源に関する基準と透明性、③資金と組織の透明性、④検証方法の基準と透明性、⑤開かれた誠実な訂正ポリシーを内容とするルールが定められている。この原則に同意署名した団体は、本書執筆時点（二〇二三年五月二一日）に全世界で一一四団体ある。日本の団体は、最近までいなかったが、二〇二三年五月に一団体が含まれるに至った。

②メディアリテラシー教育

フェイクニュース対策のもう一つの代表例として、メディアリテラシー教育がある。メディアリテラシーにもさまざまな定義があるが、本章では、テレビ、新聞、インターネットなどメディアからのメッセージを主体的・批判的に読み解く能力をいうこととする。

メディアリテラシー教育の一つにチェックリスト方式がある。これは、ある言説やニュースの信頼性・信憑性を確認するにあたり、適時性、内容の正確性、情報発信者の意図、ウエブサイトのＵＲＬ、筆者の連絡先が掲載されているかなどの項目をチェックする手法である。従来型のチェックリストは、書籍用に開発されたものであるが、ＳＮＳ用のチェックリストもある。ＳＮＳ用チェックリストは、例えば、釣り見出しに注意する、記事内の画像も確認するといった項目を含む。こういったチェックリストの多くが情報の受信者に確認を求める事項は、偽情報やプロパガンダの発信者が簡単に偽造・改ざんできるとする指摘もある。フェイクニュースやプロパガンダの発信者はユーザーの注意を惹くことに長けていて、インターネット上でむやみに検索を繰り返すとかえって何が本当か分からなくなるという指摘もあり、メディアリテラシー教育の難しさを示している。「個人でフェイクニュースを見分けるのは困難になっている。汚染の解決策としてメディアリテラシーに過度なフォーカスを充てることは、自己責任論を増長させ、汚染に加担するそのほかのプレーヤーに自身の根本原因から目を背ける口実を与えることになる」という指摘があり、傾聴に値する（前掲『フェイクニュースの生態系』二二六頁）。

③限界を留意したうえでの対策を

ここでは、対策の難しさを指摘したが、ファクトチェックやメディアリテラシー教育が適切に行われれば、対策として意味があるのもたしかであろう。ここで指摘した問題点や限界は、より有益な対策をとるための留意点と位置づけ、ファクトチェックやメディアリテラシー教育を普及させていくことが肝要である。

第5項　諸外国の法規制

①ＥＵ

ＥＵは、二〇一八年九月に「偽情報に関する行動規範」（The Code of Practice on Disinformation）を策定した。これは、偽情報に対抗する自主的基準に産業界が自発的に合意するもので、二〇二二年五月時点で、グーグル、フェイスブック（現メタ）、ツイッター、マイクロソフト、ティックトック、モジラなどのプラットフォーマーのほか複数の広告業界団体などが同意署名をしている。

この行動規範における約束（コミットメント）は五つの柱からなり、①広告出稿の精査、②政治的広告及び争点ベースの広告（候補者、政党、スポンサーの明示等）、③サービスの統合性（フェイクアカウントの凍結等）、④消費者のエンパワメント（信頼できる情報源を優先する技術や公共性のある話題に関する多様な視点を利用者がより容易に見つけられるようにする技術への投資等）、⑤研究者のエンパワメント（研究者やファクトチェックを行う人々がプラットフォーマーのデータにアクセスできるようにすること等）を内容とする。同意署名者は、約束の実施状況を報告するため、年次自己検証報告書を提出する必要があり、それを評価する客観的な第三者組織を選択する義務を負う。

自主規制を促すための行動規範（Code of Conduct）を定める枠組みは、デジタルサービス法（Digital Service Act、「ＤＳＡ」）でも採用されており（ＤＳＡ三五、三六条、前文（69））、ＤＳＡ法に基づいて欧州委員会が偽情報に関する行動規範の強化されたガイダンスを出すことになった。そして、これを受けて欧州委員会は、二〇二二年六月一五日に「強化された偽情報に関する行動規範2022年」（The Strengthened Code of Practice on Disinformation 2022）（以下、「強化された行動規範」という）を公表した。

ここでは、強化された行動規範の利用者のエンパワメントに関する規定の一部を簡単に紹介する。強化された行動規範は、消費者を利用者一般に広げたうえで、利用者のエンパワメントについて、例えば次のような内容を含んでいる。

・明確で透明性のある方法で信頼できる情報の基準を定義し、信頼できる情報を目立たせ、偽情報を目立たせなくするレコメンド（お薦め）の仕組みを採用するなど、有害な偽情報の拡散を助長するサービスを提供するリスクを軽減する（方策18.1）。

・レコメンド機能を用いる同意署名者は、情報の優先順位づけなどに使用する主な基準やパラメータの概要を示す情報を、分かりやすく透明性センター（同意署名者が、署名から六か月以内に共通で立ち上げたうえ、一般公開すべきとされているウエブサイト。強化された行動規範の定める各種透明性や説明責任を確保するための情報提供等の場所となることが予定されている）及び他の方法で利用者に伝え、利用者が関連するレコメンド機能の好みをいつでも変更できる選択肢を提供し、選択肢について説明する。

・同意署名者は、デジタルコンテンツの出所や編集履歴、真正性、正確性を評価するためのツールを利用者に提供する（コミットメント20）。

・同意署名者は、利用者が偽情報を識別するためのツールを提供する（コミットメント21）。同意署名者は、そのために独立したファクトチェック機関が定めたレーティング（rating：信用性の評価を示す等級）を表示し、コンテンツをシェアし、過去にシェアした利用者に通知する。また、合意署名者は、協力しているファクトチェック機関等の情報を報告する（方策21.1）。

・同意署名者は、ジャーナリスト団体やメディアの自由の擁護団体を含むニュースメディア、ファクトチェック機関などと協力し、利用者がインフォームド・チョイス（知らされたうえでの選択）ができるよう情報の信頼性に関する表示（情報源の完全性、どのような方法に基づいて表示しているのかの説明）に、同意署名者のサービスで利用者がアクセスできるようにする（方策22.1）。

・同意署名者は、特に公共の関心が高いテーマや緊急事態において、信頼できる情報源に利用者を導けるよう、情報を見やすいパネルやポップアップに表示するなどの対応をとる（方策22.7）。

ここで紹介した内容はあくまでも例であるが、強化された行動規範は、表現の自由に配慮しつつ同意署名者の自主的行動を通じて適正な情報が利用者に届くようきめ細やかなルールを定めている。

②米国

総務省報告書が指摘するとおり、米国は、合衆国憲法修正一条により表現の自由を手厚く保障してきた伝統があり、偽情報への法的規制には基本的に慎重である。立法としては、連邦レベルでは、二〇一六年の大統領選がフェイクニュースによる影響を受けた経験から、誠実広告法案が連邦議会に提出され下院は通過したが成立していない。州レベルでは、カリフォルニア州で二〇二一年にソーシャルメディアに対し義務を課す州法案AB－587が提出され、二〇二二年に成立した。この州法は、ソーシャルメディアの利用規約に偽情報等の定義や、そのような投稿に対する措置等を書き込むことを求め、利用規約に違反する投稿やそれに対する措置にかかわる情報の公開を義務化した。どのような措置をとるかはプラットフォーマーに委ねられている。カリフォルニア州では、ボット規制が導入され、ボットであることを明示せずに商品や役務の購入あるいは選挙での投票に影響を与えるために通信内容を欺くことを知りつつ人為的にアイデンティティを誤導することは違法とされている。

また、カリフォルニア州とテキサス州では、いわゆるディープフェイク規制が導入されている。カリフォルニア州法には、性的描写のあるディープフェイクにつき損害を被った者に損害賠償請求権を付与する民事法と、政治的キャンペーンに影響を与えるディープフェイク規制がある。

③フランス

フランスでは、二〇一八年一一月、米国大統領選挙やブレグジットで経験した選挙結果への働きかけの危険性を踏まえ、「情報の操作に対する法律」が成立した。同法では、選挙期間中、デジタルプラットフォーマーにおける透明性の確保（資金提供を受けたコンテンツについて制作者名と金額を報告する義務。一日当たりの閲覧数が一定数を超えるプラットフォーマーは、法的代理人をフランスに置きアルゴリズムを公表する義務）や、法的差止措置の創設（フェイクニュースを早期に止めるよう、フェイクニュースであることが明白で、大規模に拡散され、選挙結果に平穏等の妨げとなる場合に裁判官が「フェイクニュース」認定ができる仕組み）などをとりいれている。

④ドイツ

ドイツでは、二〇一七年「ネットワーク執行法」（別名フェイスブック法）が成立した。同法はドイツ国内のユーザー登録数が二〇〇万人以上のプラットフォーム事業者に対し、違反時に高額な過料を科すものであった。同法は適用のあるソーシャルメディアに対し、①明らかに違法なコンテンツについてはユーザーからの申告を受けてから24時間以内、②それ以外の違法コンテンツについては申告を受けてから七日以内に、調査のうえコンテンツを削除する義務を課し、適切な対応を行わなかった場合、最大五〇〇〇万ユーロの過料が課せられる。対象となる違法コンテンツは、ドイツ刑法の特定の犯罪に該当するもので、民衆扇動、人種憎悪挑発、悪評の流布、中傷といったものである。同法は、表現の自由を侵害し憲法違反ではないかとの議論を呼び起こし、二〇二一年六月に改正法が成立した。改正法は、ソーシャルメディアによる削除について関連当事者が不服申立てできる仕組みを設ける義務をソーシャルメディアに課し、より詳細な透明性レポートを隔年で公表する義務を課している。

⑤フィンランド

ブルガリアに拠点を置く「オープンソサエティー・インスティテュート（Open Society Institute-Sofia）」が欧州三五か国を対象に毎年公表している「メディアリテラシー指標」の二〇二一年度の順位は、一位がフィンランドである。

ロシアと国境を接するフィンランドは、長らくロシア政府が背後で後押しするプロパガンダ活動（移民問題、ＥＵ問題、フィンランドのＮＡＴＯ加盟問題等）に対抗してきた歴史がある。ロシアがクリミア半島を併合し、さらにウクライナ東部の反乱を支援するようになった二〇一四年以降、フィンランド政府は、情報戦争の場がオンラインに移りつつあることを明確に認識し、二〇一四年、あらゆる世代の国民に、社会の分断を生む偽情報に対抗する術を体得させることを目標に掲げ、複数の施策を実施してきた。フィンランド政府は、教育カリキュラムをクリティカル・シンキングの重要性を強調する内容に刷新し、教育現場では、例えば生徒や学生に対し、ソーシャルメディア上で読み手を欺く手法（画像・動画の恣意的操作、虚実をない交ぜにした表現、誤った統計データの表示等）を説明したり、本物と見紛う「ディープフェイク」動画を見せるなどして、情報戦争への対応の困難性を実感させる教育をしている。高校では、フェイクニュースを自ら書く体験をさせている。

⑥スウェーデン

スウェーデンは、かつての冷戦時代、「総合防衛」として、軍事防衛、経済防衛、市民防衛、心理防衛をその防衛策の柱としていた。現在、スウェーデンの防衛をつかさどる政府機関はＭＳＢ（民間防衛庁）であるが、同国は、これとは別に二〇二二年一月一日に「心理防衛庁」を設立した。

心理防衛庁の目的は、国内の偽情報・誤情報対策ではなく、同国に向けられた、「外国から」の悪意ある誤情報や偽情報の流布を特定し対抗することに焦点が絞られている。ここでいう外国とは、特にロシア、中国、イランである。

⑦マレーシア

マレーシアでは、二〇一八年四月、「フェイクニュース対策法（The Anti-Fake News Act）」が制定されたが、同法については、「フェイクニュース」や「悪意」の定義が曖昧で恣意的運用が強く懸念されていた。政権交代後である二〇一九年一〇月、同法の廃止法案が下院議会で再可決された。

しかし、二〇二一年三月一一日、マレーシア政府は緊急命令を出し、新型コロナウイルスに関するフェイクニュースの拡散を刑事罰とした。フェイクニュース対策法では悪意をもった行為だけが対象であったが、緊急命令では、単なる恐怖や警告のおそれがあれば足りる。また、従来の証拠法が適用されない場合があり、コンピュータデータへのアクセスやトラフィックデータの保存やアクセスに裁判所の令状は不要とする変更が加えられ、フェイクニュース対策法の改悪版と批判されている。

⑧シンガポール

シンガポールでは、二〇一九年五月に「オンラインの偽情報・情報操作防止法案（New Protection from Online Falsehoods and Manipulation Bill）」が可決し、同年一〇月に施行された。同法は、「シンガポールの安全保障、安寧な社会環境や他国との友好関係に脅威を与える偽情報」を対象とし、政府が虚偽と判断した場合には、プラットフォーム事業者に対して当該コンテンツの削除等を命じることができる。さらに、政府は誤ったオンラインニュースサイトの収入の流れを遮断するよう命令でき、企業が当該プラットフォームで広告を出すことも禁止している。

⑨韓国

韓国では、フェイクニュース対策として二〇二一年に言論仲裁法改正案の導入が議論された。改正案は、故意や重大な過失により他人の名誉を毀損したメディアについて、訂正記事を出す場合には最初の報道時と同じ分量で対応すべきことや、財産上の被害や人格権侵害や精神的苦痛を受けた個人や団体は被害額の最大五倍の賠償を求めることができるといった内容を含んでいた。しかし、故意や重過失の定義があいまいで言論の自由を侵害するとの批判を受けて国会採決を見送ることになった。

⑩台湾

「アジアで最も社会が開かれている」とされる台湾でも、インターネット上の偽情報は問題となっている。台湾では、「故意・危害・虚偽」の三要素が揃った場合には、各省庁に設置された偽情報に対応する組織〈即応対策チーム〉が六〇分以内に対策として正しい情報を発信することになっている。民間でも偽情報対策を続ける「Cofacts 真的假的」というプロジェクトがあり、流れてきた情報をLINEかウェブサイトに入力するとデータベースと照合し、偽情報なのか否かを教えてくれる。このプロジェクトは台湾で二〇万人以上が利用している。LINEに実装されたデマや偽情報を知らせるサービスもある。これは、台湾の衛生福利部疾病管制署や第三者のファクトチェッカーによって構築された大量のデータベースを材料に、AIを用いてLINEグループでの受信メッセージ内の広告、動画、画像、テキスト中に偽情報やデマが含まれていたら、犬のキャラクターがユーモラスに教えてくれる仕組みで、「ドクターメッセージ」という（大野和基『オードリー・タンが語るデジタル民主主義』二〇二二年、NHK出版、一五三頁）。

第6項　対策の在り方

第4項でフェイクニュース対策の難しさに触れたが、放置しておくわけにもいかない。諸外国での先行事例を参考としつつ、どのような対応が可能か、妥当かを検討していく必要がある。

フェイクニュース規制は、表現内容の真実性に結び付いており、真偽を誰が判断するかという難しい問題を生じる。何が虚偽かを国家権力が直接判断する仕組みは言論統制に容易に結びつきうるので妥当ではない。産業界、とりわけデジタルプラットフォーマーによる自主的基準の策定や遵守を側面から促すEUモデルが参考になる。もっとも、同意した事業者だけが責任を負う仕組みは同意しない事業者との間での格差を生じるし、対策を広げる意味でも劣る。少なくともEUのDSAで定められている大規模プラットフォーマーは、事業者の意思（同意）にかかわらず、透明性を確保したうえで対策をとる必要がある。日本でもEUと同様の取り組みとして、少なくとも大規模なデジタルプラットフォーマーが、自主規制ルールを策定・遵守し、結果を公表する内容の法律を制定するのが妥当である。また、執行状況をチェック・公表する枠組み自体もEUモデルを参考に法律に組み入れ、大規模なデジタルプラットフォーマーによる対応状況を継続的にモニタリングしていくことが肝要である。

フェイクニュース対策の究極的な目的は、人々が正確な情報に基づいて様々な選択・判断をすること（インフォームド・チョイス）にある。インターネットでは、特になにもせず放置しておくと悪貨が良貨を駆逐する傾向があるため、その逆の環境を積極的に作ることが必要になる。表現の自由の世界では、伝統的に「思想の自由市場」（米国連邦最高裁ホームズ裁判官反対意見 Abrams v. United

States, 250 U.S. 616(1919)とか、“more speech”（同ブランダイス裁判官 Whitney v. California, 274 U.S. 357(1927)）といった考え方がとられてきた。誤った事実や考えは他の表現からの批判に晒されて淘汰されるため、より多くの表現を流通させることで真実に到達できるという考え方である。しかし、本章第3節第2項の総務省報告書で触れたフィルターバブルやエコーチェンバーが広がると、そもそも異なった考えに接する機会自体が減少あるいは消失し、思想の自由市場あるいは“more speech”の前提を欠くことにつながる。

信頼できる情報に接する環境を積極的に作り出す対応においてもEUが参考になる。EUの強化された行動規範では、表現の自由に配慮しつつ同意署名者の自主的行動を通じて適正な情報が利用者に届くようきめ細やかなルールを定めている。こういった仕組みを参考に、社会への影響力が大きい大規模プラットフォーマーは、信頼性の高い情報、多様な意見との接点の確保が図られるようにアルゴリズムの設定、実践を行う必要がある。そういった対策が恣意的ではいけないので、公正性担保のために透明性を確保し、外部からのチェック機能が働く仕組みにすることが重要である。それゆえ、そういったアルゴリズムの設定、実践の結果を公開し、外部による検証の機会が与えられるべきである。

参考文献リスト

ジェイミー・バートレット＝秋山勝訳『操られる民主主義』草思社文庫、二〇一八年
クリス・ベイル『ソーシャルメディア・プリズム～SNSはなぜヒトを過激にするのか？』松井信彦訳、みすず書房、二〇二二年

山本龍彦編著『ＡＩと憲法』日本経済新聞出版社、二〇一八年
笹原和俊『フェイクニュースを科学する』化学同人、二〇二一年
藤代裕之『フェイクニュースの生態系』青弓社、二〇二一年

注

1　ＥＵ法執行機関指令（捜査機関データ保護指令）（二〇一六年四月二七日）条文の仮訳は自由人権協会ウェブサイトから読むことができる（http://jclu.org/issues/privacy/）。

2　生成系ＡＩの問題点などを整理・指摘した文書として、例えば、東京大学理事・副学長（教育・情報担当）太田邦史「生成系ＡＩ（ChatGPT, BingAI, Bard, Midjourney, Stable Diffusion 等）について」（二〇二三年四月三日）、日本新聞協会「生成ＡＩによる報道コンテンツ利用をめぐる見解」（同年五月一七日）などがある。

3　人間ではなく機械により自動的に投稿を行うアカウント。オックスフォード大学フィリップハワード教授の調査によれば、二〇一六年の米国大統領選でトランプ支持のツイッターの三三％はボットで、ヒラリー・クリントン支持の二二％はボットであったとされている。

デジタルプラットフォーマーに対し、世界はどのように取り組んでいるか

《パネリスト》

山本龍彦（やまもと・たつひこ）
慶應義塾大学大学院法務研究科教授。主な著書に、『プライバシーの権利を考える』（信山社、二〇一七年）、『おそろしいビッグデータ』（朝日新聞出版社、二〇一七年）など。

若江雅子（わかえ・まさこ）
読売新聞東京本社編集委員。著書に『膨張ＧＡＦＡとの闘い――デジタル敗戦　霞ヶ関は何をしたのか』（中公新書ラクレ、二〇二一年）。

宮下紘（みやした・ひろし）
中央大学総合政策学部教授。主な著書に、『プライバシーという権利』（岩波新書、二〇二一年）、「ＥＵ一般データ保護規則」（勁草書房、二〇一八年）など。

山田太郎（やまだ・たろう）
参議院議員（自由民主党所属）。デジタル大臣政務官兼内閣府大臣政務官、デジタル社会推進本部事務局長代理ほかを歴任。

《コーディネーター》

武藤糾明（むとう・ただあき）：福岡県弁護士会、第二分科会実行委員会実行委員長

水永誠二（みずなが・せいじ）：東京弁護士会、第二分科会実行委員会副委員長

伊藤しのぶ（いとう・しのぶ）：茨城県弁護士会、第二分科会実行委員会委員

※すべて敬称略

※紙幅の都合により、使用されたスライドは一部のみ収録

コーディネーター　まずは、若江さんから、「私たちのデータはどう集められ、どう活用されているか」についてお話しいただきたいと思います。若江さん、お願いいたします。

若江　読売新聞の若江です。今日お話したいことは、三つです。一番目が、私たちはどのようにデータをとられ、どのように使われるのか。これはオンライン広告を舞台とした「入り」と「出」の基本的な仕組みの話でして、これから山本先生や宮下先生が深いお話をされますが、それを理解する上での前座の説明とご理解いただければと思います。オンライン広告というのは、ＧＡＦＡのグーグルとか、フェイスブックの本業になります。「入り」というのはデータ収集、そして「出」というのが、その集めたデータでプロファイリングや、ターゲティング広告の配信をすることです。その仕組みに

ついてお話したいと思います。

二番目に、そうやって集めたデータというのは、果たして商品の広告表示のためだけに使われるのか、実は違うのではないか、というお話。そして三番目として、今、日本の現状がどうなっているのか、お話しようと思います。

まず、ターゲティング広告についてです。私たちが色々なサイトを見ると、色々な広告が出るわけですけれども、例えば引越し屋さんの広告が表示されたとします。私は、実はそろそろ引越ししたいなと思っていたので、ちょうどいいなと思えば、ポチっとクリックするわけです。

若江雅子氏

実は、広告というのは、私がサイトを閲覧するまではどんな広告が出るかは決まっていなくて、閲覧した瞬間に、そのサイトの広告枠にどんな広告を表示するかを巡って取引が行われるわけです。**図1**の真ん中にいる人は、競りのおじさんというイメージなんですけれども、この人は、私が閲覧した瞬間に、私のことを知っていて――ジョギング好きで、引越しを検討している人なんだ、と――そういう人に見せられる広告枠があるけれど、買わないですかみたいな呼びかけが行われて、引越し屋さんが五円で買うよとか、ランニングシューズメーカーが二円で買うよみたいな感じでやり取りするわけです。

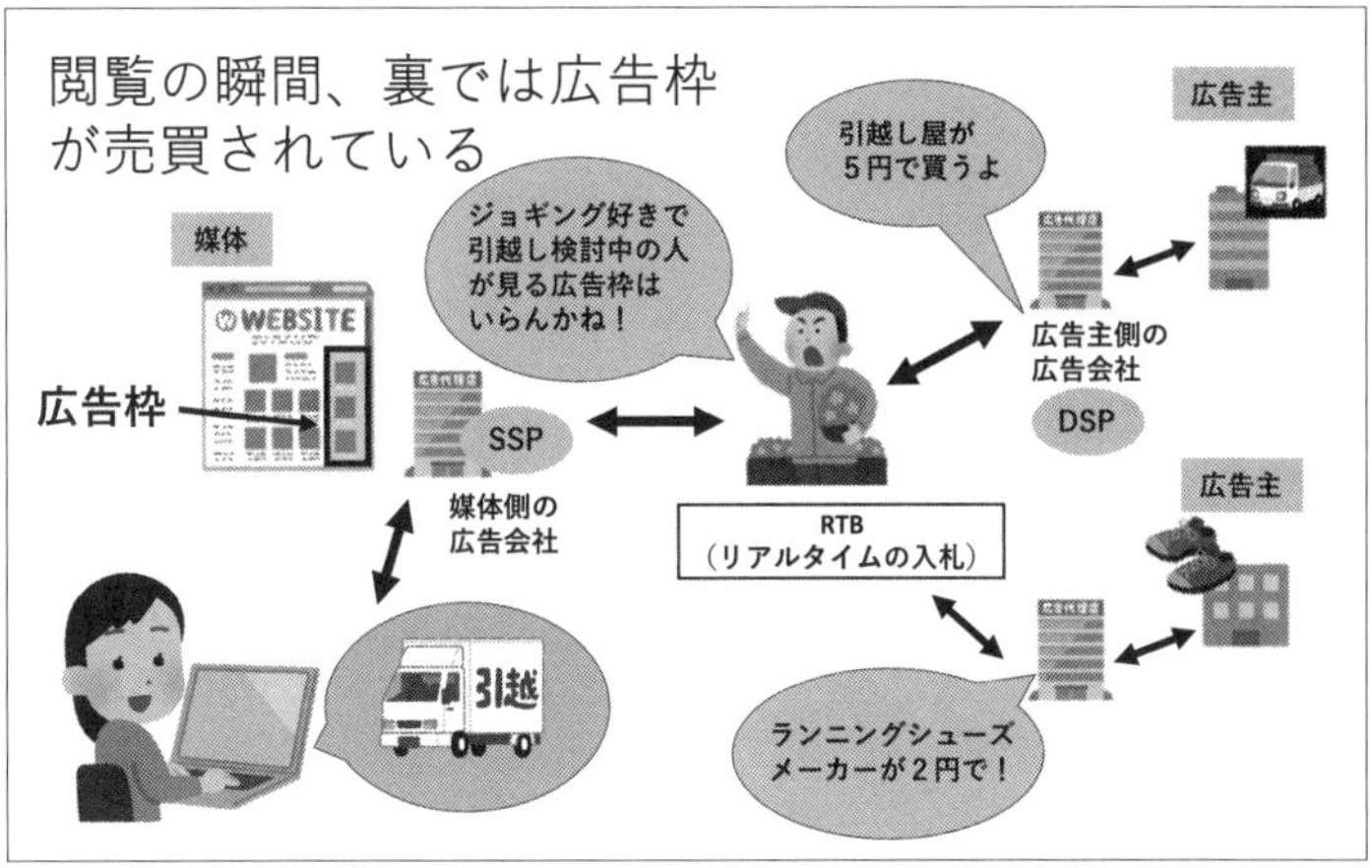

図1

実際にはこんなおじさんはいなくて、代わりにデータベースがあり、データに基づいて、一瞬で取引が行われます。引越し屋さんの広告が表示されれば、それは引越し屋さんが競りで勝ったことを意味します。私は引越しを実際検討しているわけですから、クリックする率は高くなってくるわけで、広告会社にとってデータを持っていることがいかに重要かが分かります。こういうのをターゲティング広告といいまして、色々な種類があるんですけれども、今回はユーザーの属性とか、ウェブ閲覧履歴とか、そういうものから分かる興味・関心、そのユーザーが最もクリックしそうな広告をその人向けに配信する広告についてお話しします。

今は単純化して引越しの検討やジョギング好き程度のデータとしましたけれども、実際には、一人のユーザーについて五〇〇〇項目ぐらいのデータが集められていると言われていまして、性別とか、年齢とか、居住エリアとか、職業とか、年収とか、ローンの残高とか、最終学歴とか、本当に細かいデータを推測して持っています。でも、私たちは別に提供した覚えもないと思うんです。では、何で彼らがそんなにデータを持っているかということですね。

楽天トラベルのサイトを例に説明します。私は今回、旭川に来るにあたって楽天トラベルでホテルを予約したのですが、画面上は楽天トラベルにアクセスしているだけに見えても、「教えてＵＲＬ」というアプリを使うと、実際には自分のブラウザが色々なところにアクセスしているということが分かるんですね。この場合、四四の外部の事業者にアクセスして、そのときに自分に関する情報を私たちが自分で提供しています。こういうことは全然知られていなくて、野村総研が総務省の事業で調べたアンケート調査でも、全体の三割の人しか、この事実を知りませんでした。つまり、日本人の七割ぐらいは、こういうことを知らないままウェブサイトを使っているということになります。

ここからは、どうやってデータを取るのかという仕組みのお話ですが、その一つとして、最近よく聞くクッキーを使った手法を説明しようと思います。クッキーというのは、ユーザーを識別したり、セッション管理したりするために、サーバーがブラウザに発行するシリアル番号みたいなものなんですね。ルール上そうなっているんですけれど、私たちがサーバーにアクセスするときに、初回のアクセスだとサーバー側がブラウザのある領域にクッキーを書き込むんですね。便宜的に０１２３としますけれども、そのブラウザが同じサーバーに二回目以降アクセスするときは、同じクッキー、０１２３を送り返すルールになっていて、そうすると、サーバー側には０１２３がまた来たと分かるので、例えば、買い物したときに買い物カゴが空にならないとか、そういう便利なものなんです。

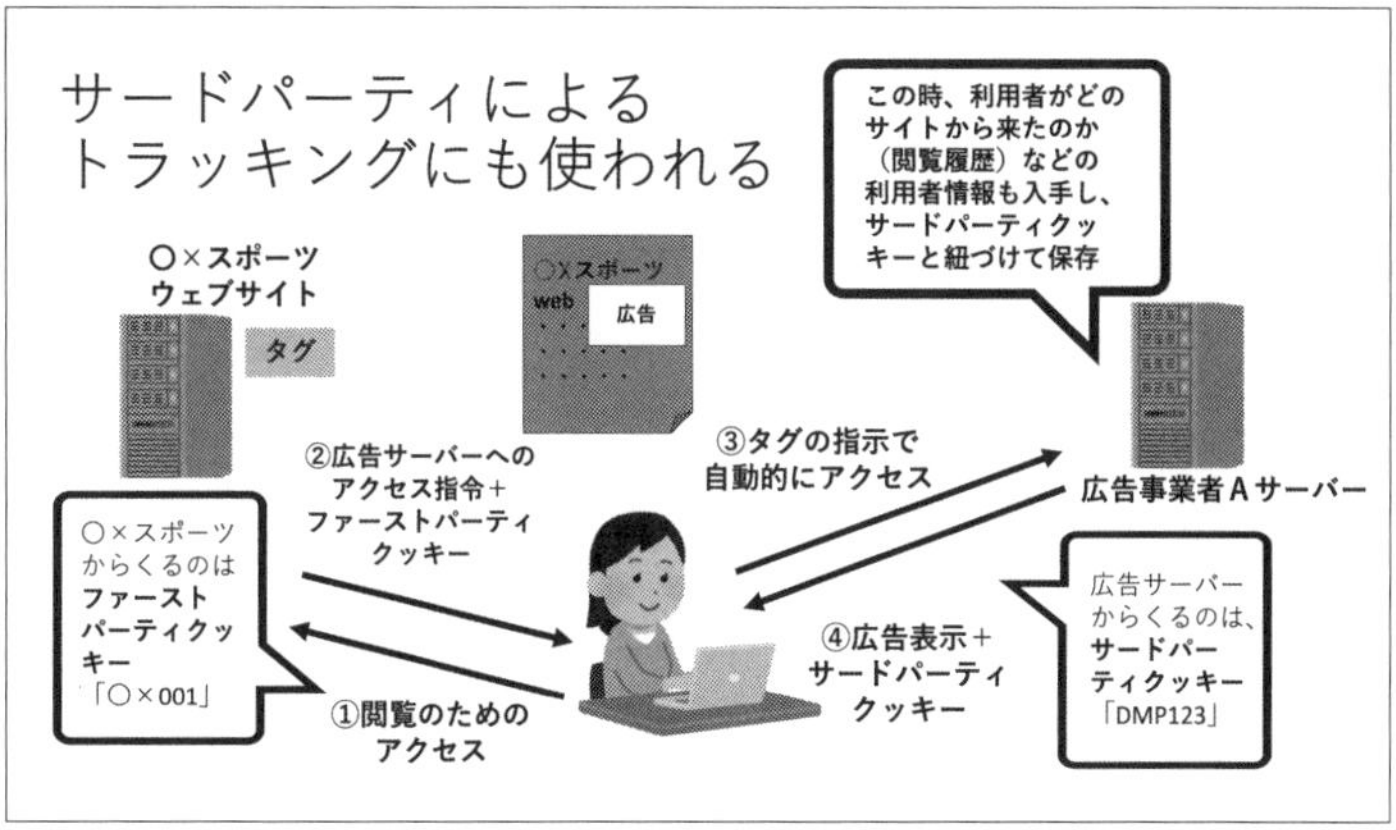

図2

ただ、サードパーティによるサイトをまたいだトラッキングにも使われています。図2は、○×スポーツというサイトを閲覧したとの想定で、左側から見ていってほしいんですけれど、広告事業者があらかじめ○×スポーツにタグと呼ばれる短いプログラムを設置しておいてもらうんですね。そうすると、私がサイトにアクセスして○×スポーツのボクシングとか、サッカーの記事とか、そういうコンテンツを読み込むと同時に、このタグの命令で外部のＡという広告事業者のサーバーに飛ばされ、広告枠に広告を読み込むわけです。このときに、さっきのクッキーのルールを思い出してほしいんですけれども、初回の訪問だったら、Ａというサーバーがクッキーを割り振るんです。仮にＤＭＰ１２３としています。左側の○×スポーツが発行したクッキーは、直接サービスを提供しているファーストパーティが振り出すので、ファーストパーティクッキーといいます。右側は、利用者が能動的にアクセスしたわけでもない、第三者が発行するものなので、サードパーティクッ

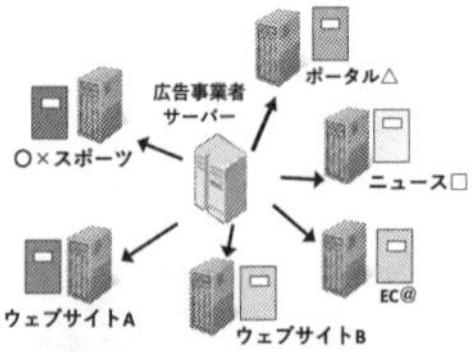

DMP123のブラウザのアクセス履歴	
日時	アクセス先
2018/06/01　22：10	○×スポーツ
2018/06/01　22：18	**ウェブサイトA（ランニングシューズ）**
2018/06/02　19：30	**ウェブサイトB（引越し業者）**
2018/06/02　19：52	**ウェブサイトC（引越し業者）**
2018/06/02　20：05	ポータル△
2018/06/04　20：30	ニュース□
2018/06/01　20：46	EC@

クッキー（Cookie）をキーとした名寄せ

- ○×スポーツのウェブサイトと同様に、あちこちのウェブサイトに広告事業者がJSタグを貼っておく。
- ユーザーが、それらのサイトにアクセスするごとに、ユーザーのブラウザは、広告事業者サーバーからもらったクッキー「DMP123」を送ってくる。
- 広告事業者サーバは、どのファーストパーティからアクセスを指示されたかも分かるため、「DMP123」をキーにして、ウェブサイトの閲覧履歴を作成できる。

図3

キーというんです。

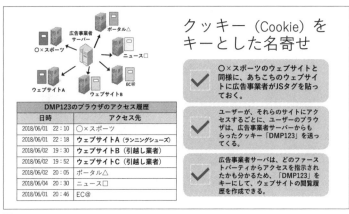

このときに重要なのは、広告事業者Aには、利用者がどこのサイトから飛んできたかということが分かる仕組みになっていることです。そうすると、この人の閲覧履歴とサードパーティクッキーを紐づけて保存することができるんです。広告事業者Aは顔が広くて、〇×スポーツだけではなくて、ウェブサイトAとか、Bとか、Cとか色々なところにタグを置いてもらっていたりするので、私が色々なサイトを見たときに、その都度広告事業者Aのサーバーにアクセスしてくる。そうすると二回目以降のアクセスは、DMP123という既にもらっているサードパーティクッキーを送り返すので、DMP123というサードパーティクッキーと閲覧履歴の表ができていく。それが図3の左側の表みたいな感じですね。DMP123というクッキーを持っているブラウザは、こういうところにアクセスしているということが分かるわけです。

これを見ると、ランニングシューズをよく見ているなとか、引越し業者を二回も見ている、もしかしたらランニングシューズがほしいのかなとか、引越ししたいのかなということが分かっていくという仕組みなんです。

○×スポーツのサイトには、A社だけじゃなくて、B社とかC社とか、複数のタグが置かれていることも多いのです。一つのサイトを見ただけで百か所ぐらい飛ばされることもあるんですね。AとかBでは分かりにくいと思うので、具体名を挙げると、グーグルとか、フェイスブックとかヤフーとか、そういう広告会社に飛ばされているということなんです。

この中でも、グーグルはものすごく数が多くて、データサインという会社が数年前に、上場企業がどういうタグを置いているかということを調べたんですけれども、多い順に並べると、上位は軒並みグーグルのもので、一番多いもので日本の上場企業の九割ぐらい置いています。つまり、私たちはサイトを見れば大体グーグルに情報提供していることになります。

こんな感じで、楽天トラベルを見た瞬間に表面上は分からないけれども、グーグルやフェイスブックなど、色々なところに飛ばされているということが分かったと思います。私たちは、こういうふうにして、ウェブサイトを訪問するたびに知らない誰かに自分のデータを渡しているわけです。納得いかないなと思う人もいるのではないかと思うんです。なぜそういうことが強要されてきたかというと、日本の法律がきちんと対応してこなかったからなんですね。

個人情報保護法でいう個人情報というのは、特定の個人を識別する情報なんですけれども、ここまでお話してきたのは端末とかブラウザを識別する情報なので、単体では個人情報として保護されないんですね。だから、本人の同意なくやりとりしても、個人情報保護法上は違法にならないという整理だったんです。

電気通信事業法も、十分に対応できていません。総務省はスマホが登場した一〇年ぐらい前から色々取り組もうとしてきたんですけれども、なかなか上手くいかなくて、ようやく今回の法改正で、ウェブサイト管理者に対して利用者を外部サイトに飛ばす場合は利用者の同意取得を義務づける方向で法改正しようとしたんですけれど、直前になって経済団体が反対して骨抜きになってしまいました。同意を取るべきところが、通知公表で構わないことになり、義務を課される対象事業者ものすごく狭まってしまったというものです。

こんな感じで、自分のデータが本人のコントロールが及ばない形でやり取りされる状況が、今も日本では続いています。

海外ではそんなことはなくて、ＥＵの有名な一般データ保護規則などでは、クッキーも含めたオンライン識別子というのも保護対象になっています。

日本の法律が機能しないでいるうちに、海外の厳しい規制にさらされているグローバルプラットフォームは、自主的な取り組みを始めようとしています。例えば、サファリを提供するアップルなどブラウザベンダーがサードパーティクッキーを使えなくしようとしているわけです。アップルの場合は早くて、二〇一七年から少しずつ始めているんですけれど、二〇二〇年の三月にはサードパーティクッキーは完全にブロックされてしまいましたし、今日はクッキーやブラウザの話を中心にしましたが、スマホアプリだと広告IDで同じようなトラッキングができるのを、アップルはスマホアプリでも事前同意がなければトラッキングできないような仕組みを入れました。

グーグルも、プライバシーサンドボックスという考え方を提唱して、サードパーティクッキーを使えなくするとの計画を発表しました。グーグルは本業が広告なので、ターゲティング広告は続けるけれども、データはブラウザで管理し、サードパーティにはそのまま渡さず、プライバシーに配慮した方法を模索しています。ただ、一部の国の競争当局が、競争上問題なのではないかということで、つまり、広告会社であるグーグルの力を強くすることになるのではないかということで調査した経緯もあり、まだ検討中の段階です。

ここで注意していただきたいのは、データというのは、ファーストパーティとしての取り方とサードパーティとしての取り方があるんですね。先ほどからサードパーティとしての取り方を述べてきたのですけれども、グーグルはサードパーティとしてもものすごく取っています。もちろんファーストパーティとしても、つまり自分が直接サービスを提供することで無料のサービスと引き換えにデータを取っているわけなんですけれども、これもすごく色々取っていまして、例えばアイフォンにグーグルアプリを入れた場合には、財務情報、位置情報、連絡先情報、ユーザーコンテンツ、検索履歴、閲覧履歴、ID、使用状況データなど、いっぱい取っているわけです。ここで、サードパーティデータが使えなくなるということは、ファーストパーティが強くなるということですよね。でもこのブラウザとかOSとか検索とかアプリ市場とか、コンテンツ配信とか、どれも海外のグローバルプラットフォームが席巻していて、日本企業は弱い分野とも言えます。

そうした中で、サードパーティの事業者は、グーグルやアップルが自分たちに使わせないのは競争法上問題だという感じで主張していて、政府の一部の報告書にもそういった主張が入ったりもしています。ただ、それでは利用者のプライバシーの方はどうなるんだ、という問題も発生します。競争政策と利用者保護のすごい緊張関係があるわけです。海外などはこういう問題を検討するときに、競争当局と消費者保護の当局と両方が同じ検討の場で議論したりして配慮されているんですけれど、日本の状況を見ると利用者保護のほうに力が入っていないと感じます。

ここからは、二番目のところなんですけれども、こういうデータの使われ方というのは、広告だけなのか、ということです。時間の関係で詳細は省略しますけれども、覚えていらっしゃると思いますが、リクルートキャリアが就活中の学生の内定辞退率を予測して、当の企業に販売していたという事案がありました。これも要は同じ仕組みで、就活生がどういう就活サイトを見ていたのかというようなことを、図3でご説明したような仕組みで取っていて、リクルートとしては、学生さんのブラウザがどういうサイトにアクセスしていたのか分かって、例えば外資系ばかり見ていると、「この人は本命が外資系だから、国内企業は内定辞退しますよ」と教えていたということです。

リクナビ事件は、データベースは広告だけに使われるとは限らない、ということを教えてくれました。閲覧履歴は、その人がどんな人なのかということをすごく幅広く伝えることのできる情報ですが、何を買いそうか、ぐらいだったらいいかもしれないですけれども、内定を辞退しそうかとか、あるいはその人がどんな政策を評価して投票するのかとか、誘導しやすい人なのかとか、そういうことまで推測するのに使うとなると、プライバシーの問題だけではなくて、民主主義の問題になるのではないかと思います。

それを端的に示したのが二〇一六年のアメリカ大統領選で、ここでフェイクニュースが一躍有名になったわけです。そのときに、ロシアの関与というのもすごく言われましたけれども、もう一つ、アメリカ人が読んでいるフェイクニュースのかなりの部分が、マケドニアのある町の人たちが小遣い稼ぎに作っていたものだといった報道があったものですから、うちの記者がマケドニアに行って話を聞いてきたんです。取材を受けてくれた方は、「自分はアメリカ国民が読みたそうだなと思う記事を先回りして提供しているだけで、プラットフォームに載せれば読みたいと思ってる人に簡単に届いて、そしてチャリンチャリンと広告代が入ってくるんだよ」と言っていたそうです。つまり、大したコストもかけないで、そのコンテンツを好みそうな人のところに届けることができる。それはプラットフォームが、ターゲティング広告のために構築したシステムやデータのおかげなわけです。

何でそんなことになるのかというと、アテンションエコノミーというのが大きくて、詳しくは山本先生が説明してくださるかもしれませんが、ざっくり言うと、人々の関心とか注目というのが貴重な経済的価値を持つということです。つまり、プラットフォームの商売そのものなんですね。彼らはたくさんの広告枠を売るのが仕事で、そのためにはいかに長い時間ユーザーに滞在してもらって、たくさんのページを見てもらうかということが重要なわけなんです。

そのために、様々なアルゴリズムを工夫していて、その人の好きそうな情報をお勧めして、本人が快適になって長く使ってもらえるように、本人の望む情報ばかり集めて、そうでないものははじいちゃう。そうして、フィルターバブルという状況が起きてしまうわけです。あるいは、話の合う人と話したほうが気持ちいいので、話の合う人たちをお勧めしたり、フォローしたりする機能もあって、そうすると、エコーチェンバーといって、自分と似た人とばかり繋がって、こだまのように同じ意見ばかりに振れるという状況が起きてしまいます。

彼らにすれば、ＡＩとデータを使ってプロファイリングして、いかにも食いつきたくなる情報を選別して届けてくれているわけですけれども、もしもＡＩが、私がトランプに共感しそうだ、そういう特性があるんだと判断したら、フィルターはトランプを称える情報ばかり出して、ヒラリーを評価する情報ははじいてしまうかもしれない。そういうようなことが続くと、正しい情報が外にあっても、フィルターバブルの内側から外側にはじかれた情報にアクセスするのがすごく難しくなってしまいます。これが高じて、二〇二〇年の大統領選では、もはやトランプを支持する人たちに敗北という状況を信じさせることもできなくなった、と。

こういうのを悪用したのが、ケンブリッジ・アナリティカです。後で宮下先生もお話してくださると思いますが、要はフェイスブックから集めたユーザーのデータベースを用いて、プロファイリングして誘導しやすい人物を探し出して、その人に響きやすいコンテンツを集中的にレコメンドしていって、過激な愛国者に仕立てていくんですね。ケンブリッジ・アナリティカ事件を告発したクリストファー・ワイリーは、マイクロターゲティングはピンポイントなので社会から気づかれにくいんだ、一人ひとり違う広告を出すので気づかれないんだ、という話をしています。

最後に、今、日本がどういう状況にあるのかということだけお話したいと思います。

実は、フェイスブックの場合は、どういう政治関連広告があるのかというのを検索できるようなページがありまして、見ることができます。そうすると、日本学術会議に任命されなかった人たちを〝赤い〟活動などの表現で攻撃する、結構センセーショナルな広告があったりします。だけど、多分皆さんはほとんど見ることがないのではないかと思うんです。なぜならば、これらの広告はこういうものに煽動されやすい人、脆弱な人たちのところにピンポイントで送られているから、多分皆さんには届かないと思うんです。それが、社会が分断に気づけない、恐ろしい点です。この広告の関連データを見ますと、インプレッション数や、どういう人に向けて多く表示されたのかが分かります。この場合は一八歳から二四歳の、特に女性が多く見ていたようです。

ただ、どのように推定されたユーザーに的を絞ったのかということは公表されていないんです。それでもこういうのを作ってくれて、とってもいいと思うんですね。グーグルの場合は、アメリカとか一部の国ではやっていますけれど、日本ではやっていません。それは、日本では政治広告の透明性やターゲティングの問題に対して関心が薄く、声が出ていないからなのではないかと思うんです。海外では、そういうことに対応した法律などもできています。日本も、やはりもっと関心を持ってやらなければいけないのではないかなと思っています。以上、駆け足ですみません。

コーディネーター　続きまして、山本さんより、デジタルプラットフォーマーに対し、世界はどのように取り組んでいるのかについてお話をいただきたいと思います。山本さん、お願いいたします。

山本　慶應義塾大学の山本でございます。本日は、どうぞよろしくお願いいたします。私のほうからは、憲法学という非常に大きな視点から問題を提起させていただければと思っております。お題は、デジタルプラットフォームに対して、世界はどのように取り組んでいるのか。これを一〇分で述べよ、ということなんですが、まずは、そもそも今、デジタルプラットフォームというのが、どういう存在になってきているのかということについてお話をしたいと思います。

　これはよく出される数字ですけれども、例えばフェイスブックの月間のアクティブユーザーは、約三六億人に達しています。アップルの売上高三六六〇億ドルというのは、イスラエルや香港のＧＤＰに相当するようにもなっている。とにかく非常に巨大になってきているわけですね。

山本龍彦氏

　私は、自分の論文の中で、このグローバルプラットフォーマーのことを、「ビヒモス」と呼んでいます。ビヒモスというのは、旧約聖書に出てくる怪物です、ホッブスという有名な政治哲学者が国家を「リヴァイアサン」に喩えましたが、これは海の怪獣です。先生方もおそらく学生のときにホッブスの『リヴァイアサン』をお読みになったと思いますけれども、この本の表紙には、非常におどろおどろしい巨大な怪物が描かれています。このリヴァイアサンと二者一対の怪獣として旧約聖書に出てくるのが、ビヒモスという陸の怪獣なわけです。そういう意味では、現在の国際秩序というのは、このリヴァイアサン、つまり伝統的な主権国家と、それからビヒモスという新たな権力、つまりプラットフォーマーが拮抗して対峙している状況にあるのではないかと思っております。

では、なぜ巨大化、権力化したのか、その背景にあるものは何かということですが、七点挙げさせていただきました。

一点は、ネットワーク効果と呼ばれるものです。これは、先生方もご承知のとおりだと思いますが、ユーザー数が増えれば増えるほど、サービスの利用価値が高まるというものです。ソーシャルネットワークなどはまさにそういうことなわけですけれども、このネットワーク効果は、必然的に巨大化の傾向を帯びる。当然巨大化すれば、独占、あるいは寡占という状況を引き起こすということになってきます。

二点目は、インフラ性と親近性。我々は、プラットフォーマー抜きには、なかなか社会的な生活を送れない状況になってきている。しかも、もう一つ親近性というふうに挙げましたけれども、プラットフォーマーというのは、我々の非常に身近にいるわけですよね。皆さんも今、スマートフォンお持ちだと思いますけれども、身体に密着したところにあるのではないかと。つまり、彼らは、我々の非常に親密なデータというのを取得することができる、身体的な近接性を持っているわけですね。私もこう言いつつスマートウォッチを着けていますけれども、生体データが取られている。

三点目に、データ的、技術的な優位性。データ的には、国家をしのぐデータの保有量を誇っているわけですし、ＡＩというのはデータが集まれば集まるほど賢くなりますから、彼らのアルゴリズムというのは非常に洗練されたものになる。これは、メタバースが発展すれば、さらに強調されてくるのかなと思います。ＶＲのようなデバイスを頭に付けて仮想空間の中に入れば、このデバイスから、目の瞬きの回数とか、あるいは視線の動きまで、本当に細かいところまでデータを取れる。場合によっては脳波まで取れるということになってくるわけです。

デビット・チャーマーズという哲学者は、仮想世界の作り手は神のような存在になれると言っています。世界の創始者であり、何が起きているかを把握できる。ちょっと大げさかもしれませんけれども、フェイスブックがメタという社名に変えましたね。メタはラテン語で「超越した」ということを意味しますけれども、まさに超越した存在になろうとしているようにも思うわけです。

さらに、彼らはもちろん自然言語も使うわけですが、基本的にはアルゴリズムによってサービスを提供しています。このアルゴリズムというのは、ブラックボックス化しがちですよね。普通の人間が見ても、それが何を意味しているのかよく分からない。こういう判読困難性というのを持っています。この判読困難性というのは、権力の一つの大きな基盤になるものです。かつてのカトリック教会、中世ヨーロッパのカトリック教会、これは今、色々な人が、今のプラットフォームと中世のカトリック教会をなぞらえて、国家をもしのぐグローバルな権力を持っていると指摘していますけれども、彼らカトリック教会の権力の源泉は、まさにラテン語という普通の人が読めない言葉を使っていたことにありました。これがルターによって、ドイツ語、世俗の国語に翻訳されることで民主化していったという経緯があります。

五点目として、グローバル性、実態把握困難性。ちょっと時間がありませんので、ここから駆け足になってしまいますが、彼らは国境を越える、ということです。例えば彼らは、日本において、いわゆる恒久的施設のようなものを持っているかというと、必ずしもそうではない。そういう意味では、国家が彼らを把握しようとしても、ホログラムのようにスッといなくなってしまう。こうした、グローバル性や実態把握困難性を持っている。

六点目に、経済力、政治的影響力。先ほど言ったとおり、莫大な額のお金を稼いでいるわけであります。こういった経済力を背景として、非常に強力なロビイングというのを各国の政治プロセスにかけることもできる。

七点目に、先に述べたとおり、身体的な近接性から、我々の生体データに関連したデータを集めて分析することができることから、我々の感情や「こころ」についても操作、コントロールできるという点。

これら七点にとどまることでもないですが、これらが彼らの権力の源泉になってきているのではないかと考えています。「ビヒモス」という存在がリヴァイアサンを逆にコントロールしてしまうということも、実際に起きてきているように思います。

時間の都合上、それほど例を挙げられないのですが、オーストラリアの例を挙げると、二〇二一年二月に、ニュースメディア及びデジタルプラットフォーム義務的交渉法というものを成立させました。これは、プラットフォーマーが報道機関のニュースをタダ当然で使っていたところに、その適正な対価を払うように、と働きかけた。プラットフォーマーと報道機関の両者がきっちり交渉できるよう、プラットフォーマーを義務づける法律を作ったわけです。

これに対して、フェイスブックが非常に強硬な反対、抵抗をした。オーストラリアではニュースを見られなくする、あるいは共有できなくする、と。たしかオーストラリアでは六六%ぐらいがフェイスブックのユーザーですから、そこでニュースを見られなくなるというのは大問題、知る自由にも関わりますよね。ということで、国家もたじろぐわけです。結局、この法律は、プラットフォーマーに有利な形で、かなり後ろ向きなかたちで変更が加えられました。

さらに、ＦＢＩとアップルの例。二〇一六年だったと思いますが、あるテロの被疑者のスマートフォンにロックがかかっていた。ＦＢＩはアップルに対してロックを解除せよと迫ったわけですけれども、アップルは頑としてこのｉＰｈｏｎｅのロックの解除をしなかったということで、ＦＢＩとアップル、まさに国家の法執行機関とプラットフォーマーが対抗関係に立ったわけです。

このように、もはやビヒモスというのは単純な民間企業とは言えない、単純なグローバル民間企業とも言えないのではないかと思います。

次のお話に移りますが、イアン・ブレマーという非常に有名な政治学者が、今や一握りのテクノロジー企業が、政府に匹敵する地政学的影響力を持ち始めている、と言っています。かつての東インド会社や大手の石油会社のように、有力なグローバル企業はあったけれども、やはり次元が違うというようなことを、彼はロシアのウクライナ侵攻の前に言っています。彼らは、世界中の何十億もの人々の生活、人間関係、安全、さらには思考のパターンに直接影響を与えることができる。それはかつてのグローバル企業とはまったく別次元の存在なんだと言っております。

今、このリヴァイアサンとビヒモスは拮抗状態にあり、綱引きが行われているわけですけれども、ヨーロッパでは、ご存知のとおりデジタル主権という考え方が有力に説かれています。デジタル領域でプラットフォーマーに奪われてしまった主権を取り戻そうというのが、このデジタル主権の基本的なコンセプトだろうと思います。

こうしたコンセプトと関連して、ＥＵでは、ＧＤＰＲ（General Data Protection Regulation）とかデジタルサービスアクトが制定されているということですね。国家がデジタル領域において、しっかり手綱を握っておきたい。そういう動きのように思います。ただ、私から最後に指摘させていただきたいのは、それが非常に重要な動きであることは理解できるのだけれども、非常に厳格な規制法によって国家がビヒモスを押さえつけることが、本当にいいことなのかどうか。私は一定の規制・規律は必要だと思っています。けれども、ガチガチに縛りつけるということについては、やや慎重な検討が必要かと思っています。

例えば、連邦議会の襲撃事件がありました。トランプ支持者たちが――そのなかの一定数は陰謀論を信じていたわけですけれど——連邦議会を襲撃した。要するにクーデターです。これはアメリカにとって民主主義の危機だったわけですね。ところが、そこでプラットフォーマーがトランプのアカウント、それからトランプ支持者のアカウントを凍結した。賛否色々ありましたけれども、もしあのままプラットフォームとしてSNSが陰謀論者たちに平然と使われていたらどうなっていたのだろうと思うと、ややぞっとするわけですね。

このことは、国家が暴走したときに、彼らがそれを止める力を持っているということでもあるわけですね。国家を信じるのかプラットフォームを信じるのかという問題なのかもしれませんけれども、私はリヴァイアサンとビヒモスが、checks and balances、抑制と均衡の関係に立つ、新たな権力分立というのが、今必要になってきているのではないかと感じているところでございます。

コーディネーター　それでは、一つ目のテーマとして、デジタルプラットフォーマーを中心として市民の行動履歴が大量に収集されている現状について、どのように解決するべきか、議論していきたいと思います。

基調報告第一編や先ほどの若江さんのお話にもありましたとおり、現代のデジタル社会では、グーグルをはじめとするデジタルプラットフォーマーにより大量の情報が収集されています。そして、その収集された大量の情報が分析、解析され、個人の趣味、趣向などが推測され、広告配信などに利用されています。このように情報の収集過程、解析過程、配信などの利用過程の段階がある中で、解析過程、利用過程は、ＡＩやアルゴリズムとも関連します。

ＡＩについては、前半の最後に議論する予定にしておりますので、はじめにここでは、情報の収集過程、つまり市民の情報が収集され、デジタルプラットフォーマーやインターネットを利用する企業などがデータベースを作成するまでの流れについて、議論していきたいと思います。まずは山田さん、情報の収集過程における問題点には、どのようなものがありますか。お願いいたします。

山田　参議院議員の山田太郎でございます。これまでデジタル庁の大臣政務官をやらせていただいていました。ご質問について、もちろんプラスの部分があるからこそ、企業も、あるいはそのユーザーも、データを預けるような形でもってその処理を任せているということなのですが、ただ、やはり光と陰がある、と。大事なことは、自らの意思に基づいて、行動履歴だったりとかを、メリットがあるということも含めて、ちゃんと自分の意思で預けているということが担保されているかどうかというのは、一番大きいと思うんですね。

それからもう一つは、諸外国と比較した場合に、すごく強く指摘されている部分でありますし、私も政務官として求めてきたことではあるのですが、日本の場合には、民間も政府もそうなのですが、データを蓄積している人たちの透明性が非常に低いという問題があります。例えば北欧のスウェーデンなどは、自分のデータの権利というのが非常に担保されていまして、例えば社会保障において国民のデータを活用した場合に、誰が見たのか、どういう目的で見たのかということを、預けた国民自身が知ることができる、あるいは消したりだとか、要は使わないようにということもできる。

それに対して、日本では一度預けてしまうと、コントロールが利かないといったことが、やはり民間においても特に政府セクターにおいてもあるのではないか。どちらかというと、国民の大事なデータはしっかり預かる、金庫の奥にカギを掛けて漏れないようにしましょうということなんだけれども、裏側でどういうふうに扱われているかということが分からないし、それによって国民の皆さんからの信頼がなかなか得られないということもあって、運用の透明性ということがすごく重要なのではないかなと思っています。諸外国ですごく上手くいっているケースというのは、そこの透明性というのが非常に高いので、やはりすごく重要なのではないかと考えます。

コーディネーター　それでは、続いて若江さんのほうからも、お話をいただければと思います。

若江　まず、データを取り扱う主体は、必ずしもGAFAだけではないということには留意が必要かなと思います。国内の広告事業者とか、マーケティングをしたいユーザー企業とか、皆データを欲していますし、集めているデータも、今日お話したようなオンライン上の行動履歴だけではなくて、オフライン、現実の世界でのフィジカルな行動履歴というのもどんどん集められています。そういった状況は、スマートシティ化が行われていけば一層促進するのかなと思っています。それだけに、収集の透明性とか、説明責任というのは重要なのですが、その上で申し上げたいのは、まず解決されるべきは、日本人の七割がデータ収集の実体を知らないまま自分のデータを提供している現状というものです。

なぜそうなったかというのは、さっきも言いましたけれども、日本の個人情報保護法の不備という罪が大きいと思います。「法律で規制されていないのね、だったら勝手に使ってもいいわよね」みたいな感じで、実際にはプライバシー権の侵害で民法の不法行為が成立する可能性はあると思うんですけれども、日本では訴訟になることも少ないので、事業者は長い間きちんと説明してこなかったわけです。だから、市民が気づいていないのはある意味当然なのかなと思っていますが、国際水準並みの法整備というものが急がれるのではないかなと思います。

コーディネーター 今、国際水準というお話がありましたので、国際水準として提示されているGDPRについて、宮下さんからまとめて解説をお願いしたいと思います。お願いいたします。

宮下紘氏

宮下 どうも皆様こんにちは。中央大学の宮下と申します。どうぞよろしくお願いいたします。私からは、GDPRに関連するお話を紹介させていただきたいと思います。

世界のデジタル世界の規制の震源地は、ベルギーのブリュッセルです。ブリュッセル効果という言葉があるとおり、ブリュッセルで決まったことは、日本、東京、あるいはニューヨーク、アメリカ、世界の色々なところで、規制の影響力が見られます。

そのヨーロッパのGDPRが成立した二〇一六年五月四日、その年に行われた所信表明演説で、当時の欧州委員会委員長は次のような言葉を残しました。ヨーロッパの人々は、頭上ですべての動作を記録できるドローンのこと、また、すべてのマウスのクリックを蓄積する企業のことを嫌っています。ヨーロッパでは、プライバシーは重要な問題です。それは人間の尊厳に触れる問題です、と。個人がクリックする「いいね」は人間の尊厳の問題であるということを、欧州委員会の委員長は述べたわけであります。

ここには、深い歴史が関わっています。二〇一三年、私はポーランドのアウシュビッツ収容所を訪問しました。一九三〇年代、ヒトラーは、皆様ご存知のとおりですけれども、ここでユダヤ人を大量殺戮しました。子どもや女性を含む一〇〇万人以上の人が毒ガスで殺戮されたと言われます。

皆様に、ここで聞きたいことがあります。アンネフランクの日記のとおり、ヨーロッパのユダヤ人はヒトラーに捕まらないように逃げ回りました。では、なぜヒトラーは逃げ回るユダヤ人を見つけ出すことができたのでしょうか。

一九三〇年代、現在のような位置情報を記録するようなものはありませんでした。インターネットもありませんでした。そこで、ヒトラーはアメリカのＩＢＭに協力を求めました。ＩＢＭは、当時パソコンの前身となるホレリスパンチカードというものを発明していました。そのパンチカードに記されていたのが個人情報です。アウシュビッツの収容所に行くと、大量の個人情報が記録されておりました。その個人情報がどのようなものだったかと言えば、氏名や住所だけではありません。ユダヤ人を見つけ出すために、髪の色、皮膚の色、目の色、身長、体格、身体的な特徴がすべて記されていたのです。これにより、自らがユダヤ人であるということを否定したとしても、ＩＢＭのホレリスパンチカード、六〇列に並ぶ列からユダヤ人だということが分かりました。死の計算作業と言われる作業

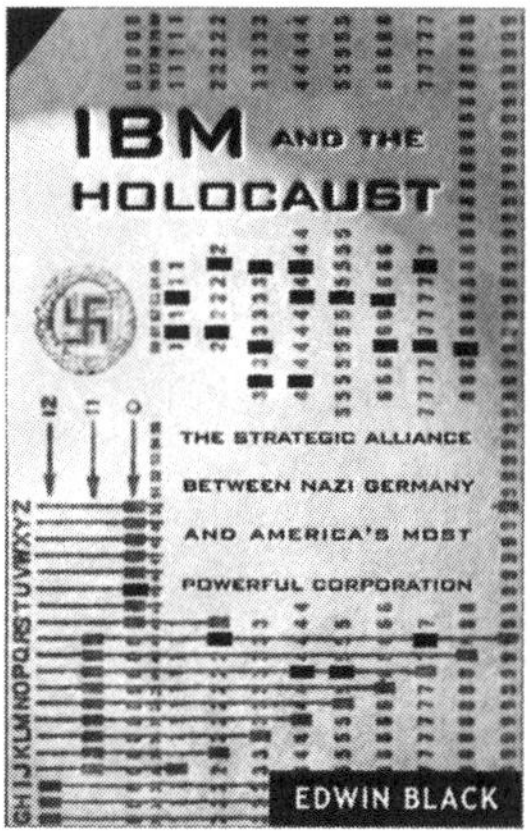

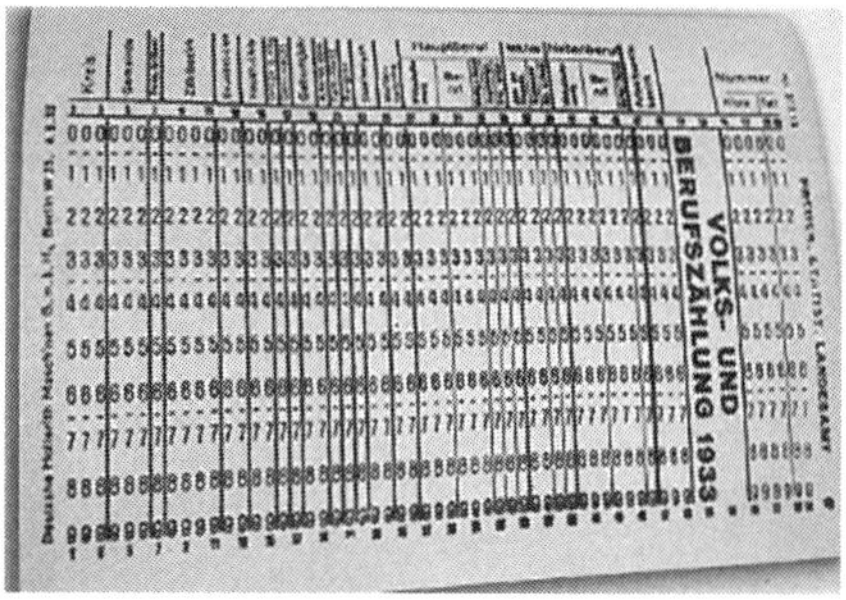

死の計算作業
パンチカードには 60 列にそれぞれ 10 行がありパンチ穴を開けることができた。
列 22 の宗教には穴 3・ユダヤ人があり、たとえば、ベルリンで最もユダヤ人が集中しているのはヴィルマースドルフ地区であり，約 2 万 6000 人の教養遵守ユダヤ人が同地区の人口 13.54%を占めているという結果が出た。
列 22・行 3 でユダヤ人とされた者と列 27・行 10 でポーランド語話者とされた者を相互参照し選別することによって、ナチスはユダヤ人の中から誰を最初に資産没収、逮捕・拘禁、そして最終的に駆逐の標的にするかを決めることができた。

出典：Edwin Black, *IBM and the Holocaust*, Dialog Press Expanded Edition 2012, 表紙 , p. 573.
宇京頼三監修・小川京子訳『IBM とホロコースト』柏書房、2001 年、71-72 頁。

であります。
　パンチカードには六〇列、それぞれ一〇行があり、パンチに穴をあけることができました。「列二二の宗教、穴三ユダヤ人」。例えば、ベルリンで最もユダヤ人が集中している地区がありましたが、約二万六〇〇〇人の教養遵守のユダヤ人が同地区の人口の一三・五四%を占めているという結果が、このホレリスパンチカードから生み出されたわけであります。
　名前も知らない、住んでいるところも知らない。しかし身体的な特徴などをホレリスパンチカードで穴をあけていけば、自然とそこにはユダヤ人であるということが浮かび上がってくる。これがヨーロッパの歴史であり、尊厳の問題であると呼ばれる所以であります。

その後、この反省を顧みたドイツの憲法裁判所は、一九八三年に有名な判決を下しました。我が国でも見られるような国勢調査が、ドイツでは一部憲法違反という判断が下されたのです。自動処理の下では、些末なデータはもはや存在しない。人の目の色、皮膚の色、髪の色、ここからユダヤ人が見つけられ、そして毒ガスで大量殺戮された。もはや些末なデータは存在しない、というのが、その判決文の中で下された一説です。これがヨーロッパのデータ保護の根源にある伝統であります。

そして、今日お話があった自己情報決定権。山本先生からお話があると思いますけれども、まさにこれはドイツ的な発想です。私が一年間ドイツに住んで勉強していた際、「ダーテンシュパーズムカイ」という言葉に出会いました。この言葉は、日本語に訳すことができません。英語に訳すこともできません。一対一の、対になる概念がないんです。ドイツ特有の言葉です。あえて訳そうとすれば、これはデータの質素倹約という意味です。ビッグデータのように、データを大量に集めれば集めるほどそれがビジネスにつながるという発想ではなくて、データは少なくて貴重で大切なものである。貴重で大切なものを、できるだけ人の福利のために使おう。こういった発想からくる言葉であります。

そして、既にお話がありましたが、ケンブリッジ・アナリティカ事件について、フェイスブックの「いいね」から何が分かるのか。アメリカの五万八〇〇〇人の研究結果です。見たこともない、会ったこともない、名前も分からない人が、一七〇個の「いいね」を押しただけで、次のことが分かります。まず、六七%の確率で、その人が独身なのか、結婚しているのか。二一歳当時に両親と同居していたかどうか。喫煙者かどうなのか、お酒を飲むかどうか。また、八五％の確率で、その人の支持政党、すなわち民主党支持者なのか、共和党支持者なのかが分かります。

一七〇の「いいね」が集まるだけで、その人の支持政党が分かる。これを使ったのがケンブリッジ・アナリティカ事件で、本日何度も出てきたものです。わずか二％の差で、現在イギリスはＥＵから離脱してしまいましたが、この二％を誰がいじったのかといえば、ケンブリッジ・アナリティカ社であるとされます。

具体的には、複雑なデータの動きをしています。本人が知らないところで集められた八七〇〇万人分「いいね」の履歴はケンブリッジ大学の心理研究所に渡され、それがケンブリッジ・アナリティカ社に渡り、さらにカナダのＩＴ企業に渡り、そこから一人ひとりに個別に広告が出され――当然ですけれども、心理的にその広告に左右されやすい人をターゲットに絞って――そしてイギリスのＥＵ離脱に成功した。

二〇一八年六月四日、ケンブリッジ・アナリティカのリサーチ・ディレクターで、フェイスブックによるデータの悪用を告発したことで知られる、カナダ出身のクリストファー・ワイリーが、欧州議会で演説を行いました。そこで、もしもケンブリッジ・アナリティカ社のデータ技術がなければ、イギリスはＥＵにとどまっていた、というようなことを言っています。すなわち、データというのは若江さんの言葉を借りれば、プライバシーの問題ではなくて、民主主義の問題に発展した、というわけです。

それだけではありません。最近では、人の顔、表情からその人の支持政党も推知ができるというような研究結果もあります。したがって、データを色々なところで濫用できるきっかけを作ってしまった。その反省に立ち、GDPRができたというわけであります。

そして、時間の関係上、もう一つだけお話をさせてください。データは国境を越えます。データというのは、クリック一つで日本の外へと出て行きます。有名なEUの司法裁判所のクーン・レナーツ長官は、次のような言葉をご自身の論文の中で述べております。基本権の本質を弱体化させる措置は、例え第三国、例えアメリカや日本の安全保障が危険にさらされていたとしても、いかなる根拠に基づくものであったとしても、正当化されない。プライバシーという権利の本質を弱めるようなことがあれば、それは例え第三国の安全保障に関わったとしても、取引には応じない、と。このようなことを、長官自らが論文の中で示したわけです。これは、国境を越える問題だということです。アメリカとヨーロッパは、これまで様々な形でデータの戦争という形をとってきたわけであります。

GDPRの第四五条、次のような条文があります。個人データの第三国、または国際組織への移転は、欧州委員会が第三国、若しくは第三国その領土ないし一つの複数の分野、また、当該国際組織が保護の十分な水準、十分な保護の水準を施していない限り、ヨーロッパから日本に、ヨーロッパからアメリカにデータを移転することはできない。これはすなわち、ヨーロッパと同じ水準、EUと同じ水準の保護水準の個人情報保護法制がなければ、データを渡さない、ということです。このような宣言をしているのが、GDPR第四五条です。

では、アメリカはどうなのか。アメリカは現在においても、連邦レベルでプライバシー法がない、個人情報保護法がない国です。アメリカは何をやったのかといったら、当時のクリントン政権が、アメリカとヨーロッパとの間の政治決着という形で、個人データの移転ができるように、セーフハーバー協定というのを結びました。これは、アメリカにはプライバシー保護法がないので、七つの原則、基本的な原則を定めて、アメリカの商務省がこれを守りますよというもので、政治的に無理やり締結させた形でした。

しかしながら、この協定を無効としたのが、先ほど紹介したEU司法裁判所の長官。ルクセンブルクにあるEU司法裁判所は、シュレムス一判決において、アメリカのような保護水準、つまり法律がない国にEU市民のデータは渡さない。このようなことから、EUの水準というのは保護の高度な水準を示しており、EUと本質的に同等でない限り、EUのデータは、アメリカに渡さない、としました。たとえGAFAがヨーロッパに進出していたとしても、GAFAのデータをアメリカ本国には渡さないというわけであります。

この判決の中で、政治的な妥協によって生み出されたセーフハーバー協定は、EU法秩序で保障された基本権の保護の水準と本質的に同等であるとは言えないということで、政治的に決着を見た交渉を無効といたしました。

その後、オバマ政権になり、プライバシーシールドという別の協定が結ばれました。この中でオバマ政権は、自らの国内法まで改正しました。EU市民を救済するために、連邦プライバシー法というアメリカの法律を変えてまでして、ＥＵとの政治的な交渉に臨んだのです。

ところが、その後トランプ政権になり、連邦プライバシー法は外国人に及ばない、アメリカ人のみが保護の対象となるという大統領令を出しました。これに基づきまして、再び、ＥＵとアメリカの大統領レベルでの最高レベルの政治決着を、ＥＵ司法裁判所の長官は無効としました。プライバシーシールド決定というものは、ＥＵの基本権憲章、第七条私的生活の保護と第八条個人データの保護、さらに第四七条司法救済権利を求める権利、こういった各条項に違反しており、ＧＤＰＲ四五条と整合していない。それゆえ無効であるというわけであります。

この判決直後、今現在、皆様がビジネスでも使うようなグーグルアナリティクス、マイクロソフトのオフィス３６５は、ドイツの一部の州やオーストリアでは使えません。こうしたサービスを使うと、必然的にデータがアメリカに移転されてしまうからです。

これだけ大きな政治問題になったとしても、ＥＵというのは譲らなかった。個人情報の保護は人権問題、すなわち尊厳の問題である、というわけであります。

そして、もう既に報道にも出ていますが、来週にもバイデン政権はＥＵとの新たなデータの枠組みを作ろうとしている。まさにこういった中で動いている話であります。何でこんな海外の話をしたのかというと、実は日本の個人情報保護法制も、かつてＥＵに審査されたことがあるのです。二〇一九年一月二三日、日本の個人情報保護法の民間部門のみは、十分な保護の水準であるというＥＵからのお墨付き、すなわち十分性認定を得ました。言い方を変えますと、公的な部門である行政機関の部門、地方公共団体の条例等は、十分な保護水準にはないというメッセージが発出されたわけであります。私自身もこの審査に関わっておりましたが、このEUの審査の中で、様々な形で日本の法制度に対するご指摘がありました。例えば、先ほど山田議員がおっしゃったように、透明性の観点が欠如している。同意に関するフレームワークがEUと違うといったことが、具体的に指摘されました。

この海外の情勢について、皆様に何を示唆したかったのかまとめさせていただきます。フォーリンアフェアーズの論文では、データ戦争の真っただ中にあると言われています。データをめぐる地政学を冷静に見極め、そして日本が歩むべきプライバシーの道とはどんな道なのか、これを考える必要があると思っております。

日本の十分性認定が下された二〇一九年一月二三日、折しもダボス会議の場で、日本とドイツの当時の首相は、次のような演説をしました。まずメルケル首相は、世界にはデータをめぐって三つの方向性がある、と。一つはアメリカ型である。市場原理に基づいて、民間の企業が自律的に解決するという市場原理に基づくソリューション解決方法。二つ目は中国のように国家こそがデータを管理し監視するような選択肢。そして第三の道が、ヨーロッパの進む道であって、人間の尊厳に基づき、人間が中心となってデータビジネスというのを構築していくものであるというわけであります。

その後演説した当時の安倍首相は、日本にはData Free Flow with Trust、信頼性あるデータの自由な流通があるということを言いました。日本が考えていくべき道とは何なのかということを考えさせるものだったと思います。

プライバシーは基本的な人権である。これはアップル社のメッセージです。このメッセージがどこで発せられたかというと、実は、先ほど山本先生が言ったようにアメリカを代表する企業であるアップル社が、ヨーロッパの中心地であるベルギーのブリュッセルに来て演説をした際のことでした。私自身もこの場で演説を聞いておりました。アメリカを代表する企業ですらＧＤＰＲと向き合わなければならない状況にある。その中で、日本のプライバシー権、プライバシーの哲学はどのようにあるべきなのか、こういったことを考えさせられた演説でありました。以上であります。

コーディネーター　それでは、クッキーの利用に対して、日本では事前同意が求められていないという問題点のご指摘がございましたけれども、逆にプライバシーポリシー、要はこのサイトにアクセスした人は、こういう目的で利用していますよという説明文書ですね。果たして、あの長い文書が読めるのか。そういう場合の同意は、現実的なのかどうか。あるいは、あまりに頻繁に、あちこちページを飛ぶたびに同意を求められたら不便ではないかという意見もあるわけですが、次に同意のあり方について考えていきたいと思います。山田さんはこの点、どのようにお考えでしょうか。

山田　もともと政府にいた人間なので、その観点から整理をすると、まず、同意はオプトインなのか、オプトアウトなのかという論点がすごく大きいかと思います。情報を全部使うよということですべて同意を取るのか、あるいは何も言わないんだったら同意を取ったことにするよ、とするのか。

原則として、いわゆるオプトイン、つまりすべて同意を取って使えば問題が生じにくいと思いますが、行政の観点からすると、どうしても命の問題などにぶつかることになる。具体的に言いますと、私は実は、デジタル庁の中で子どもを守るというプロジェクトをやっておりまして、虐待に遭っていたり、不登校の子どもたちを、その要因も含めてどのようにケアするのかだとか、そういった探知をしていくにあたって、事前に同意が取れるのだろうかといった議論もありました。人の命を守るというようなシビアな局面にあって、事前の同意が取れるのかどうか、ということです。子どもの問題に関してはもう一つ、親権の問題などが極めてシビアでありまして、例えば、親は同意したんだけれど、子どもは嫌だと言っている場合。あるいは、子どもはいいよと言ったんだけれど、親は同意をしていない場合。同意と一言で言っても、子どもに関わる問題については、果たしてどのように同意を捉えればいいのかという議論もあるかと思っております。

親権代理が、財産権以外のところまで及ぶものなのかということ。そして昨今は、私も党内でも頑張りまして、子どもの基本法というものを定めさせていただきましたが、子どもの権利ということも、最大の議論になってきました。

事前に同意が取れれば、それはもちろん誤解も少なくなると思いますから、そういった意味ではいいのですが、個別具体的なケースをどうしていくのか。というのは、同意問題でもう一つ大きいのは、まさに情報移転の問題でありまして、管理主体が変わる場合、例えば公的なものから民間へ、民間から公的なものへ、公的な中でも、部署だとか、市区町村を越える場合もあると思います。具体的には目黒女児虐待事件のようなケースの場合に、要対協（要保護児童対策地域協議会）や児相が持っている情報が、引越した先に渡せていなかったのではないかというような議論などもあります。そういう命の問題に関わる場合に、では、虐待の加害者を含むご家庭の人に、そういった情報をいわゆる同意を取って引き渡しますよということが可能だったのか。

そういう意味ではケース・バイ・ケースということにもなりますし、個人情報保護法の論点から言っても、目的外である場合の相当な理由というところを、もうちょっと議論として詰めておかなければならないのではないかと思います。

最後に一点。同意をいくら取ったとしても、時点が変わってくれば、当初は同意をしたんだけれども、やはり同意したくないとして不同意になるとか、そういった時間的な制約もあります。データの保護期間に関しても、プライバシーについてもそうだと思うんですね。色々な事情が変わってきます。例えば、学校などでの成績情報を、それぞれの自治体を含めてどこまで取っておくのかという場合に、学校で取った成績なわけですから学校が管理主体として管理するということに関して、当初は同意があったとしても、その後どこまでそのデータを保持するのか、その同意は継続的に取れていたものなのか、という論点もあると思っています。

なかなか結論が出しにくいのですが、そうした課題というのがいくつかあって、ケース・バイ・ケースで議論していくしかないというのがこれまでで、逆に言うと、世論の要請というのも非常に大きいので、皆さんのプライバシーに対する考え方も非常に重要だと思います。したがって、今日は皆さんからのどうあるべきなのかというご意見をいただきたいなと思っております。

コーディネーター 今いくつかご指摘がありましたが、まず、子どもの虐待が疑われるような場合にまで、すべて事前の同意を求めなければならないのかという点。それと、管理主体である自治体を越えたデータ提供についても全部同意を求めなければいけないのかという点。宮下先生、これらについて何かコメントをいただけるでしょうか。

宮下　重要な問題だと思っております。自己情報コントロール権を徹底しますと、同意がなければデータの共有ができないと勘違いされそうですが、我が国の個人情報保護法制の建付けはそうなってはおりません。

例えば、第三者提供が認められる個人情報保護法の第二七条では、法令に基づく場合がある。先ほど児童虐待の例がありましたが、児童虐待があった場合、医師などは捜査機関などに必ず報告しなければいけないと法令で義務づけられておりますので、本人の同意の有無にかかわらず、医療機関は必要な関係機関に情報、データ共有ができます。これが一点目。

もう一つは、災害時、台風が来たとき、あるいは地震が来たとき、救助を求めている人に、あなたの情報が必要です、同意してくださいと言っても、同意は取れない。ですので、二七条の一項二号は、人の生命、身体又は財産の保護に必要な場合であって、本人の同意を得ることが困難なとき、つまり人の生命、身体、財産、こういったものを保護するときについては、同意は必要ないということをしっかりと例外規定として設けております。

ただ、何度も問題になるのが、山田議員からご指摘のあった行政機関、あるいは自治体等における相当な理由があるとき。相当な理由があるときにデータが共有できるというのは、法律の建付けとして非常に曖昧であって、国会審議の中でも相当な理由があるときとは何なのか、恣意的に国民・市民のデータが行政機関内部で共有されないようにということは指摘されたところであります。こういった恣意的な運用を防ぐためには、やはり第三者機関である個人情報委員会の役割が重要になってくると思っております。

もう一点、同意について少しだけ付け足しますと、カーネギーメロン大学の調査研究の結果によりますと、一年間一般的なサービスを享受した場合、プライバシーポリシーを読むだけで——皆様、弁護士の先生なので読んでいらっしゃるかもしれませんが——平均的な読むスピードですと、年間二四四時間を費やさなければいけないそうです。

アメリカの最高裁長官であるジョン・ロバーツ長官も、自分はプライバシーポリシーを読まないと言っていますので、おそらくプライバシーポリシーをすべて読んでいる人というのはいらっしゃらないのだろうと思っております。そうしますと、プライバシーポリシーに書いてあるからそれで全部使える、これは自己情報コントロール権の体現であって、同意したからには自己情報コントロール権を行使したんだというのは、あまりに論理の飛躍があるというふうに考えております。

コーディネーター　情報収集における同意に関しまして、若江さんから何かご発言いただけますか。

若江　宮下先生がおっしゃったように、ものすごく長い規約とか、プライバシーポリシーや規約の同意スキームというのが、実質的には機能していないということが結構あるのではないかとは思うんですけれども、一方で、最近、それを理由にして、プライバシー権の本質について、本人の同意のあるなしはそれほど重要ではなく、適正な取り扱いを受ける権利こそが大事だ、というような主張が非常に力を持ち始めていることに注目しています。

例えば、経産省が今年まとめた「アジャイルガバナンスの概要と現状」という報告書がありました。これはアジャイルガバナンスについての報告書のバージョン3なんですけれども、それまでのバージョンには自己情報コントロール権を本質とするプライバシーの考え方が紹介されていたのに、それが3で消えてしまって、いわゆる適正な取り扱いを受ける権利といった考え方だけが記載されていたんですね。

その後のパブコメで批判されて、自己情報コントロール権的な記述は復活したんですけれども、客観的に適正な管理であれば同意によらず利用が可能という考え方が、かなり勢いを増しているんだなと感じました。これは本人からするとすごく不安なことで、利用の範囲を野放図に拡大するおそれもあるのではないか、と。何が適正かという具体的な内容は、必ずしも明確とは言えないので、その範囲が拡大すると、ものすごく無制約な、広範なパーソナルデータの利活用を認めることになる恐れがあると思っています。同意を取ったから何でもやってもいいというのはもちろんだめだと思うんですけれど、同意がなくてもやってもいいというのも、やはりだめなんじゃないかなと思います。

コーディネーター　続きまして、個人情報保護委員会の現状評価、あるいは課題等についてのご意見を伺いたいと思います。山田さんいかがでしょうか。

山田　これも先月まで、私自身が個人情報保護法担当の内閣の政務官をやっていたので答えにくいところもあるのですけれども、今は一議員になったということで、どうだったかということを述べたいと思っています。

個人情報保護委員会などを、かなり強い権限でもって独立して作ったということには一定の評価があると思うのですが、個人情報保護委員会や個人情報保護法以前の問題として、日本の情報法制、情報法をもう少し整備すべきではないか、と。

これはどういうことかというと、今日の最大の議論にもなっておりますけれども、自己情報コントロール権の問題や情報の所有権の問題で、例えばAIなどが出てきた場合に、それを作った者に著作権があるのかどうかだとか、そのAIが何かを発言した場合に侮辱していたらどうなっちゃうのかとか、これまでにない、デジタル特有な時代に入ってきた場合の情報のあり方、トータルなグランドデザインというのが、我が国は確立されていないと思うんです。その中で、いくら個人情報保護と言っても、個人情報保護委員会というのは個別の事案に関して判断をしていく姿勢になってしまっていますので、課題ありきで、ガイドラインを設定していくということにとどまります。

私が先ほど申し上げた子どもの問題も、デジタル庁や文科省、それからこの個人情報保護委員会の間でも膨大なやり取りがあったのですが、やはり大きなポリシーの部分を、委員会以前の問題として確立した上で、個人情報保護委員会というのは、そもそも何を保護していくのか、個人情報というのは本来日本では何なのかというコンセンサスに関する議論を、早急にするべきではないかと思っています。

コーディネーター　個人情報保護委員会の意義というお言葉が出ましたので、山本さん、ご意見いただけますでしょうか。

山本　時間がないので、手短に済ませたいと思いますが、個人情報保護法の目的が、やはりなおはっきりしない、ということですよね。そのことが個人情報保護委員会のアイデンティティに関連します。個人情報保護法の目的規定が個人情報保護委員会の任務規定にほぼそのままスライドしている。それにより、個人情報保護委員会が、データの利活用の有用性に配慮しつつ個人の権利利益を保護するという、ある種非常に引き裂かれた存在になってしまっています。そこに、難しさの一つがあるのではないか、と。そういう意味では、法律上の問題として、まず目的を明確にしていく。やはり権利保護ということに特化した法律であり、機関であるということを明確にすることが重要なのではないかと思います。

それから、運用上は、やはり組織上、出向された方とプロパーの方とのバランスがどうかという問題があるように思います。現状やはり出向者の方が多いということで、いわゆる独立行政委員会としての役割を適切に果たせるのかどうかという懸念があります。出向の方も、もちろん非常に重要な役割を果たしているので出向者がだめだということではまったくないわけですけれども。他にも色々課題はあると思いますが、差し当たりここでやめたいと思います。

コーディネーター　山田さんからは、個人情報保護委員会は個別の事案を検討していくところであるというご指摘がありましたが、これも一つの大きな特徴かと思います。

日弁連は、顔認証システムに対して、憲法一三条で保障されたプライバシー権等が侵害されて、民法で言えば不法行為が成立するという理由で、法律なく使用されることに反対する意見書を数度出しております。ただ近年、民法で不法行為が成立しますよという話をしても、個人情報保護法に適合しているから問題ないんじゃないですかという意見が返ってくることが多いです。これは弁護士でも同じ状況があります。

私たちは、民法のプライバシー侵害、これは『宴のあと』事件、あるいは京都府学連事件など、昭和の判例で確立した考え方が忘れられがちではないかということを懸念しているのですが、この顔認証のことにつきまして、若江さんの方から個人情報保護委員会がどういう関与をされたかということについて、ご紹介いただけますでしょうか。

若江　二〇二一年、JR東日本が、JRがらみで罪を犯した人で、刑期を終えて出所した人の顔だとか、あるいは挙動不審な人とか、指名手配をされている人などの顔のデータベースを、構内に設置した顔認識カメラでマッチングしていたということが報道されて批判されたのですけれども、このとき、実は個人情報保護委員会は事前に相談を受けていて、オーケーしていたということがありました。このとき応じたのは、いわゆる利活用班とされている部門の方々です。

個人情報保護法としての適法性という面では大丈夫だということで判断したんだとは思うんですけれども、やはりプライバシー侵害の疑いは大いにあるのではないかと。それでもオーケーしてしまうところに、課題というか、利用と保護のどちらに軸足を置くかという難しさを感じました。

コーディネーター　日弁連で一年かけて色々検討をした中で、やはり個人情報保護委員会は個人情報の利活用を図ることに重きを置いていないだろうかということを少し懸念しています。顔認証についても、お墨付きというか、そういう意見が出たことにも衝撃を受けました。

こういう第三者機関のあり方につきまして、宮下先生のほうから、例えばＥＵの状況なども含めて、少しコメントいただけますでしょうか。

宮下　山本先生がおっしゃった独立性と利益相反については繰り返しません。出向元が実地調査の対象となるわけなので、利益相反・独立性の問題は当然残っていると思いますが、それはさておき、今若江さんが紹介してくださった顔認証カメラのお話もそうですけれども、いかなるプロセスでＪＲに対してお墨付きを与えたのかということが、文書としてまったく出ていません。私としては、どういうプロセスがあって、なぜ、どういう理由づけで、個人情報保護法の何条の解釈でそういう結論になったのかというのが見えにくいなと思いました。

同じような事例として、破産者は破産法に基づき官報掲載されておりますけれども、この官報掲載されたデータをスクレイピングして、事業者がグーグルマップ上に位置づけた、破産者マップ事件がございました。これについて、個人情報保護委員会は勧告、そして歴史上初めて命令というのを発出しましたが、その命令発出の理由づけも、極めて不明確でした。一度目の理由づけは、オプトアウト手続を用いなかったので違法であるという理由づけ。ところが、今年に入ってからの理由づけは、人格権、財産権的な権利利益を侵害するおそれがあるので違法となったというものでした。実は、破産者の情報というのは、先生方ご存知のとおり、ＤＶＤにして金融機関や信用機関などに販売されているんです。個人情報保護委員会はこれが適法であるとして、国会答弁しています。すなわち、ＤＶＤに記録された破産者情報は適法であるけれども、グーグルマップ上に見られるような破産者の情報は違法であるというのが結論なんです。

ところが、個人情報保護委員会の命令の文書を見ますと、わずか二頁。なぜそのような結論に至ったのかということを、もう少し分かりやすく説明していただけると良いのではないか。この事件は現在、行政処分の取り消しを求めて裁判になっておりますので、裁判プロセスの中で、理由づけというのが明らかになってくると思っております。

（パネルディスカッション第一部終了）

第3章

政府が目指しているデジタル社会とは？

デジタルプラットフォーマーは、今や全世界の人々の個人データを収集し、AIを使ってそれらを分析しプロファイリングするとともに、消費行動や投票行動まで誘導し得る力を持つに至っている。

こうした現実に対し、EUではGDPR等により、個人データの保護を図りつつ、その利活用を図るという取り組みを行っており、他の地域でもその基準は大きな影響力を有するに至っている。また、スペイン・バルセロナやオランダ・アムステルダム、アジアにおいては台湾などで、個人のデータ主権を守りながら、市民参加型のデジタル社会を構築する取り組みが行われている。

そのような中、日本は、二〇二一年五月、いわゆる「デジタル改革関連法」（図1「デジタル改革関連法の全体像」参照）を成立させ、急速に、大幅な「デジタル社会化」を推し進めようとしている。その特徴は、内閣総理大臣をトップとする「デジタル庁」を新たに作り、同庁が強力な権限を持つ司令塔となって、個人番号（マイナンバー）制度を徹底活用することや、「行政自身が国全体の最大のプラットフォームとなる」ことによって個人データの利活用を推進することを目標としていることなどにある。以下、その内実と問題点について検討する。

第1節　日本の「デジタル改革」の歴史と現状

第1項　デジタル改革関連法の成立とその背景

デジタル改革というと、昨今開始されたばかりとの印象も受けるが、一九九四年から三〇年弱取り

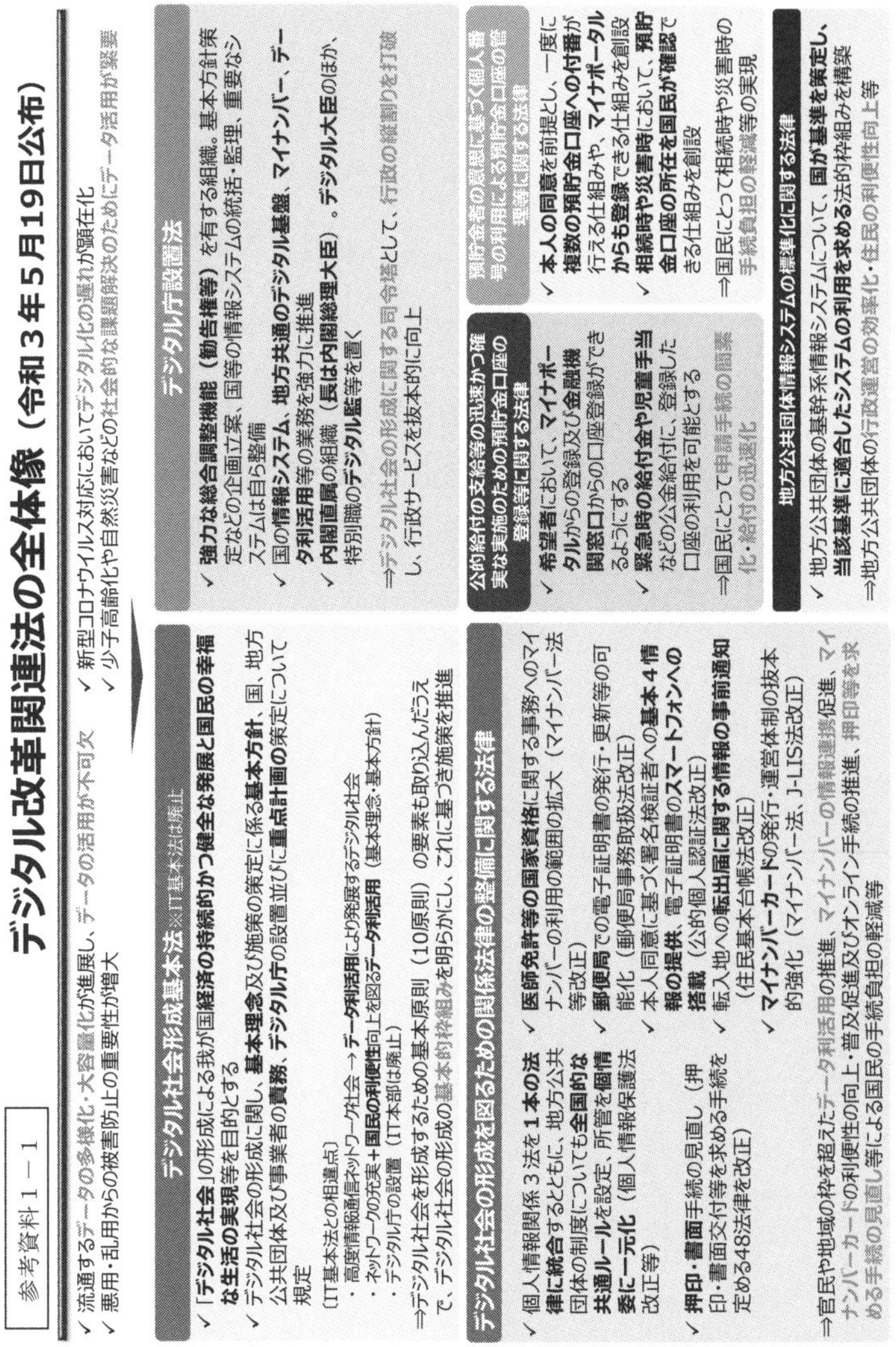
参考資料１－１
デジタル改革関連法の全体像（令和３年５月19日公布）
✓ 流通するデータの多様化・大容量化が進展し、データの活用が不可欠
✓ 悪用・乱用からの被害防止の重要性が増大
✓ 新型コロナウイルス対応においてデジタル化の遅れが顕在化
✓ 少子高齢化や自然災害などの社会的な課題解決のためにデータ活用が緊要
デジタル社会形成基本法※IT基本法は廃止
✓「デジタル社会」の形成による我が国経済の持続的かつ健全な発展と国民の幸福な生活の実現等を目的とする
✓ デジタル社会の形成に関し、基本理念及び施策の策定に係る基本方針、国、地方公共団体及び事業者の責務、デジタル庁の設置並びに重点計画の策定について規定
〔IT基本法との相違点〕
・高度情報通信ネットワーク社会 → データ利活用により発展するデジタル社会
・ネットワークの充実＋国民の利便性向上を図るデータ利活用（基本理念・基本方針）
・デジタル庁の設置（IT本部は廃止）
⇒デジタル社会を形成するための基本原則（10原則）の要素も取り込んだうえで、デジタル社会の形成の基本的枠組みを明らかにし、これに基づき施策を推進
デジタル庁設置法
✓ 強力な総合調整機能（勧告権等）を有する組織。基本方針策定などの企画立案、国等の情報システムの統括・監理、重要なシステムは自ら整備
✓ 国の情報システム、地方共通のデジタル基盤、マイナンバー、データ利活用等の業務を強力に推進
✓ 内閣直属の組織（長は内閣総理大臣）。デジタル大臣のほか、特別職のデジタル監等を置く
⇒デジタル社会の形成に関する司令塔として、行政の縦割りを打破し、行政サービスを抜本的に向上
デジタル社会の形成を図るための関係法律の整備に関する法律
✓ 個人情報関係３法を１本の法律に統合するとともに、地方公共団体の制度についても全国的な共通ルールを設定、所管を個情委に一元化（個人情報保護法改正等）
✓ 押印・書面手続の見直し（押印・書面交付等を求める手続を定める48法律を改正）
✓ 医師免許等の国家資格に関する事務へのマイナンバーの利用の範囲の拡大（マイナンバー法等改正）
✓ 郵便局での電子証明書の発行・更新等の可能化（郵便局事務取扱法改正）
✓ 本人同意に基づく署名検証者への基本４情報の提供、電子証明書のスマートフォンへの搭載（公的個人認証法改正）
✓ 転入地への転出届に関する情報の事前通知（住民基本台帳法改正）
✓ マイナンバーカードの発行・運営体制の抜本的強化（マイナンバー法、J-LIS法改正）
⇒官民や地域の枠を超えたデータ利活用の推進、マイナンバーの情報連携促進、マイナンバーカードの利便性の向上・普及促進及びオンライン手続の推進、押印等を求める手続の見直し等による国民の手続負担の軽減等
公的給付の支給等の迅速かつ確実な実施のための預貯金口座の登録等に関する法律
✓ 希望者において、マイナポータルからの登録及び金融機関窓口からの口座登録ができるようにする
✓ 緊急時の給付金や児童手当などの公金給付に、登録した口座の利用を可能とする
⇒国民にとって申請手続の簡素化・給付の迅速化
預貯金者の意思に基づく個人番号の利用による預貯金口座の管理等に関する法律
✓ 本人の同意を前提とし、一度に複数の預貯金口座への付番が行える仕組みや、マイナポータルからも登録できる仕組みを創設
✓ 相続時や災害時において、預貯金口座の所在を国民が確認できる仕組みを創設
⇒国民にとって相続時や災害時の手続負担の軽減等の実現
地方公共団体情報システムの標準化に関する法律
✓ 地方公共団体の基幹系情報システムについて、国が基準を策定し、当該基準に適合したシステムの利用を求める法的枠組みを構築
⇒地方公共団体の行政運営の効率化・住民の利便性向上等

図１
出典：厚労省社会保障審議会障害者部会（第 111 回）（2021 年 5 月 24 日）資料

組まれてきた課題である。政府が目指す今回のデジタル改革の目的・理念・具体的政策は、以下に述べるとおり、この三〇年弱に及ぶＩＴ戦略の焼き直しかつ非常に曖昧模糊としたものであるといわなければならない。また、様々な政府文書間で異なる理念や原則がいくつも記載されている等、混乱が見られ、全体として目指す方向や Evidence（科学的根拠）に基づく方針が一致・確立していない。デジタル庁を巡ってはガバナンス、政策実行等の様々な問題が報道されているが、これらの混乱の一因には、①デジタル改革によってどのような社会・将来を目指すのかという方向性・理念が、デジタル庁内でも政府内でも確立されていないこと、②様々な利害関係者の意見を聴くなどの民主的プロセスが不十分であること、③三〇年弱に及ぶＩＴ戦略をどう踏まえ、何をどう修正し改善していくのか、効果をどう検証していくのか等のＰＤＣＡサイクルが回っておらず、④その結果、成果や問題点に関する情報公開も不十分であることなどが挙げられる。

また、そもそもデジタル改革に際しては、デジタル化によって個人の人格権やプライバシー権に悪影響を及ぼすおそれがないかどうかを慎重に検討することが必要であるにもかかわらず、その点に関する慎重な議論が行われた様子・過程が見えない。検討に際して、民主的参加の手続や透明性確保も十分に手当てされていない。

以下、デジタル改革関連法がどのように成立し、デジタル改革の目指すところを政府資料がどのように述べているかを概観する。

①これまでのＩＴ戦略の問題点

日本のＩＴ戦略の歴史を振り返ると、一九九四年に内閣に高度情報通信社会推進本部が設置された後、二〇〇〇年にはＩＴ基本戦略が決定され、高度情報通信ネットワーク社会形成基本法（ＩＴ基本法）が成立した。二〇〇一年には e-Japan 戦略が決定され、二〇〇九年には i-Japan 戦略も発表された。

（１）ビジョン不在・焼き直しの政策

三〇年弱取り組まれてきた「デジタル改革」間で、何が達成できて何が達成できなかったのか、どう課題が変化してきているのか等の検討ができていない。

例えば、二〇二一年に成立したデジタル社会基本法が目指すべき社会として掲げる「デジタル社会」や内閣府等が掲げている「Society5.0」は、一九九五年に決定された「高度情報通信社会推進に向けた基本方針」における「高度情報通信社会」や二〇〇一年に成立した高度情報通信ネットワーク社会形成基本法（ＩＴ基本法）・e-Japan 戦略における「高度情報通信ネットワーク社会」、二〇〇九年頃からの i-Japan 戦略における「Digital Inclusion」「Digital Innovation」とほぼ同趣旨である。要するに、ＩＣＴやデジタルによって、これまでとは異なる革新的社会が実現できるということを言っているにすぎない。

また、国が狙っている効果、掲げている理念・原則等も類似している。

①二〇二一年からのデジタル改革では、「誰一人取り残さない、人に優しいデジタル化」をうたい、デジタル社会基本法三条では「全ての国民が情報通信技術の恵沢を享受できる社会の実現」を掲げる

表１　目指すべき社会

1994 年～ 高度情報 通信社会推進	高度情報通信社会とは、人間の知的生産活動の所産である情報・知識の自由な創造、流通、共有化を実現し、生活・文化,産業・経済、自然・環境を全体として調和し得る新たな社会経済システムである。
2000 年～ IT 基本法・ e-Japan 戦略	「高度情報通信ネットワーク社会」とは、インターネットその他の高度情報通信ネットワークを通じて自由かつ安全に多様な情報又は知識を世界的規模で入手し、共有し、又は発信することにより、あらゆる分野における創造的かつ活力ある発展が可能となる社会をいう。
2009 年～ i-Japan 戦略	デジタル技術が「空気」や「水」のように受け入れられ、経済社会全体を包摂し（Digital Inclusion)、暮らしの豊かさや、人と人とのつながりを実感できる社会。
2021 年～ デジタル改革	「デジタル社会」とは、インターネットその他の高度情報通信ネットワークを通じて自由かつ安全に多様な情報又は知識を世界的規模で入手し、共有し、又は発信するとともに、官民データ活用推進基本法第２条第２項に規定する人工知能関連技術、同条第３項に規定するインターネット・オブ・シングス活用関連技術、同条第４項に規定するクラウド・コンピューティング・サービス関連技術その他の従来の処理量に比して大量の情報の処理を可能とする先端的な技術をはじめとする情報通信技術……を用いて電磁的記録として記録された多様かつ大量の情報を適正かつ効果的に活用すること……により、あらゆる分野における創造的かつ活力ある発展が可能となる社会をいう。

が、一九九四年から既に同様のことが言われている。一九九五年の「高度情報通信社会推進に向けた基本方針」では、「誰もが情報通信の高度化の便益を安心して享受できる社会」「社会的弱者への配慮」が掲げられ、二〇〇〇年からのe-Japan 戦略でも「すべての国民がＩＴのメリットを享受できる社会」が掲げられていた。また、②二〇二一年からのデジタル改革では、デジタル社会基本法四条で「経済構造改革の推進及び産業国際競争力の強化」を掲げるが、これも二〇〇〇年からの e-Japan 戦略で、既に「経済構造の改革の推進と産業の国際競争力の強化が実現された社会」が掲げられていた。さらに、③二〇二一年からのデジタル改革では、デジタル社会基本法五、

六条で「ゆとりと豊かさを実感できる国民生活の実現」「個性豊かで活力に満ちた地域社会の実現」を掲げるが、これも二〇〇〇年からのe-Japan戦略で、既に「ゆとりと豊かさを実感できる国民生活と、個性豊かで活力に満ちた地域社会が実現された社会」が掲げられているほか、一九九五年の「高度情報通信社会推進に向けた基本方針」でも「活力ある地域社会の形成へ寄与」が掲げられている。

三〇年来同趣旨の目標・効果・理念・原則等を掲げること自体は不合理ではないが、各戦略間で少しずつ異なっており、目指すべき社会・目標・効果等が何を原因としてどう変わっているのかが不明である。また、ほぼ同趣旨であるにもかかわらず言い回しが異なっており、三〇年来変わらない目標に対して、ただ流行を追いかけたような表現ぶりに変更しているだけにも見えてしまいかねない。

結局、二〇二一年に成立したデジタル改革関連法を見ても、これまでのＩＴ戦略の焼き直しといった印象があり、どのような将来像を理想として取り組んでいるのか、何を重点的に解決したいのか、これまでのＩＴ戦略のどの部分を活かしてどの部分に新しく取り組むのか等が具体化されておらず、場当たり的・散発的な印象を受ける。

二〇二一年以降のデジタル改革における施策も大きく捉えれば、電子政府・電子自治体（行政の情報化）、医療・教育・防災の情報化であり、過去三〇年来の施策の結果を踏まえて、どう施策が変わってきたのかについて十分な説明がなされていない。本来であれば、この三〇年弱で達成できた目標、達成できなかった目標、技術の変化、社会の変化等々を振り返り、今の時代に解決すべき課題と将来に向けたビジョンを明確に打ち出した上で、個別具体的な政策を立案すべきと考えられるが、そのような取り組みがまったく見えない。

（2）手段の目的化

さらに言えば、デジタル化はあくまで手段にすぎない。デジタル化を手段としてどのような政策目標を実現するのかこそが重要である。政府は、デジタル化の目指すべきところは社会の発展や国民の幸福であると述べているが、そうであれば、そのために具体的にどの分野に注力し何を行っていくのか、細かく分析して検討することが必要不可欠である。それにもかかわらず、本来手段にすぎないデジタル化を徹底することだけが国の政策として述べられており、手段にすぎないものを自己目的化してしまっている。さらに言えば、手段にすぎないデジタル化の徹底すら三〇年来実行できてはいない。手段が目的化しているのは、番号制度やマイナンバーカードについても同様である。

番号制度を導入することが目的ではなく、番号制度を導入し行政効率化と国民利便性向上を図ることこそが目的である。にもかかわらず、国も地方公共団体も、番号制度をつつがなく事故を起こさないよう導入・稼働させていくことばかりに注力している。またマイナンバーカードを手段として社会の発展と国民利便性向上を図ることこそが目的であるにもかかわらず、マイナンバーカードの普及率向上を目的とした政策ばかりが実行されている。

これまでの三〇年来の失敗を繰り返さないためには、手段にすぎないデジタル化を自己目的化してきた歴史を、今こそ建設的に政策転換すべきである。デジタル化によって実現すべき理想の社会を具体的に描き出し、その理想を国民と共有した上で、優先して取り組むべき課題を明らかにして具体的施策に落とし込み、プライバシー権・人格権に配慮したデジタル社会を実現していくべきである。

※二〇二三年六月現在、マイナンバーと個人情報の紐づけの誤り等が相次いで明らかとなり、マイナポータルで閲覧できる二九項目の全データを総点検せざるを得ない事態に至っている。また、マイナ保険証への一本化についても大きな問題があることが広く周知された。これらもプライバシーに配慮せず、マイナンバー及びマイナンバーカードの普及を最優先したデジタル化政策の結果であるといわなければならない。

②「包括的データ戦略」とスーパーシティ・デジタル田園都市構想

今回のデジタル改革では「データの利活用」が目指されている。

(1)「包括的データ戦略」の策定目的とビジョン

二〇二一年六月一八日、政府は「包括的データ戦略」を閣議決定した。これは、デジタル社会に向けた日本の包括的なデータ戦略であり、デジタル改革関連法と軌を一にしている。

本戦略の策定目的については、左のように述べられている。

「我が国では、これまで……幾多の関連戦略の策定にもかかわらず、日本社会全体でのデータに係るリテラシーの低さ、プライバシーに関する強い懸念等から、データの整備、データの利活用環境の整備、実際のデータの利活用は十分に進んでこなかった。今般のコロナ禍においては、国・地方公共団体での情報共有が進まない、公開されるデータが使いづらく民間のサービス提供が困難、事業所などの基礎的データの整備が不十分で迅速な給付行政が困難など我が国のデジタル化への対応の遅れが露呈した。これらの事態の背景にあるのは、デジタル社会実現の中核となるデータについて焦点を当てた戦略の不在である。……本戦略は、抽出された課題に対する具体的対応とその実装に向けた方策を定めるものである」（「包括的データ戦略」五頁）

また、ビジョンについては、左のように述べている。

「上記理念を実現するためには、まずは、我が国が目指すべきデジタル社会の在り方を描く必要があるが、我が国には既にSociety5.0の実現という国家戦略が存在する（第5期科学技術基本計画）。そのため、本戦略のビジョンは、『フィジカル空間（現実空間）とサイバー空間（仮想空間）を高度に融合させたシステム（デジタルツイン）を前提とした、経済発展と社会的課題の解決を両立（新たな価値を創出）する人間中心の社会であり、豊かな人間社会を支えるものである。それはまさに日本政府が目指すSociety5.0のビジョンと合致する』としたところである（第一次とりまとめ）」（同六頁）

（2）政府が目指す「Society5.0」とは？

政府は、新技術や各種データ活用をまちづくりに取り入れたスマートシティの推進を、Society5.0、ひいてはＳＤＧｓの達成の切り札として強力に推進している。
この「Society5.0」について、内閣府のウェブサイトでは、左のように説明する。

「狩猟社会（Society1.0）、農耕社会（Society2.0）、工業社会（Society3.0）、情報社会（Society4.0）に続く、新たな社会を指すもので、第５期科学技術基本計画において我が国が目指すべき未来社会の姿として初めて提唱され」た、「サイバー空間（仮想空間）とフィジカル空間（現実空間）を高度に融合させたシステムにより、経済発展と社会的課題の解決を両立する、人間中心の社会（Society）」

そして、「Society5.0で実現する社会」について、左のように述べる。

「これまでの情報社会（Society4.0）では知識や情報が共有されず、分野横断的な連携が不十分であるという問題がありました。人が行う能力に限界があるため、あふれる情報から必要な情報を見つけて分析する作業が負担であったり、年齢や障害などによる労働や行動範囲に制約がありました。また、少子高齢化や地方の過疎化などの課題に対して様々な制約があり、十分に対応することが困難でした。……Society5.0で実現する社会は、ＩｏＴ（Internet of Things）で全ての人とモノがつながり、様々な知識や情報が共有され、今までにない新たな価値を生み出すことで、これらの課題や困難を克服します。また、人工知能（AI）により、必要な情報が必要な時に提供されるようになり、ロボットや自動走行車などの技術で、少子高齢化、地方の過疎化、貧富の格差などの課題が克服されます。社会の変革（イノベーション）を通じて、これまでの閉塞感を打破し、希望の持てる社会、世代を超えて互いに尊重し合あえる社会、一人一人が快適で活躍できる社会となります」

「Society5.0のしくみ」としては、左のように説明する。

「これまでの情報社会（Society4.0）では、人がサイバー空間に存在するクラウドサービス（データベース）にインターネットを経由してアクセスして、情報やデータを入手し、分析を行ってきました。Society5.0では、フィジカル空間のセンサーからの膨大な情報がサイバー空間に集積されます。サイバー空間では、このビッグデータを人工知能（AI）が解析し、その解析結果がフィジカル空間の人間に様々な形でフィードバックされます。今までの情報社会では、人間が情報を解析することで価値が生まれてきました。Society5.0では、膨大なビッグデータを人間の能力を超えたAIが解析し、その結果がロボットなどを通して人間にフィードバックされることで、これまでには出来なかった新たな価値が産業や社会にもたらされることになります」

そして、「以上に述べたようなSociety5.0の実現に向けて、政府では地域におけるICT等の新技術を活用したマネジメント（計画、整備、管理・運営等）の高度化により、都市や地域の抱える諸課題の解決を行い、また新たな価値を創出し続ける、持続可能な都市や地域、すなわち『スマートシティ』を推進しています」として、Society5.0の先行的な実現の場がスマートシティであるとする。

(3) スーパーシティ

二〇二〇年五月に「国家戦略特別区域法の一部を改正する法律」、いわゆるスーパーシティ法が成立した。スマートシティでは、地域が持つ個別の社会課題の解決が中心だったのに対し、スーパーシティでは、生活全般にまたがる複数分野の先端的なサービスの提供、複数分野間でのデータ連携が重視されるようである。スーパーシティ国家戦略特別区域を全国の自治体から公募し、キャッシュレス決済やクルマの自動運転、遠隔医療などの最先端技術を暮らしに実装することなどが検討されている。

(4) デジタル田園都市構想～地方からのデジタル実装

スマートシティから少し遅れて、「デジタル田園都市国家構想」も発表された。「デジタル田園都市国家構想実現会議」が二〇二一年開催され、地方からデジタルの実装を進め、新たな変革の波を起こし、地方と都市の差を縮めていくことで、世界とつながる「デジタル田園都市国家構想」の実現に向け構想の具体化を図るとともに、デジタル実装を通じた地方活性化を推進する旨が示されている。二〇二二年より、「デジタル田園都市国家構想推進交付金」の交付も始まっている。

③プラットフォームとしての行政――行政機関が最大のデータ保有者

包括的データ戦略は、データの利活用を目指して、「プラットフォームとしての行政」という項目も置き、左のように述べる。

「デジタル社会においては行政機関が最大のデータ保有者であり、行政自身が国全体の最大のプラットフォーム（Platform of Platforms / System of Systems）となり、それがガバメントクラウド上で提供されることを通じて広く国民や民間企業等から活用されることが産業競争力や社会全体の生産性向上に直結する。また、行政自身がＥＢＰＭを進める上でも、データの利活用の環境整備が重要である。このため、行政機関は……行政機関全体のアーキテクチャを策定、マイナンバー制度とリンクしたＩＤ体系の整備、ベース・レジストリをはじめとした基盤となるデータの整備、及びカタログの整備等を行うとともに、民間ともオープン化・標準化されたＡＰＩで連動できるオープンなシステムを構築していくこととする」（９頁）

※ＥＢＰＭ（Evidence Based Policy Making）。エビデンス（合理的根拠）に基づき、より実効性の高い政策を立案すること。

※ＡＰＩ（Application Programming Interface）。ソフトウェアやプログラム、Ｗｅｂサービスの間をつなぐインターフェースのこと。

④プライバシー権・人格権侵害の軽視

「包括的データ戦略」では、データの利活用により、いわばバラ色の社会が実現できるとし、そのための整備項目や目標などの記載に大半が割かれている。反面、個人データ保護、プライバシー権・人格権の保障原則に関する部分は極めて少ない。プライバシーへの言及は、プライバシーに関する強い懸念といった形のものでしかない。また本文中では、「パーソナルデータの取扱いに際して本人に明示する内容及び本人同意を取得する方法等を検討する必要がある」（二五頁）という記載も見られるが、プライバシー権・人格権保障を前提としたデータ戦略のためにどのような対策を講じるのかが不明瞭であり、そのための方策や問題点の検討は極めて不十分と言わざるを得ない。

第2項　マイナンバー制度に至る前史～住基ネット以降の「共通番号制」の問題点

今回のデジタル改革の中心にはマイナンバー制度が据えられている。マイナンバーカードは「デジタル社会のパスポート」と位置づけられてもいる（二〇二一年一二月六日の岸田首相所信表明演説）。そこで、マイナンバー制度創設に至る、住民基本台帳ネットワークシステム（住基ネット）成立以降、おおよそこの二〇年来の大きな流れと、そこにおいて問題とされた「共通番号制」の危険性等について補足する。

①住民基本台帳ネットワークシステム（住基ネット）の成立

一九九八年の住民基本台帳法改正により、住民基本台帳ネットワークシステム（住基ネット）が整備され、二〇〇二年八月、運用が開始された。

同制度によって、以下の諸点が大きく変更された。

（1）共通番号制度の創設

それまで、日本においては、世界的にも珍しい戸籍制度及び住民基本台帳制度が整備されて、本人確認のための台帳制度が整っていたことに加え、「国民総背番号制」に対する国民の忌避感が強かったこともあり、国家的な統一的番号制度（共通番号制度）は存しなかった。住基法改正により住基ネット制度が作られたことによって、初めて、国単位で、住民基本台帳に登録されている全住民に対して、漏れなく、重複しない、個人識別番号（一一桁の「住民票コード」と名づけられた背番号）が付されるようになった。外国人住民についても、二〇一三年七月から住基ネットの対象となり、住民票コードが付番されるようになった。

（2）本人確認情報の一元管理化

それまでは、各市区町村において分散管理されていた住民基本台帳情報のうち、本人確認情報（氏名、生年月日、住所、性別、及びそれら変更履歴）が、市区町村―都道府県―地方自治情報センター（全国センター）と、ピラミッド型のコンピュータ・ネットワークにより、一元管理されるようになった。なお、国による一元管理を避けるために、国ではなく、地方公共団体によって設立された財団法人である地方自治情報センターによる管理とされた（マイナンバー制度の創設とともに、地方自治情報センターは、地方公共団体情報システム機構（J-LIS）に改組され、権限も拡大した）。

（3）住基カードの創設

住民基本台帳カード（略称「住基カード」）というICカードが作られるようになった。

同カードは、券面に氏名のみが記載されたAバージョンと、顔写真と氏名・生年月日・性別・住所が記載されたBバージョンが存した。顔写真付きのBバージョンは、市町村長が交付する公的な身分証明書として使え、運転免許証や健康保険証などがなくても本人確認が行えた。このことから、運転免許証を保有しない高齢者などが身分証明書として利用するために取得する例が多かった。同カードに内蔵されたICチップには、④で述べる公的個人認証サービスの電子証明書等が搭載されていたが、その余裕部分に、印鑑証明書、図書カード等、各種サービスのためのソフトを入れることが可能で、多目的利用が図られた。コンビニエンスストアのコピー機で住民票等が取得できるサービスなども開始された。

しかし、政府のPRにもかかわらず、住基カードの発行枚数は伸びず、二〇〇三年八月から二〇一五年一二月三一日までの累計交付枚数は、約九六〇万枚（有効交付枚数約七一七万枚・人口比五・六%）にすぎなかった（この少なさが、現在のマイナンバーカード普及の自己目的化とも言える施策の背景にある）。

後にマイナンバー制度の創設により、住基カードはマイナンバーカードに取って代わられた。住基カードはA、Bの二種類のバージョンがあり、どちらも選択できたが、マイナンバーカードでは顔写真付きのBバージョン仕様しか選択できないこととなった。また、住基カードの券面には住民票コードは記載されなかったが、マイナンバーカードの券面にはマイナンバーが記載されている。

（4）公的個人認証サービスの開始

住基カードを利用した、公的個人認証サービスが開始された。同カードに内蔵されたＩＣチップに、公的個人認証サービスの電子証明書・秘密鍵が保存された。

②住基ネットの問題点〜「共通番号制」の危険性

住基ネット制度の創設に関して最も問題とされたのは、全国民に、漏れなく・重複しない個人識別番号（住民票コード）を割り振った点であった。これにより、様々な行政分野に散在する個人情報が、漏れなく・確実に名寄せ・突合（データマッチング）できるようになったからである。これは、一面で行政事務の効率を良くするものであったが、反面で確実で効率的な個人情報の突合により、プライバシーが丸裸状態にされてしまう危険性が発生した。

すなわち、通常、個人情報の名寄せ・突合は、氏名・住所・性別・生年月日の四情報の一致を基になされる。しかし、氏名は、婚姻等を契機に変更される場合があるし、例えば、「斉藤」「斎藤」「齋藤」などと漢字表記が統一されていない場合もある。同姓同名の他人も存在する。住所も、引越のたびに変更される。このような事情により、４情報によって、個人情報を、漏れなく、かつ、他人と間違うことなく、正確に名寄せ・突合することは事実上不可能であった。

しかし、個人情報が、住民票コードと紐づけられた場合、この住民票コードを「検索キー」とすれば、あらゆる個人情報を、芋づる式に、漏れなく・他人と間違うことなく・正確に、名寄せ・突合

（データマッチング）すること（その上でプロファイリングすること）が可能となるのである。

③住基ネットへの不参加自治体と違憲訴訟

（1）自治体の不参加理由

住基ネットの運用開始に当たり、神奈川県の横浜市、東京都の杉並区、国立市、福島県矢祭町等の自治体は、ネットワークへの参加を住民の選択制にしたり、自治体として参加を見合わせたり、開始直後に切断を行ったりした。

その理由は、①これまで自らの責任で管理していた全住民の情報（本人確認情報やそれらの異動情報）が、自治体外に提供・保存されることになることから、住民情報の安全性に対する自治体の責任が全うできない、②自らの自治体で行っているDV被害者保護の対策が、ネットワークに参加することにより、他の自治体から住所を知られてしまうなど、全うできなくなる、③住民情報を保存したサーバーがネットワーク化されることにより、不正侵入による情報漏えいの危険性が高くなる、などといったものであった。

前記の各自治体は、さまざまな理由は存するが、その後接続を行い、二〇一五年三月三〇日の矢祭町の接続によって、すべての自治体が住基ネットに接続する状態となった。

（2）住基ネット違憲訴訟～金沢地裁違憲判決と最高裁合憲判決

住民個人からも、全国の裁判所に対して、住民票コードの付番によるデータマッチングの危険性や、憲法一三条で保障されたプライバシー権（自己情報コントロール権）侵害・人格権侵害、個人情報の漏えいの危険性などを理由とする違憲訴訟が提起された。
これらの訴訟においては、二〇〇五年五月三〇日の金沢地裁判決、二〇〇六年一一月三〇日の大阪高裁判決において、データマッチングの危険性を指摘する違憲判決が出された。

〈金沢地裁判決のポイント〉

行政機関は、住民個々人について膨大な情報を持っているところ、これらは、住民個々人が、行政機関に届出、申請等をするに当たって、自ら開示した情報である。住民個々人は、その手続に必要な限度で使用されるとの認識のもとにこれらの情報を開示したのである。ところが、これらの情報に住民票コードが付され、データマッチングがなされ、住民票コードをマスターキーとして名寄せがなされると、住民個々人の多面的な情報が瞬時に集められ、比喩的に言えば、住民個々人が行政機関の前で丸裸にされるが如き状態になる。これを国民総背番号制と呼ぶかどうかはともかくとして、そのような事態が生ずれば、あるいは、生じなくとも、住民においてそのような事態が生ずる具体的危険があると認識すれば、住民一人一人に萎縮効果が働き、個人の人格的自律が脅かされる結果となることは容易に推測できる。そして、原告らが上記事態が生ずると具体的危険があると認識していることについては相当の根拠があるというべきである。

右の大阪高裁判決及び金沢地裁判決に対し、二〇〇八年三月六日の最高裁第一小法廷判決は、「憲法一三条は、国民の私生活上の自由が公権力の行使に対しても保護されるべきことを規定しているものであり、個人の私生活上の自由の一つとして、何人も、個人に関する情報をみだりに第三者に開示又は公表されない自由を有するものと解される」としたうえで、住基ネットは憲法一三条に違反しないと判断した。

〈最高裁判決のあげたポイント〉

①「住基ネットによって管理、利用等される本人確認情報は……いずれも、個人の内面に関わるような秘匿性の高い情報とはいえない」、「住民票コードは、住基ネットによる本人確認情報の管理、利用等を目的として、都道府県知事が無作為に指定した数列の中から市町村長が一を選んで各人に割り当てたものであるから、上記目的に利用される限りにおいては、その秘匿性の程度は本人確認情報と異なるものではない」

②
a　本人確認情報の管理、利用等は、法令の根拠に基づく
b　住民サービスの向上及び行政事務の効率化という正当な行政目的の範囲内で行われている
c　外部から不当にアクセスされるなどして本人確認情報が容易に漏えいする具体的危険性がない
d　懲戒処分又は刑罰をもって目的外利用や秘密の漏えい等が禁止されている、都道府県に本

人確認情報の保護に関する審議会、指定情報処理機関に本人確認情報保護委員会を設置して、本人確認情報の適切な取扱いを担保するための制度的措置を講じていることなどから、住基ネットにシステム技術上又は法制度上の不備があり、そのために本人確認情報が法令等の根拠に基づかずに又は正当な行政目的の範囲を逸脱して第三者に開示や公表される具体的危険は生じているということもできない

e　個人情報を一元的に管理することができる機関又は主体は存しない

③「行政機関が住基ネットにより住民である被上告人らの本人確認情報を管理、利用等する行為は、個人に関する情報をみだりに第三者に開示又は公表するものということはできず、当該個人がこれに同意していないとしても、憲法一三条により保障された上記の自由を侵害するものではないと解するのが相当である」

④個人番号（マイナンバー）制度の創設

前記最高裁判決の後、民主党政権の下で、「税と社会保障の一体改革」の掛け声の下に制度設計されたのが「マイナンバー制度」であり、その後政権交代を経て、自公政権の下で、二〇一三年五月二四日に、「行政手続における特定の個人を識別するための番号の利用等に関する法律」（以下「マイナンバー法」という）が成立し、制度が創設された。

国民と外国人住民全員に、漏れなく・重複しない・原則生涯不変の「マイナンバー」（住民票コー

ドを暗号変換して作成される12桁の番号）を付番し、社会保障、税、防災分野に関する情報を効率的に情報連携するための「共通番号」制度と、情報提供ネットワークシステムというコンピュータ・ネットワークシステムを導入するための法律であり、二〇一六年一月から番号の利用がスタートした。

マイナンバーは、①行政内部での利用が想定された住民票コードと異なり、納税者番号として、まず従業員—雇用主などの民間で用いられ、その情報が納税情報として税務署等の行政に提供されるという、民—民—官で用いられる、見える番号（見せる番号）として創設されたものである。また、②情報提供ネットワークシステムにより、マイナンバーを付された個人情報の情報連携が、自動的に、迅速・確実に行われるようになった（ただし、同ネットワークにおける情報連携の際には、マイナンバーではなく、それを暗号変換した「機関別符号」でやり取りがなされる。）。さらに、③住基カードはマイナンバーカードに取って代わられ、地方自治情報センターも地方公共団体情報システム機構（J-LIS）へと改組され、その取扱業務も公的個人認証業務も取り扱うようになるなど拡大された。

なお、国は、マイナンバー制度について、二〇〇八年最高裁判決を踏まえて制度設計したと主張しているが、上述したように、民間で見せる番号となったこと、情報提供ネットワークシステムという情報連携（データマッチング）のシステムが整備されたこと、利用分野が非常に広範で、機微な情報と結び付けられるようになったことなどから、「共通番号制度」としての危険性は、格段に高くなっていると言わざるを得ない。

また、そもそも元々の目的である「税と社会保障の一体改革」という立法目的との関係においても、番号制度は一つの手段でしかなく、それだけでは効果を発揮しない（日弁連の、二〇一〇年八月一九日付「『税と社会保障制度共通の番号』制度創設に関する意見書」、二〇一一年七月二九日付「『社会保障・税番号大綱』に関する意見書」等参照）。

二〇一五年一二月以降、マイナンバー制度についても憲法一三条で保障されたプライバシー権を侵害することなどを理由として、全国八地裁で違憲訴訟が提起されたが、二〇二三年三月九日、最高裁第一小法廷は、その内の三訴訟について、制度は合憲と判断した。

⑤オーストリアの「分野別番号」制度と似て非なるマイナンバー制度

国は、マイナンバー制度を制度設計するに当たり、オーストリアの番号制度も調査・検討しているが、同国のプライバシー保障に優れた仕組みは採用していない。

すなわち、オーストリアの番号制度と情報連携の仕組みの特徴は、ごく簡単に説明するならば、①税務、社会保障、教育、統計といった分野ごとに異なる個人識別番号を付番するという「分野別（Sectoral）モデル」を用いた上で、②行政機関Aから行政機関Bに対してXという人物の個人情報の提供を求める場合には、まずデータ保護委員会（DSK・日本の個人情報保護委員会に相当）に対し、行政機関BにおけるXの分野別個人識別番号を照会しなければならず、DSKからの回答を得て初めて、行政機関Bに対してXの個人情報を求めることができるというところにある（ただし、これらは実際にはボタン一つで自動的に行われている）。

これに対し、日本の制度では、①各行政機関における個人情報は、分野別番号ではなく共通番号であるマイナンバーと紐づけて管理されている。したがって、行政機関同士で特定個人の情報を、マイナンバーを用いて一意に特定して照会することができてしまう。また、②一つの行政機関で情報漏えいが発生すれば、他の行政機関でも共通で用いられる個人識別番号が判明してしまう。さらに、③情報連携（情報照会・回答）に個人情報保護委員会を介在させていない。情報提供ネットワークシステムにおける情報連携に「機関別符号」を用いるようにしたのであるから、各行政機関でマイナンバーと紐づけて個人情報を保管する必要はなかったにもかかわらず、このようなシステムを採用した点で、プライバシー保障の程度は大きく低下したと言わざるを得ない。

⑥マイナンバーカードの問題点

（1）本人確認情報・顔写真・マイナンバーがすべて券面に記載されている

マイナンバーカードは、本人確認とマイナンバー確認を一枚のカードでできるようにするという「利便性」を優先したために、氏名・住所・生年月日・性別の本人確認四情報と顔写真、そしてマイナンバーが券面に表示されるタイプしか存在していない。

しかし、そのために、マイナンバーカードを提示する際や紛失拾得等の際に、これらの情報が一括して漏えいし、さらにはそれが不正利用されたりする危険性が大きい。特に、マイナンバーは、重複しない、原則生涯不変の個人識別番号であるから、秘密情報として秘匿しなければならない情報である。日弁連は、二〇一三年五月二四日付「『共通番号』法案成立に対する会長声明」等により、マイナンバーの持つ危険性・問題点について、繰り返し指摘してきた。マイナンバー法も、このような危険性への警戒もあって、マイナンバーカードの取得について、本人の申請による任意取得の原則を定めた（一七条一項）。また、マイナンバーの秘匿性を強く求め（一二条、二〇条）、不正取得等に重い罰則を課し（四八条以下）、利用できる場合を厳しく限定している（九条）。また、マイナンバーカードで本人確認を行う場合に、相手方に性別を知られることは、戸籍上の性と実際の性自認とが異なる人にとって、深刻な精神的苦痛を与える重大な人格権侵害となる。

(2) 多目的利用推進による情報の「一元管理」化

政府は、マイナンバーカードの「利便性を高める」として、健康保険証や免許証との一体化や、カードに搭載された公的個人認証（電子証明書）機能の多目的利用を推進している。しかし、この多目的利用により、電子証明書の発行番号やマイキーID等の各種IDと、様々な個人情報とが紐づけられることになる（第6節参照）。発行番号や各種IDはマイナンバーと同様に個人を確実に識別する機能を有するから、マイナンバーと同様の「共通番号制」の危険性を有することになる。しかも、これらの発行番号やIDには、マイナンバー法によるマイナンバーの利用制限のような厳格な法的規制は存しないから、その危険性はさらに高い。

(3) 顔認証システムとの連携

マイナンバーカードは、顔写真が表面に表示され、その顔画像データがICチップに登載される。この顔写真は、自治体がカードを交付する際に、顔認証システムにより本人確認ができる精度のものであることを確認することになっている。そして、既に二〇二一年から、医療機関の窓口において、マイナ保険証用のカードリーダーが設置され、顔認証システムによる本人確認が開始されている。

しかしながら、中国の現状に見られるように、行政機関が市民の顔画像データを網羅的に把握することは、指紋の一〇〇〇倍ともいわれる本人識別機能からして、これまでまったく想定もされなかったようなプライバシー侵害の危険性をもたらす。

（4）マイナンバーカード取得の事実上の強制

政府は、二〇二四年秋に、紙製の健康保険証は廃止して、マイナ保険証に一本化することを法律で定めた。「皆保険制度」の下、国民はマイナンバーカードを取得せざるを得なくなる。カード取得の事実上の強制は、すべての市民の顔情報の強制取得、さらには顔認証システムによる監視可能な対象としてのデータベースが作成されることにつながっていく。

日弁連は、このような乱暴なマイナンバーカード取得の事実上の強制に強く反対している。[1]

（5）プライバシー保護の後退したマイナンバーカード普及策の本末転倒

マイナンバーカードは、住基カードに比べて、プライバシー保護の観点が著しく後退している。後述する「プライバシー・バイ・デザイン」にも反する。それゆえ、日弁連では、二〇二一年五月七日付「個人番号カード（マイナンバーカード）普及策の抜本的な見直しを求める意見書」において、マイナンバーカード取得の事実上の強制につながる施策に対して見直しを求めている。

⑦マイナンバー制度普及のロードマップ

政府は、日本のデジタル化のインフラ・「デジタル社会のパスポート」として、マイナンバーとマイナンバーカードを中心としたマイナンバー制度を位置づけ、その利活用の拡大と普及に極めて大きな力を注いでいる。そのための「マイナンバーの利活用拡大に向けたロードマップ」も何度も改訂しながら公表している。その中では、「きめ細かな社会保障等の基盤整備」、「行政事務の効率化」、「所得情報等の活用・情報連携」のために急速かつ広範囲の利用拡大が目指されており、マイナンバー制度という手段の普及が自己目的化していると言わざるを得ない。

第2節　政府の挙げている立法事実とその合理性について

第1項　政府の挙げている「デジタル改革」の立法事実とそれらの検討視点

政府は「デジタル社会の実現に向けた重点計画」（二〇二一年一二月二四日閣議決定）において、重要性・多様性・容量が爆発的に増大した「データ」について、生成・流通・活用などすべての側面において環境整備が十分ではなかった状況の中で、新型コロナウイルス感染症への対応においてデジタル化をめぐる様々な課題が明らかになったと指摘している。これら諸課題に対処しようとするのがデジタル改革関連法であるから、政府が挙げている立法事実は、直接的には新型コロナウイルス感染症対応、間接的にはデータ利活用の推進と整理し得る。

しかし、①政府は、新型コロナウイルス感染症対応策として当然デジタル化により対処すべきと考えられるところを含めて放置し、後回しにしたと言わざるを得ない。また、②政府は、感染症対策として、厚労省のＨＥＲ－ＳＹＳをはじめ数多くのデジタルシステムを矢継ぎ早に作ったが、それらはいずれも順調に機能しなかった。さらに、対応策として、感染症対策よりもマイナンバーカードの普及を優先したとしか思えない施策を推進したことにより、かえって現場に大混乱をもたらした。

③「データは二一世紀の石油」とも言われている世界的な情勢にあることから、データ利活用の推進に関しては「立法事実」がないとは言えない。しかし、そこにおける施策の進め方等には、プライバシー権や人格権の保障の点において合理性に大きな問題がある。

第２項　政府の挙げている立法事実と対応施策の合理性１～感染症対策

①後回しにされた喫緊の感染症対策

（１）新型コロナウイルス感染症の流行により、日本は、外出やイベントの開催自粛、市販マスクの品薄、学校の休校、検査体制の不足、保健所や医療機関の業務ひっ迫、医療用物資の不足、経済活動の停滞に伴う困窮者の増大、入国者への水際対策等々、多岐にわたる課題に直面した。政府がこれらの課題の問題点をどのように分析したか、対策の中でデジタル技術をどのように用いたか、人権をどの程度制約する可能性があるかなどについて、説明を尽くしてきたとは言い難い。

その結果、不明瞭な点が余りにも多く、各施策に対する信頼が醸成されなかった。政府の説明が不十分だった点は、例えば、台湾政府が「毎日、午後二時に中央感染症指揮センター（ＣＥＣＣ）によって開かれる記者会見で、記者たちが納得するまで質問している様子を、市民は目の当たりにすることができます。報道陣からの質問が終わるまで記者会見は終わりません」と紹介されていることと比較すれば、その差は歴然としている。[2]

（2）政府は、デジタル改革関連法の制定を推し進める一方で、新型コロナウイルス対策として喫緊に必要な施策を後回しにしてきたと言わざるを得ない。

〈1〉新型コロナウイルス感染症の流行動向を知るための基本中の基本とも言える都道府県別の流行曲線（発症日別）の基となるデータは、自動的に集計するシステムが構築されないまま、専門家が、各自治体の公表する情報をネット上から拾い集めて集計した上で、厚生労働省の専門家会合に提出する状態が、流行開始から二年以上も続いていた（二〇二二年四月二日付『毎日新聞』朝刊「土記　共有されないデータ」）。同記事は、「まるでジョークのような話」であると評している）。

〈2〉新型コロナウイルス感染症の毒性について、第一波においては、重症化率（重症・死亡に至る率）が通常のインフルエンザの約四倍とされていたが、オミクロン株においては、第六波の当初時点において一・四倍にまで下がった。そのため、第一波よりも新規感染者数は多いにもかかわらず、第六波においては、緊急事態宣言が出されないまま、まん延等防止措置も終了した。しかし、毒性が減弱したことや、従前ほどの強い行動制限が不要になったことの科学的根拠が市民に情報公開されないため、野外でのマスク使用の中止がなかなか広がらない現状であった（二〇二二年六月末時点）。

〈3〉台湾では、マスクの在庫状況ですら、いち早くインターネット上で一元的に集約され、公開されるシステムが作られたことと比べて、日本においては、新型コロナウイルス感染症患者の搬送先施設ですら、未だに救急隊員などが、電話等でアナログ的に探している状態のままである。

〈千葉市消防局の「スマート一一9」〉

二〇二〇年七月から、「スマート一一9」というICT（情報通信技術）を活用した新たな救急医療支援システムの本格運用を開始した。一一九番通報による救急車の要請や指令の内容、患者の心肺情報、救急病院の受入れ体制を、救急隊と医療機関、消防指令センターが端末を通じて共有しているため、救急隊は患者の受入れを各病院に一括要請することができる。これにより、従来の指令センターを通じた出動要請や、救急隊から各病院への受入れ要請を、電話や無線を使った「アナログ・リレー方式」で行っていた場合と比べて、シミュレーション上、搬送先が決まるまでにかかる時間が四分七秒短縮できた。（二〇二二年六月一五日付『朝日新聞』「救急の時短・効率化ICTでめざす」）

②乱立するITシステムと効率化しない業務

政府は、新型コロナウイルス感染症対応として、矢継ぎ早に様々なITシステムを構築したが、その範囲が部分的であったため、多数のITシステムが乱立することとなった。また、未だに手作業処理部分が残っており、業務の効率化のための「デジタル化」とはほど遠い状況である。

新型コロナウイルス感染症の拡大を受け、①厚生労働省はHER-SYS（関係者間の情報共有を図るための新型コロナウイルス感染者等情報把握・管理支援システム）、G-MIS（病院の稼働状況等を一元的に把握する医療機関等情報支援システム）、帰国者フォローアップシステムを、②内閣官房はVRS（ワクチンの接種状況を記録するワクチン接種記録システム）などを、それぞれ構築した。

しかし、これらによってデジタル化による保健所業務の効率化はさほど進まず、地域住民の健康の保持増進に関する業務を担う保健所に、甚大な業務ひっ迫が生じた。例えば、HER-SYSについては、保健所は、ファックスで発生届を送信する医療機関に代わって発生届情報をHER-SYSに入力し、他の組織が構築したITシステムへの入力・参照等の対応を行い、保健所固有の情報については紙又はExcel（エクセル）等で管理していた。政府が行った複数のITシステムの構築は小手先の対応だったとしか見えない。

新型コロナウイルスへの対策は、厚生労働省、都道府県、市町村、保健所、医療機関、患者など様々な立場が関与することを念頭に、これらの関与者がそれぞれ行うべきこと、関与者相互の連携等を踏まえて、対応に必要な業務全体を俯瞰した上で施策を決定することが第一である。その上で、施策遂行に当たってどの範囲をデジタル化するべきか、関与者間でどのようなデジタル技術による連携が可能かなど、費用対効果も踏まえ検討する必要があるが、政府がこれらを怠ったために、現場に紙とデジタル対応の二重負担を強いてきた（デジタル化したものの中には、その入力項目の多さなどのため、かえって負担が大きくなったものもあった）。

③マイナンバーカード普及を優先したデジタル化対策

特別定額給付金対応の場面では、政府がデジタル化の柱と位置づける「マイナンバー制度を前提としたデジタル化対応施策」に固執したために、かえって地方自治体の負担が過重となり、給付金支給が遅れる、自治体の窓口に「三密」状態をもたらすといった混乱を招いた。かつ、政府が構築したのはあくまで申請を受け付ける仕組みだけで、申請を処理する地方自治体側から検討する仕組みを準備していなかった。そのため、地方自治体によっては、電子データよりも紙で特別定額給付金の申請を受けた方がかえって申請処理が早いという事態すら生じることとなった。

第3項　政府の挙げている立法事実と対応施策の合理性2～データ利活用推進

①デジタル技術活用におけるプライバシー配慮の必要性

現代社会においては、デジタル化によるデータの利活用はある意味必然であり、データを適切に利活用することにより社会の進歩に役立てることが必要である。新型コロナウイルスという未知のウイルス感染症の流行に直面し、デジタル技術の利活用が不可欠であることも再認識された。

一方で、デジタル技術を用いて取得収集される情報には、氏名等の本人確認情報の他に、既往歴、行動履歴などが含まれる。紙媒体などに記載された個人情報と異なり、デジタル化された情報は直接確認することができないうえ、自分の情報をコントロールすることが極めて困難となり、プライバシーや人格権が侵害されるおそれが飛躍的に高まる。したがって、デジタル技術の利活用を拡大しようとする場合には、プライバシー権などの人権に配慮することが必須である。

②政府の新型コロナウイルス対応施策におけるプライバシー・個人情報保護軽視

政府は、個人情報保護・プライバシー保護を図りながら新型コロナウイルス対策を行うことが可能であったにもかかわらず、それらの検討を後回しにした。そして、個別立法ではなく、包括的かつ立法事実との合理的関連性が不明確なデジタル改革関連法案を作成したが、それらの法案には、「プライバシー・バイ・デザイン」の原則を明示しなかった。政府は、新型コロナウイルス感染症の混乱を奇貨として、プライバシー保護より、重要性・多様性・容量が爆発的に増大した「データ」について、生成・流通・活用などすべての側面において環境整備が十分ではなかった現状を打破するという、政府にとって必要な政策の方を最優先に推し進めることに主眼があったと考えざるを得ない。

③政府の「包括的データ戦略」と立法事実の合理性

前述したように、政府は、「包括的データ戦略」において、行政機関が最大のデータ保有者であり、行政自身が国全体の最大のプラットフォーム（Platform of Platforms / System of Systems）となり、それがガバメントクラウド上で提供されることなどを目指している。そして政府は、これをデジタル改革関連法により実現しようとしている。

しかし、第一に、新型コロナウイルス感染症対策は、このようなプラットフォームを作らなくても行えるものである。また、そのようなプラットフォームを作るまで待ってはいられない。

第二に、行政自身が最大のプラットフォームとなることには問題がある。データの利活用推進が世界的潮流であることは事実である。しかし、行政機関の中でも生の個人データを最も保有している地方自治体側からはそのような要請は出てきていない。そのような中で、自治体が、その行政事務目的のために住民から預かっている住民情報を、行政がプラットフォームとして、（統計情報としてではなく）産業活性化のために活用することが果たして許されるのかという点をまず考える必要がある。そして、仮に一定限度で利活用することが許されるとしても、自治体がそれを適正かつ安全に管理するのかも検討されなければならない。デジタル改革関連法や個人情報保護法等において、ＥＵにおけるＧＤＰＲ並みのプライバシー権や個人データの保護がなされていない中で、最大のプラットフォームになろうとする行政機関に対し、市民の側は、データの生成・流通・活用などすべての側面において、自身の個人情報をコントロールする法的権利・手段をほとんど持ち合わせていないと言わなければならない。

第三に、行政と民間の情報連携推進にはリスクが存する。「デジタル化」とデータ利活用が促進される中で、行政と民間の情報連携も目指されているが、そのためにオープンシステム（公開されている仕様に準拠したソフトウェアやハードウェアを利用するシステム）を利用した場合には、当然、サイバー攻撃にさらされやすくなる。

第四に、最も大きいのが、行政機関によるデータ利活用のリスクである。データ利活用においては、様々な個人情報が収集され結合されることにより、その情報の価値は飛躍的に高まり、政治的・社会的・経済的に極めて高い有用性を発揮する。他方、個人のあらゆる情報が結合されていると想像しただけで、誰もが不安を抱く。情報の結合は、通常、本人の知らないところで行われるため、特にその不安は大きくなる。その結果、情報が収集、利用されるリスクが心理的抵抗となり、有益な場面であったとしても自身の情報を提供することを躊躇しかねないという弊害も生じる。

したがって、①行政機関によって収集された個人情報を利活用するに当たっては、プライバシー権等が不当に侵害されることを防止するため、情報の結合（データマッチング）について、必要不可欠なやむにやまれぬ目的があり、この目的を達成するために必要最小限度の場合に限ることを法律に規定しなければならない。②さらに、結合された個人情報は、分析することで劇的に有用性を向上させる。既に膨大なデータを収集・集積するＧＡＦＡなどのデジタルプラットフォーマーが、ＡＩ解析によって個人の趣味嗜好、健康状態、心理状態、性格、行動、能力、信用力などについて精度の高い予測をすることに成功しているが、同時に様々な問題や弊害をもたらしている。日本において、最大のデータ保有者である行政機関が最大のプラットフォームになれば、民間をはるかに上回る精度で個人のプロファイリングをすることが技術的には可能となる。行政機関によるプロファイリングが禁止されないと、プライバシー権や人格権に対する侵害は、単なる情報結合を超えた重大なものとなる。

第3節　デジタル改革の理念・原則について

デジタル改革関連法は、様々な理念や原則を掲げている。しかし、デジタル社会において大原則であるべき、個人データの保護やプライバシー保障が原則として掲げられていない。

以下、有力な「事実上の世界標準」となっているEUの諸原則や「プライバシー・バイ・デザイン」と比較しつつ、デジタル改革関連法の一つであり、日本のデジタル社会形成の基本法として成立したデジタル社会形成基本法及び「デジタル社会の実現に向けた重点計画」（二〇二二年六月七日閣議決定）を中心に、問題点を検討する。

第1項　EU基本権憲章とEU一般データ保護規則（GDPR）の原則

①EU基本権憲章とGDPR

EU基本権憲章八条では、個人のデータ保護が規定されている。GDPRはこれを受けて制定されたものであり、一条二項において、本規則は、自然人の基本的な権利及び自由、並びに、特に、自然人の個人データの保護の権利を保護すると明確に規定されている。

また、EU基本権憲章七条においては、「私生活尊重の権利」すなわちプライバシーが、基本的な権利として保護されることが定められている。

②プライバシー・バイ・デザイン

プライバシー・バイ・デザイン（PbD：Privacy by Design、設計段階から組み込むプライバシー保護）とは、カナダ・オンタリオ州情報・プライバシー・コミッショナーであるアン・カブキアンによって提唱された概念であり、大規模にネットワーク化された情報システムにおいて適切にプライバシー保護を実現していくための概念である。

〈プライバシー・バイ・デザインの目的〉

プライバシーを確保することと自己の情報に対する個人のコントロールを獲得すること、組織のために持続可能な競争的利点を獲得すること

〈プライバシー・バイ・デザインの七つの基本原則〉

①事後的でなく事前的、救済策的でなく予防的であること

②プライバシー保護は初期設定で有効化されること

③プライバシー保護の仕組みがシステムの構造に組み込まれること

④全機能的であること。ゼロサム（プラスマイナスゼロ）ではなくポジティブサム（互いが利益を得る）

⑤データはライフサイクル全般にわたって保護されること

⑥プライバシー保護の仕組みと運用は可視化され透明性が確保されること

⑦利用者のプライバシーを最大限に尊重すること

日本の個人情報保護委員会初代委員長であった堀部政男一橋大名誉教授は、「プライバシー・バイ・デザインが今や新しいグローバル・スタンダードになってきている」と紹介している。

また、総務省及び経済産業省が二〇二二年二月に発表した「DX時代における企業のプライバシーガバナンスガイドブックver1.2」においても、プライバシー・バイ・デザインの考え方は、基本的なプライバシー保護の考え方として参照できるグローバルスタンダードの一つであるとしている。

第2項　デジタル社会形成基本法における個人情報・プライバシー保護規定の不存在

デジタル社会形成基本法（以下「デジタル社会基本法」という）第一条は、同法の目的をさだめるが、目的規定そのものには個人情報保護やプライバシー保護などはうたわれてはいない。

（一条）「デジタル社会の形成が、我が国の国際競争力の強化及び国民の利便性の向上に資するとともに、急速な少子高齢化の進展への対応その他の我が国が直面する課題を解決する上で極めて重要であることに鑑み、デジタル社会の形成に関し、基本理念及び施策の策定に係る基本方針を定め、国、地方公共団体及び事業者の責務を明らかにし、並びにデジタル庁の設置及びデジタル社会の形成に関する重点計画の作成について定めることにより、デジタル社会の形成に関する施策を迅速かつ重点的に推進し、もって我が国経済の持続的かつ健全な発展と国民の幸福な生活の実現に寄与することを目的とする」

同法の第二章（基本理念）においても、「個人及び法人の権利利益の保護等」として、一〇条において、「高度情報通信ネットワークの利用及び情報通信技術を用いた情報の活用により個人及び法人の権利利益……国の安全等が害されることのないようにされる」べきことを定めるだけで、プライバシー保護、ことに自己情報コントロール権保護はうたわれていない。

個人情報保護については、同法三三条によって必要な措置を講じるよう求められた「サイバーセキュリティの確保等」のうちの一つとしてしか位置づけられていない。

GDPRにおいては、自然人の基本的な権利及び自由、並びに、特に、自然人の個人データの保護の権利を保護することが明確に定められていること（一条二項）と対比すると、デジタル社会基本法は、個人情報保護の権利性すら承認していないといえる。

第3項　「デジタル社会の実現に向けた改革の基本方針」の個人情報・プライバシー保護

「デジタル社会の実現に向けた改革の基本方針」（二〇二〇年一二月二五日閣議決定）は、「デジタル社会の将来像、IT基本法の見直しの考え方、デジタル庁（仮称）設置の考え方等について、デジタル・ガバメント閣僚会議の下で開催されたワーキンググループにおける議論も踏まえ、政府としての方針を示すものである」とされ、デジタル改革関連法制定の基本方針と位置づけられる。

基本方針においては、デジタル社会の基本原則として、①オープン・透明、②公平・倫理、③安全・安心、④継続・安定・強靱、⑤社会課題の解決、⑥迅速・柔軟、⑦包摂・多様性、⑧浸透、⑨新たな価値の創造、⑩飛躍・国際貢献、という一見もっともなものが列挙されている。

このうち、「②公平・倫理」の内容としては、「データのバイアス等による不公平な取扱いを起こさないこと、個人が自分の情報を主体的にコントロールできるようにすること等により、公平で倫理的なデジタル社会を目指す」と説明され、「自己情報コントロール権」の保障がうたわれている。しかし、その後の立法化に当たっては、自己情報コントロール権の明文化はなされていない。

第4項 「デジタル社会の実現に向けた重点計画」の個人情報・プライバシー保護

「デジタル社会の実現に向けた重点計画」（二〇二二年六月七日閣議決定で改訂）は、デジタル社会基本法三七条一項に規定する重点計画として策定されている。重点計画は、それ自体がデジタル社会の形成に向けた基本計画であるのみならず、重点計画以外の国の計画においても基本となるものである（同法三八条参照）。

重点計画では、「4．サイバーセキュリティ等の安全安心の確保・②個人情報の保護」として、個人情報の保護について言及されているものの、個人情報保護法の定め以上の言及はない。

また、重点計画では、第1「はじめに〜重点計画の目的〜」において、プライバシーへの適切な対処により信頼を維持・構築すると記載されているものの、他方で「信頼性のある自由なデータ流通（DFFT）」の概念を提唱し、推進していくことを目的としてうたっている（二頁）。

DFFTは、データがもたらす価値を最大限引き出すには、プライバシーやセキュリティ等への適切な対処により信頼を維持・構築することが、国境を越えた自由なデータ流通を促進することを可能にするとの認識の下に提唱された概念であるとされ（一五頁）、DFFTにおいて、「経済成長・イノベーション」と「セキュリティ」や「プライバシー」などとのバランスの取れた国際ルール・制度形成を主導していくこととしている。

これに対し、EU基本権憲章七条やGDPR一条に基づくプライバシー権は、基本的権利として尊重され、比例原則による他の基本権との衡量との関係で判断され（GDPR前文（4）、GDPR二三条参照）、かつ立法措置による制限がなされる場合ですら基本権の本質の尊重が必要とされている。GDPRは、個人データをEU内外に流通させることの必要性よりも、GDPRが保障する基本権の保護を優先させ、GDPRを遵守したデータ移転のみを許容している（GDPR前文（一〇一）参照）。

重点計画は、GDPRとは異なるDFFTの考え方に基づくものであり、しかも、GDPRが比例原則として定める基本権との衡量ではなく、「経済成長・イノベーション」とのバランスによってプライバシー保護を決めるという懸念すら残るものである。

第5項　同意原則の欠如

GDPRにおいては、個人データの処理をするための本質的条件を満たす一つの要素として、データ主体の同意を定めている（六条一項）。

データ主体の「同意」とは、自由に与えられ、特定され、事前に説明を受けた上での、不明瞭ではない、データ主体の意思の表示と定義される（四条一一項）。さらに七条において同意の条件を、八条において子どもの同意に適用される要件を定めており、「同意原則」は明確である。

「同意原則」はプライバシー保護のための重要な手段であるにもかかわらず、デジタル社会基本法、基本方針及び重点計画のいずれにおいても、同意原則の採用はおろか言及さえもない。

第6項　プライバシー影響評価の定めの欠如

プライバシー影響評価（PIA: Privacy Impact Assessment）は、個人情報を取り扱う制度・事務・ビジネス・ITシステム等を開始する前に、プライバシーに対して与える影響を検討するための仕組みであり（環境影響評価のプライバシー版と考えれば理解が容易である）、プライバシー侵害を極力少なくするための重要な手段である。プライバシー・バイ・デザイン（PbD）を実現するためにも、重要な制度と言える。

PIAは、GDPR三五条において、データ保護・バイ・デザインとデータ保護・バイ・デフォルト（初期設定の状態におけるデータ保護）の形で明文化されている。

プライバシー影響評価は、個人情報保護法においては、制度化ないし義務化が見送られ、民間の自主的な取り組みを促すことが望ましいとされた（個人情報保護委員会「個人情報保護法いわゆる三年ごと見直し制度改正大綱」二〇一九年一二月一三日参照）。

その後、個人情報保護委員会によって、「PIAの取組の促進について」（二〇二一年六月三〇日）が公表され、「個人情報等を取り扱うにあたっては、事後における対処療法的な対応ではなく、個人情報等の保護を含む個人の権利利益の保護を事業の設計段階で組み込み……事後の改修費用の増嵩や信用毀損等の事態を事前に予防することが肝要である」として、ＰＩＡの取り組みの促進がなされている。

総務省及び経済産業省による「ＤＸ時代における企業のプライバシーガバナンスガイドブックver1.2」（二〇二二年二月一八日）でも、プライバシーリスク対応の考え方の一つとして、ＰＩＡが紹介されている。

しかしながら、デジタル社会基本法、基本方針及び重点計画のいずれにおいても、プライバシー影響評価の採用はおろか、言及さえもない。

第４節　日本のデジタル化政策の推進体制・進め方の問題点

第１項　拙速な法案審議

デジタル改革関連法は、二〇二一年五月一二日に参議院本会議で可決成立した。デジタル改革関連六法のうちの五法案（法改正を合わせると六三本）の審議を行った衆議院内閣委員会での審議時間は三〇時間に満たず、参議院での審議も五日間計約二五時間にとどまっている。地方公共団体情報システムの標準化に関する法律案の審議を行った衆参総務委員会での審議も各一日のみである。

デジタル改革関連法は、個人情報保護三法の一本化、デジタル庁創設、地方自治体情報管理システムの標準化等、極めて重大な内容を含むものであり、日本におけるデジタル化の進め方のみならず、個人情報保護の在り方、地方自治体における情報管理の在り方をも大きく方向転換させる法律であったにもかかわらず、衆参合わせて六〇時間程度の審議時間で可決・成立されたのであり、その審議は極めて不十分であったと評価せざるを得ない。

また、少なくとも、同法案の審議前に、プライバシー影響評価（ＰＩＡ）を実施すべきであった（日弁連「デジタル改革関連6法案について慎重審議を求める会長声明」二〇二一年三月一七日）。

第2項　デジタル庁主導の強権的なデジタル化の推進

①「徹底的なデジタル化」のためのデジタル庁の創設

政府は、「世界最先端デジタル国家」創造に向け、「ＩＴを活用した社会システムの抜本改革」を断行しようとしている。この方針が端的に表れているものが、デジタル庁の創設であると言える。

②極めて広範なデジタル庁の任務・所掌事務

デジタル庁の任務は、「デジタル社会の形成に関する内閣の事務を内閣官房と共に助けること」、「デジタル社会の形成に関する行政事務の迅速かつ重点的な遂行を図ること」（デジタル庁設置法三条）とされている。所掌事務は、①「デジタル社会の形成のための施策に関する基本的な方針に関する企画及び立案並びに総合調整に関すること」、②「関係行政機関が講ずるデジタル社会の形成のための施策の実施の推進に関すること」、③「デジタル社会の形成のための施策に関する企画及び立案並びに総合調整に関すること」（同法四条）と、デジタル化に関するあらゆる事務が含まれている。また、④「国の行政機関が行う情報システムの整備及び管理に関する事業に必要な予算」を一括要求し、⑤「全部もしくは一部を自ら執行し、又は関係行政機関に、予算を配分するとともに、……執行させること」もその所掌事務とされている（同法四条二項一八号）。

③内閣総理大臣を長とするデジタル庁の組織と強力な権限

デジタル庁は内閣直属の組織とされ（デジタル庁設置法二条）、その長は内閣総理大臣とされている（同法六条一項）。さらに、デジタル大臣は関係行政機関の長に対し勧告権を有し、かかる勧告を受けた行政機関は、これを十分尊重する義務が課される（同法八条五項）。常設の省庁で内閣総理大臣がその長を務めるものはデジタル庁を措いてほかになく、他の省庁に対する勧告権等を背景に、強力なトップダウンで省庁横断的にデジタル化が進められることになる。

第3項　データ利活用に重きを置いたデジタル化の推進

内閣府は、現在の社会をSociety4.0（情報社会）とし、今後我が国が目指すべき未来社会としてSociety5.0を掲げている（本章第1節参照）。そして、Society5.0では、「人工知能（ＡＩ）により、必要な情報が必要な時に提供されるようになり、ロボットや自動走行車などの技術で、少子高齢化、地方の過疎化、貧富の格差などの課題が克服されます」、「社会の変革（イノベーション）を通じて、これまでの閉塞感を打破し、希望の持てる社会、世代を超えて互いに尊重し合える社会、一人一人が快適で活躍できる社会となります」と、まるで夢のような社会として描かれている。

しかし、その背景にあるのは、データ利活用による経済的な損失の回避と利益の追求である。

政府が進めるデジタル化は、その重きがデータの利活用に置かれており、データの利活用の側面に対しては前のめりとなっている反面、デジタル改革関連法制定に当たり、個人情報保護法の統一により個人情報の定義が縮小された（「他の情報と照合することができ、それにより特定の個人を識別することができることとなるものを含む」が「他の情報と容易に照合することができ」に統一）。また、第三者への個人情報提供が許容される範囲が広範であることや、公権力（特に捜査機関）による情報収集にほとんど規制がないこと等といった問題点の是正はまったく行われていないことなど、個人情報保護の観点は極めて弱いと言わざるを得ない。「デジタル競争の敗者[4]」となりつつある日本において、性急にデジタル化を推し進めようとする余り、プライバシーへの配慮が極めて不十分である。

第4項　費用対効果の悪さ

①デジタル庁のデジタル化予算の管理能力

デジタル庁に対して計上される国家予算は、二〇二二年度が四七二〇億円であり、ゆくゆくはデジタル化に関する国の予算八〇〇〇億円のすべてをデジタル庁に委ねることが想定されている。

しかし、従前から、行政手続のオンライン化の推進に当たっては、莫大な費用をかけながらもその効果が僅かであるなど、その費用対効果の悪さが指摘されている。[5]デジタル庁を創設しても、それを管理する能力を有する人材と組織を確立しなければ、今後もこれらが合理化される保証はない。

②膨大なマイナポイント予算の不合理性

二〇二〇年九月からマイナンバーカードの取得を推進するための「マイナポイント事業」（予算規模三〇〇〇億円弱）が開始されたが、所持率は三割程度と伸びなかった。それにもかかわらず、政府はその後もマイナンバーカードの取得を推進し、二〇二二年六月から「マイナポイント事業」の第二弾として、マイナンバーカード申込みと預貯金口座の登録、健康保険証としての利用申込みに対してポイントを付与するために、一・八兆円もの予算を確保し、テレビCM等の広報にも力を入れた（マイナンバーカードの取得者に五〇〇〇円、カードと健康保険証を一体化した者に七五〇〇円、公金受取口座の登録をした者に七五〇〇円分のポイントを付与）。

ここまでの費用をかけながら、二〇二二年七月末時点の普及率は四〇％台と低調な状態であった（二〇二三年二月末まで二回にわたりポイント付きの申込期限を延長した結果、二〇二三年六月末時点の保有枚数は約八八一五万枚、住基人口に対する割合は約七〇％となった）。政府によるデジタル化は、湯水のごとく多額の税金を効果の薄い政策につぎ込んでいる状況である（それでもなお多数の国民が積極的に利用しようとしないマイナンバーカードについて、現行の健康保険証を廃止することにより、事実上その取得を強制しようと「ムチ」も使っている）。

③「地方自治体情報システムの標準化」による「ベンダーロックイン」の問題点

デジタル改革関連法の一つである「地方公共団体情報システムの標準化に関する法律」により、地方自治体の情報システムが全国規模で標準化・共同化されるようになると、地域の小規模ベンダーがシステム調達に参入することは、保守管理などの問題で困難となると考えられる。[6] 同法により、「ベンダーロックイン」の排除がうたわれているが、逆にシステム開発を受注した大手ベンダーが、個々の地方公共団体の個別事情に応じたシステムのカスタマイズに応じるとは限らず、地方公共団体における公共サービスの提供のために必要なシステムの改変が困難となる可能性もある。

※ベンダーロックイン。特定のベンダー（企業等）にシステム等の構築、保守管理などを依頼した結果、当該システムの維持管理には当該ベンダーの技術やノウハウを要し、他のシステムへ移行したり、当該システム等の構築、保守管理などを他のベンダーに委託したりすることが困難となること。

第5項　行政の中立公平性及び質の確保への懸念

日本では、デジタル技術の専門人材が著しく不足している上、予算の関係から政府や地方公共団体に十分な人材が確保できていない状況がある。デジタル庁においても、発足時の職員六〇〇名のうち二〇〇名以上は民間出身者であり、そのほとんどが非常勤職員であった。その給与は低く、人材を出しているベンダー等の民間企業が補填している実態がある。デジタル庁という、省庁横断的にデジタル化を進める権限を持つ省庁において、その業務に関連する企業に籍を置く職員が多数を占めている状況は、行政の中立・公平性の維持の観点から問題がある。[7]

新聞報道によれば、マイナンバー関連事業を行うJ－LISにおいても、マイナンバー関連事業の七四％が随意契約であり、一社入札を含めると八一％で競争が働いていない。二〇一四〜二〇一六年度に発注したマイナンバー関連事業について、契約内容を変更するケースが相次ぎ、事業費が当初契約から約二・六倍の一六五五億九〇〇〇万円にまで膨れ上がっている。デジタル庁は、これらベンダーロックインの解消の役割が期待されたものの、同庁においても、二〇二一年九月の発足から二〇二二年四月一三日までの一〇一件の一般競争入札のうち、半数を超える五五件が一社入札であり、適切な競争原理が働いているとは言い難い。

第6項 「参加型民主主義」の不備

Society5.0を先行して実施しているものと言えるスーパーシティ構想においては、ＡＩ（人工知能）やビッグデータなどの先端技術を利用して遠隔医療、遠隔教育、自動運転、キャッシュレス決済、ドローンによる配達、顔認証を使った交通機関の利用などのサービスを一括して住民に提供するとされている。そして、これに伴い、これらの高度にセンシティブな個人情報を、実施主体の大企業が一手に管理することになる。

このような構想が実施される地域では、特区担当相、首長、事業者、住民代表から成る区域会議が基本構想を作るに当たって住民の意向を確認することになっているが、誰を住民代表とするのか、何を住民の意向とするのか、規定は存在しない。そのため、形式上、住民の意見を聞いただけで、住民の意思が反映されないまま、個人情報の提供を求められることになるおそれがある。

海外においては、行政から様々な情報が公開されるとともに、「Decidim」等のプラットフォームを用いて市民の意見を集約し、行政に反映させるなど、市民参加型の行政運営が実施され、デジタル化によって行政への市民の意見が反映されるようなシステムが構築されており、デジタル化が「参加型民主主義」の深化につながっていると言える。日本においても、市民参加型の社会構造を構築する必要がある。

第7項　地方公共団体の中立性・公平性の阻害

地方公共団体においては、国以上に専門人材の不足は深刻であり、民間企業やその出身者に情報システム関連業務を依存せざるを得ない状況である。非常勤職員として民間人材を登用した場合や、業務委託としてデジタル化を実施する場合、地方公務員法が適用されず、行政の中立・公平性を阻害するおそれが高い。

第5節　監視国家化の懸念を払拭するための政府の説明責任と行政の透明化

デジタル社会においては、個人の行動履歴のほとんどすべてがデジタルデータとして記録される結果、それらのデータを即時もしくは事後に名寄せ・突合し、プロファイリングすることにより、個人を「データ監視」することが容易な社会が到来している。民間のデジタルプラットフォーマーをめぐる「監視社会化」の問題は前述したとおりであるが、行政のデジタル化に伴っても、必然的に「監視国家化」の懸念が生じる。こうした懸念を払拭するためには、行政の透明化と、それによる行政（政府）への信頼性確保が必須である。

行政の透明化のためには、政府において、①個人情報の収集、利用等を行う場合は、その目的を明確化すること、②行政の説明責任の履行や情報公開を丁寧に行うこと、③そのためにも公文書を適正に保存管理すること等が必要となる。行政文書のデジタル化は、②や③の実現に資するものである。

また、コロナ禍を水際で防いだ台湾において功績のあったオードリー・タン行政院政務委員（当時）は、『『インターネット』というプラットフォームを使うことで、一つの主張や問題について、誰もが言葉を交わすことができる。インターネットは間接民主主義の弱点を克服できる重要なツールとなり得る」と述べている。[8] デジタル化はあくまでも手段であり、民主主義を強化するための手段として活用することも可能なのである。

ところが、近年の各種立法（重要土地等調査規制法、警察法改正によるサイバー局の設置、経済安全保障推進法等）により、政府は、①個人情報の収集・利用の目的も範囲も曖昧にしたまま、情報の全面的収集と一元化、さらには制約なき利用を可能とする方向へと向かっている。反対に、②説明責任を極めて不十分にしか果たしていない（情報収集・利用過程の問題ではないが、いわゆる森友・加計問題等）。さらに、③公文書の改ざんまで行われている。

したがって、超監視社会とも呼ぶべき現代にあっては、公権力により監視対象とされる個人の私的情報の収集は必要最小限度のものとし、公権力が私的情報を収集、検索、分析、利用するための法的権限と行使方法、第三者機関による実効的な監督等を定めた法制度が構築されなければならない。

日弁連は、二〇一七年の第六〇回人権擁護大会において、「個人が尊重される民主主義社会の実現のため、プライバシー権及び知る権利の保障の充実と情報公開の促進を求める決議」を採択し、超監視社会におけるプライバシー権保障の充実について具体策を提言した。これらの立法提言は、デジタル庁が設立され、急速なデジタル社会化が推し進められつつある今こそ、緊急に実現する必要がある。

第6節　デジタル改革がマイナンバー制度を前提としており、利用分野をさらに拡大している

第1項　利用拡大の一途をたどるマイナンバー制度

マイナンバー制度は、当初は社会保障・税・災害対策分野の三分野を利用範囲として運用が開始された（ただし、三分野と言いながら「刑事事件の捜査」等、相当広範な例外が存する）。

政府は、二〇二一年一二月二四日に「デジタル社会の形成に関する重点計画・情報システム整備計画・官民データ活用推進基本計画」を閣議決定し、マイナンバー制度を個人のＩＤ・認証基盤と位置づけ、同制度をデジタル社会における社会基盤として利用することにより、「行政の効率化、国民の

利便性の向上、公平・公正な社会を実現する」ことを目指すとしている。

米国では、社会保障番号（ＳＳＮ）が行政及び民間分野で広く利用されることになった結果、ＳＳＮを用いた不正な名寄せや、名寄せされた個人情報の販売が行われており、社会問題となっている。マイナンバーがさらに広範な分野で共通番号（統一番号）化した場合、マイナンバーをキーとして名寄せすれば、あらゆる個人情報が、漏れなく・確実に名寄せ・突合（データマッチング）できることになり、このことが悪用・濫用されると容易にプロファイリングできるようになる。

※二〇二三年六月二日、マイナンバー法が改正され、社会保障・税・災害の三分野以外の「その他の行政分野」にもマイナンバーを利用できるようにされた。さらに、法律で定められた事務に「準ずる事務」は省令で定めさえすればマイナンバーを利用し、情報連携できるようにされた。

第２項　新たにマイナンバーとの紐づけが開始される事務

①マイナンバーとの紐づけが開始された事務――ワクチン接種記録システム（ＶＲＳ）

政府は、新型コロナウイルスワクチンの接種記録について、従前の予防接種記録システムとは別個に、新たなワクチン接種記録システム（ＶＲＳ）を国が提供するクラウドに構築し、全自治体に対して、参加するよう強く求めた。ＶＲＳは、番号法の例外規定（一九条一六号「人の生命、身体又は財産の保護のために必要がある場合において……本人の同意を得ることが困難であるとき」）を初めて適用してマイナンバーを利用したものである。

ＶＲＳは、情報提供ネットワークシステムを使わずに特定個人情報のやり取りをすることとしたために、①同じクラウド基盤で、全国の自治体のマイナンバーを含む個人情報（特定個人情報）が「一元管理」されるようになった上、②機関別符号を用いた情報連携ではなく、マイナンバーそのもので照会することとなった。そのため、全国の自治体の中に、予算や技術不足によりセキュリティ対策が不十分な自治体があると、その自治体のシステムに不正侵入され、そこからＶＲＳにアクセスされて、全国民の情報がまるごと漏洩する危険が現実味を帯びてくる。

②公金受取口座の登録・利用

公金受取口座登録制度とは、年金や児童手当などの給付金等を受け取るための預貯金口座を、受給者があらかじめ国に登録する制度である（デジタル改革関連法の一つである「公的給付の支給等の迅速かつ確実な実施のための預貯金口座の登録等に関する法律」）。預貯金口座の情報をマイナンバーとともに事前に国（デジタル庁）に登録しておくことにより、今後の緊急時の給付金等の申請において、申請書への口座情報の記載や通帳の写し等の添付、行政機関における口座情報の確認作業等が不要になるという。

しかし、①そもそも、年金・児童手当の振込先情報は各自治体が既に把握している。また、給付金は本人の申請に基づき給付される前提であるから、申請時に確認をすれば済むことであり、あらかじめ登録を求める必要性も乏しい。②二〇二〇年、新型コロナウイルス感染症緊急経済対策として、全住民に特別定額給付金一〇万円が支給されることとなったが、その際、申請及び給付は原則として世帯主のみとされたことから、ＤＶ・虐待や後見開始等の事情のために給付金の受取が困難となった住民が発生している。さらに、③仮に一〇年後に大災害等があった際の緊急経済対策として特別定額給付金が国民に支給されることになったとして、かつて公金受取口座登録制度に登録した口座情報がそのまま利用できる住民はどのくらいいるのかも分からない、などの問題が存する。

③各種免許・国家資格等のデジタル化

政府は、国家資格関係事務におけるマイナンバーの利用及び情報連携の拡大、具体的には、三二の資格について、マイナンバー利用事務に指定することにより住基システム・戸籍システムとの連携を行うこととし、「国家資格等情報連携・活用システム（仮称）」によるデジタル化の検討を行い、二〇二四年度のサービス開始を目指すとしている。

〈三二資格〉

①医師、②歯科医師、③薬剤師、④看護師、⑤准看護師、⑥保健師、⑦助産師、⑧理学療法士、⑨作業療法士、⑩視能訓練士、⑪義肢装具士、⑫言語聴覚士、⑬臨床検査技師、⑭臨床工学技士、⑮診療放射線技師、⑯歯科衛生士、⑰歯科技工士、⑱あん摩マッサージ指圧師、⑲はり師、⑳きゅう師、㉑柔道整復師、㉒救急救命士、㉓介護福祉士、㉔社会福祉士、㉕精神保健福祉士、㉖公認心理師、㉗管理栄養士、㉘栄養士、㉙保育士、㉚介護支援専門員、㉛社会保険労務士、㉜税理士

※二〇二三年六月成立のマイナンバー法改正により、理容師・美容師、建築士等の三分野に関係のない国家資格等も追加されたほか、自動車登録、在留資格に係る許可等に関する事務にもマイナンバー利用が可能となった。

しかし、これらの「デジタル化」は、利便性の向上の効果すら低いものである。

これらの資格者について、右のシステムにより、各資格者が死亡した場合に住基ネットから死亡の事実をすぐに把握できるようにして、生存者のみの正確な資格者名簿にしておくことに、大きな社会的ニーズがあるとは思われず、高額な費用をかけて同システムを構築する必要性・合理性はとても認められない。

④戸籍へのマイナンバー付番

二〇一九年五月、戸籍法の一部を改正する法律により、マイナンバー法に基づく情報連携の対象に戸籍に関する情報が追加され、二〇二四年三月以降、情報連携が可能となる予定である。

しかし、戸籍謄本等の請求目的として最も多いのは旅券申請のためであり、次いで婚姻届などの戸籍上の届出、三番目が年金や社会保障給付金受給に関する手続のためである。どの手続も、五年、一〇年に一度あるかどうかの手続である。このような手続にマイナンバーを利用することで戸籍謄本の添付を省略できるようになったとしても、国民が利便性を実感することは少ないであろうし、行政事務が効率化するとも考えがたい。

また、当然ながら、マイナンバーが戸籍に付番されるのは付番当時に生存している日本国民だけで、それ以前に死亡した個人には付番されない。したがって、今後八〇年以上が経過して、死亡者が全員、生前にマイナンバーが付番されていたという時代が到来した後であればともかく、少なくとも今後数十年の間については、相続手続に当たって相続人の範囲確認のために取得する除籍謄本や改製原戸籍にマイナンバーが付されていても、相続人の範囲を漏れなく確定することは困難である。

第3項　マイナンバーカードと電子証明書、マイキープラットフォーム

①マイキープラットフォーム

マイナンバーカードに搭載されている電子証明書の発行番号は、マイナンバーと同等の個人識別符号となり得る。同カードを健康保険証として利用する際も、発行番号を用いた資格確認が行われる。今後、民間事業者が構築する、発行番号と民間ＩＤとを紐づけたデータベースに、個人がマイナンバーカードを使用した履歴が蓄積されていくことも考えられる。

このようなデータベースに相当するものを、国自身が構築しているのが、マイキープラットフォームである。マイキープラットフォームには、番号法やその他の法令上の根拠はなく、規制も存在しないため、マイナンバーカードの活用策の一つとして、図書カードや商店街のポイントカードなどの利用者番号をマイキーＩＤと紐づけることにより、様々な利用者カードをマイナンバーカード一枚に統合化したり、種々のポイントを一元管理等したりすることも可能となる。

②マイキープラットフォームの内容

①マイキープラットフォームを利用するには、マイナンバーカードの利用者証明用電子証明書を利用してマイキーＩＤという IDを発行する必要がある。②マイキープラットフォームにおいては、マイキーＩＤと、利用者証明用電子証明書の発行番号、署名用電子証明書の発行番号、個別の事業者等のＩＤが一元的に管理されることになる。③利用者証明用電子証明書が再発行された場合も、自動的にマイキーＩＤと紐づけられることになる。④マイキープラットフォームで管理される情報、ＩＤには、図書館やスポーツ施設などの各種公共施設の利用に係るＩＤ情報等があるほか、マイナポイントの申請の際にも、マイキーＩＤの作成が必要となる。また、⑤自治体ポイントについてはマイキープラットフォームとは別に自治体ポイント管理クラウドという情報基盤が設置されるが、同クラウドの情報もマイキーＩＤで管理されるから、自治体ポイントに変換されるクレジットカードや、航空会社、携帯電話会社等のポイントもマイキーＩＤと紐づけられることになる。

③マイキープラットフォームにおける情報連携の危険性

以上のように、マイキープラットフォームにおける情報連携は、番号法の規制の及ばない情報連携を国自らが行っているというものであり、マイキープラットフォームに個人の様々な情報が集約されることになれば、本人の意図しないところで情報が利用され、プロファイリング等される危険が生じることになる。

第4項　マイナンバー制度を土台としたデジタル化は見直されるべき

以上のように、マイナンバーの利用拡大のために国が打ち出した政策は、必要性が乏しい上に、国民の個人情報を一元化して危険にさらすものである。

そもそも、マイナンバー制度のシステムは、「行政手続において行政機関が必要とする場合には、個人情報を提供することは当然」との発想に基づき、全員参加で、提供される個人情報の範囲も行政機関が決めることを前提に設計されている。このような制度を土台としてデジタル化を進めようとすると、全住民は、個人情報を提供するかしないか、どの範囲の個人情報を提供するかを選ぶ余地もなく、各分野の個人情報とマイナンバーとを紐づけられてしまう。

現在、個人情報を取り扱うシステム構築については、設計段階からプライバシー保護を考慮するアプローチであるプライバシー・バイ・デザインの考え方を採用するのが世界のすう勢である。よって、マイナンバー制度のように全住民の個人情報を取り扱うシステムこそ、この考え方に基づいて設計されるべきであり、マイナンバーシステムを前提としたデジタル化は全面的に見直されるべきである。

第7節　デジタル化の重点分野である医療と教育

日本におけるデジタル化政策において、特に重点が置かれている分野が、健康・医療・介護分野と教育分野である。前述の包括的データ戦略においても、「重点的に取り組むべき分野におけるプラットフォームの構築」（二一八頁）として、①健康・医療・介護分野（二一九頁）、及び、②教育分野（三〇頁）が挙げられている。

第1項　医療分野におけるデジタル化〜PHRについて

医療分野におけるデジタル化の中心施策がPHR（personal health record）の実現である。PHRは「生まれてから学校、職場など生涯にわたる個人の健康等情報を、マイナポータル等を用いて電子記録として本人や家族が正確に把握するための仕組み」だとされている。[9] マイナ保険証の事実上の「義務化」もこの一環である。

PHRは、生まれてからの生涯にわたる健康・医療情報（レセプト情報、電子カルテ情報、ゲノム解析結果等）という、最も機微性が高い情報が一元的に管理されることとなる。

よって、第一に、利用目的や必要性について慎重に検討する必要がある。「国民の健康づくり」といった抽象的な行政目的のために、個人の一生涯の健康・医療等情報が収集・保存され続けることは、必要性とプライバシー侵害性のバランスを失していると言わなければならない。第二に、国民のすべてが、自身の健康・医療情報等のデータが蓄積されていくことを、必ずしも積極的に認識するとも限らないし、さらに、ゲノム情報については、当該個人のみならず、その家族にも関わる情報であるから、その点を踏まえた慎重な議論・検討が必要である。第三に、日本においては、遺伝情報に基づく差別等を具体的に禁止する法律が二〇二三年にようやく成立するなど、法整備が遅れている。その整備と運用を行う必要が存する。第四に、以上が行われた後に、検討の結果、仮にその必要性が認められたとしても、そのセキュリティには万全を期する必要が高い。一定期間経過後、一定の内容の情報を削除する仕組みや、誤った情報の修正等の仕組みについても、検討される必要がある。

第2項　教育のデジタル化～GIGAスクール構想について

日本におけるデジタル化政策において、もう一つの重点分野が教育分野であり、その中心施策がGIGAスクール構想（global and innovation gate-way for all）である。

二〇一九年にデジタル機器を学習に利用する時間がOECD加盟国の中で最下位であったことから、文科省は、「一人一台端末、通信ネットワーク等の学校ICT環境を整備・活用することで、個別最適な学びと協働的な学びの一体的な充実など教育の質を向上する構想」であるGIGAスクール構想を発表した。GIGAスクールという造語を意訳すれば「すべての人にとって国際的な革新へ入口となる学校」ということになる。

GIGAスクールを推進しているのは、文科省だけではない。内閣府、デジタル庁、総務省、経済産業省も関与している。また、経団連の「Society5.0に向けて求められる初等中等教育改革第一次提言」（二〇二〇年七月）でも触れられているとおり、経済界からの要請もある。

この構想においては、①教師は授業中でも一人一人の反応を把握でき、それを踏まえてきめ細かな指導ができる、②学習履歴が自動的に記録されるので、一人一人の教育ニーズ・理解度に応じた個別学習や個に応じた指導が可能となるとされているが、それを実現するために、政府は、マイナンバー制度と学習履歴の紐づけを考えている。子どもたちにはＩＤが付番され、学習履歴（塾の学習履歴も含まれる）、体力履歴、健康履歴、テスト履歴等がＩＤと紐づけられて収集・保存され、分析される。データの収集と利活用は、初等中等教育のみならず、高等教育や生涯学習、さらに就学前教育も見据えたシームレスなものが考えられている。[10]

しかし、第一に、ＧＩＧＡスクール構想により、子どもたちは、興味関心、学習到達度、学習履歴という機微性が高い情報を広範に収集された上、ＡＩで解析され、評価等が管理されることとなる。その履歴が一生涯残るようなことになれば、子どもたちの将来は、過去の履歴や評価により拘束される危険性が高い。

第二に、文科省は、二〇二四年度からデジタル教科書の本格的導入を検討しているが、教育や学びの本質論との関係で慎重な検討が必要である。学ぶということは、能動的な行動が伴う必要がある。紙の教科書を読むことは、受け身である液晶画面のタブレットとは違い、自ら読もうとしないと頭に入ってこない能動的な作業であり、この質の違いを検討する必要が存する。グーグル幹部を始め西海岸のテック企業の子どもたちが通う、シリコンバレーで一番人気がある「ウォルドルフ・スクール・オブ・ザ・ペニンシュラ」では、デジタル機器利用により、子どもの健康な身体、創造性と芸術性、規律と自制の習慣や、柔らかい頭と機敏な精神を十分に発達させる能力が妨げられるという理由から、一三歳前の子どもたちにはテクノロジーに触れさせないとしていることも参考にすべきである。

第三に、その他にも、教育のデジタル化には、目などの健康被害や経済格差の問題等も存する。
よって、以上の問題について、プライバシー等に関する影響評価を行うなどして、慎重に検討する必要があり、拙速に進めるべきではない。

注

1 日弁連「行政及び民間等で利用される顔認証システムに対する法的規制に関する意見書」二〇二一年九月一六日。

2 大野和基編『オードリー・タンが語るデジタル民主主義』NHK出版、二〇二二年、四五〜四六頁。

3 堀部政男『プライバシー・バイ・デザイン』日経BP社、二〇一二年、五六頁。

4 「DXレポート〜ITシステム『2025年の崖』の克服とDXの本格的な展開〜」二六頁。

5 外務省によるパスポート電子申請システムは、年八億円のコストに対し、二〇〇五年の申請件数は一〇三件で、一件当たり一六〇〇万円の税金がつぎ込まれた計算となる。政府自身も、コロナ関連の取り組みについて、「全ての手続のオンライン化を目標としたために、利便性に欠け、利用率が伸び悩んだこと、利用件数の僅少な手続も対象とした結果、費用対効果の低さを指摘された」(総務省「令和三年版情報通信白書」第一部一一四頁)と、その費用対効果の低さを自認している。

6 二〇一八年度の政府情報システム予算のうち、整備経費、運用経費の予算額が多額である上位一〇システムの合計予算額は政府IT予算の半分弱を占める約三三〇〇億円に上るが、そのほとんどを大手ベンダー四社が受注している。

7 会計検査院が発表した「政府情報システムに関する会計検査の結果について」(二〇二一年五月)では、二〇一八年度の政府情報システムに係る競争契約四二三件のうち三一三件(七三・九%)、契約金額にして二九二九億円(八四・九%)

が一社入札であり、ベンダーロックインが生じている可能性があると指摘されている。

8 オードリー・タン『デジタルとＡＩの未来を語る』プレジデント社、二〇二〇年、一五一頁。

9 「経済財政運営と改革の基本方針 二〇二〇～危機の克服、そして新しい未来へ～」二〇二〇年七月一七日、一六頁。

10 デジタル庁・総務省・文科省・経産省「教育データ利活用のロードマップ」二〇二二年一月七日。

コラム①

地方自治体における個人情報保護をめぐる問題点

分権的個人情報保護の沿革（「認知的先導性」と「自治事務」）

我が国の個人情報保護制度では、地方自治体は極めて重要な役割を果たしてきた。国、都道府県、市区町村を比較すると、市区町村は住民の生活に密接に関係する事務を行うため、最も多様かつ大量の個人情報を保有している。都道府県が保有する個人情報はその次で、国が保有する個人情報の多様性、情報量は最も少ない。そのため、これまで個人情報の取扱いに関する諸問題を、地方自治体とりわけ市区町村が国よりも先に認知して、法律がなくても条例を制定して対応を図り、他の地方自治体にも波及して全国的な個人情報保護の水準が引き上げられてきた。宇賀克也最高裁判事（現職）は、これを地方自治体の「認知的先導性」と述べ高く評価している。

また、個人情報保護制度は、情報公開制度や公文書管理制度とともに情報管理の基盤を形成し、行政上の意思決定と密接に関係する重要な制度である。そのため、個人情報保護に関する自主的判断が尊重される必要がある。したがって、地方自治体が保有する個人情報に関する施策は、「自治事務」とされ「区域の特性に応じた」施策の策定、実施が認められている（個情法五条）。

このようにして形作られてきた個人情報の保護の仕組みは、「分権的個人情報保護」と呼ばれ、憲法の保障する「地方自治の本旨」すなわち団体自治、住民自治を基盤にもつ制度であるといえる。

個人情報保護法改正による変容

個人情報保護法の目的は、個人の権利利益の保護にあり（一条）、個人情報は、「個人の尊重の理念の下に慎重に取り扱われるべき」ものとされた（三条）。このような規律の下で地方自治体の現場では、個人情報は「住民からの預かりもの」であるという意識が醸成されていた。

しかし、二〇一五年に個人情報の利活用の観点から、「分権的個人情報保護」のあり方が「二〇〇〇個問題」としてあたかも改革の障壁であるかのように位置づけられて以降、国は、地方自治体が住民の権利利益を守るために積み上げてきた制度を、情報の利活用の名のもとに一元化し、住民のプライバシーを守る分散管理のシステムを、住民の福祉増進の名のもとに標準化しようとしてきた。二〇二一年の個人情報保護法の改正及び個人情報保護委員会が発出した「公的部門（国の行政機関等・地方公共団体等）における個人情報保護の規律の考え方」で、委員会が個人情報保護法の一元的解釈権を有することを主張し、死者の情報、条例要配慮個人情報、オンライン結合制限、個人情報保護運営審議会への諮問の四点で、地方自治体が条例で独自の保護措置を取ることは「許容されない」とした。また、デジタル改革関連六法において、国が地方自治体情報システムの標準化、共同化を進め、住基ネットやマイナンバーのシステムを構築、運用する地方公共団体情報システム機構（J-LIS）に国が参入した。

かかる国の姿勢は、個人の権利利益と情報の利活用の調整を超えた介入、統制として問題である。

地方自治体の個人情報保護制度のあり方をどう考えるべきか

①視点

地方自治体の「認知的先導性」と個人情報に関する事務が「自治事務」であることからすれば、地方自治体が個人情報保護法の自律的、自主的な解釈権、運用権を有することが導き出される。個人情報保護委員会のみが一元的な解釈権を有するとの考え方は、個人情報保護法や地方自治法の規定から導き出すことができない。もちろん地方自治体も、「国の施策との整合性に配慮」する必要はあるが（個情報五条）、その整合性は、徳島市公安条例事件最高裁判決が示した、条例と国の法令の「それぞれの趣旨、目的、内容及び効果を比較し、両者の間に矛盾抵触があるかどうかによって」決せられる。

個人情報保護法の主たる目的は個人の権利利益の保護であり、情報の利活用は従たる目的にとどまる。また、個人情報保護の内容が同法第五章に規定したナショナルミニマムを下回らないようにすることである。とすれば、地方自治体が独自の条例の規定や解釈・引用で個人の権利利益を保護しても、情報の利活用に関わらない場合には個人情報保護法と矛盾抵触しないし、情報の利活用に関わる場合でも、ナショナルミニマムを下回らないのであれば問題はないと考えられる。

②直接取得の原則やセンシティブ情報の取得禁止の原則の取扱い

個人情報を取得する際、本人からの直接取得の原則やセンシティブ情報の取得禁止の原則が多くの条例に規定されていたが、改正個人情報保護法の施行に伴いその多くが廃止された。しかし、個人情報の取得時の規律は、情報の利活用に関わるものではないから、徳島市公安条例事件最高裁判決の基準に照らしても廃止しなければならないものではない。

この点、個人情報保護委員会は、個人情報の適正取得義務（個情法六四条）や保有制限（個情法六一条）を根拠に個人情報の保護水準が低下することはないと説明する。しかし、本人の知らないところで第三者が本人の個人情報を収集したことを知った住民に対し、「法律で保有が認められているので問題がない」と説明して住民の納得が得られるとは思われない。また、センシティブ情報の収集禁止原則を外してしまうことで住民の地方自治体に対する信頼が失われるおそれもある。ルールの全国共通化のために個人の権利利益の保障規定がなくなることは本末転倒であり、少なくとも要綱やマニュアルに原則取得禁止の責務規定を設ける等して職員に周知し、そのことを住民に公表すべきである。

③個人情報保護運営審議会への諮問の取扱い

これまで個人情報保護運営審議会は、一般市民も参加して、個人情報保護の運営に関する重要事項について諮問を受け、審議・答申を行ってきた。審議・答申に先立ち地方自治体職員により慎重な準備・検討が行われてきたことや、審議内容を議事録として公開することが、地方自治体の個人情報保護の施策の透明性を確保し、説明責任を履行する機能を担ってきた。

ところが、諮問を受ける場合を「専門的な知見に基づく意見を聴くことが特に必要であると認めるとき」に限定し（個情法一二九条）、個人情報保護委員会が、独自の規定を設けることを「許容しない」としたことから、多くの自治体で廃止や、権限の縮小がなされた。しかし、「特に必要であると認める」内容について、ガイドラインではサイバーセキュリティ対策しか明示しておらず、審議会への諮問の廃止は、かえって個人情報保護のナショナルミニマムを下回るおそれがある。そうであるならば、「区域の特性に応じて」（個情法五条）必要な個人情報保護の施策を実施する責務を負う地方自治体は、必要であると認めるときには、審議会に意見を聴取、報告する運用を継続すべきである。

④個人情報保護委員会の現状の問題点

個人情報保護委員会が、地方自治体における問題点に今後適切に対応していけるか、懸念がある。個人情報保護委員会は、二〇一五年の設置以降、個人情報の利活用の観点から取り扱う範囲が拡大され、監督対象も民間、国、地方自治体と拡大された。しかし、委員会を支える人的資源は貧弱で地方事務所も存在しない。これでは地方自治体における問題に適切に対応することは不可能である。

また、個人情報保護委員会は、その権限の多くを監督対象の行政機関に委任することができ（個情法一四七条一項）、しかも監督対象となっている国や民間から職員を受け入れている。このような委員会組織は、中立・公正を疑わせるものであり、独立性に疑問がある。

さらに、委員の構成についても、識見委員が「個人情報の保護及び適正かつ効果的な活用に関する学識経験者」としての選出となっていること、民間人委員に個人情報保護の実務に関する十分な知識経験が要求されていないこと等から専門性にも疑問がある。委員会の議事録を見ても、個人情報保護法の改正過程で、地方自治体の個人情報制度のあり方についての委員間の議論はほとんどない。

最後に

地方自治体における個人情報保護をめぐる問題を考える上では、個人の権利利益の保護という個人情報保護の目的に立ち返った解釈、制度設計と、憲法上の原則である「地方自治の本旨」に適合する解釈、制度設計が必要である。情報の利活用は目的ではない。ましてや個人情報保護の理念からは導き出せない、集中管理、共通ルールの強制を目的としてはならない。

我が国のデジタル化はどうあるべきか

コーディネーター　それでは、第2部に入りたいと思います（第1部は本書一二六頁～、登壇者は同様）。第2部のテーマは、我が国のデジタル化はどうあるべきかについてです。最初の問題提起として、山田さんのほうから、日本のデジタル化の現状と課題について、ご発言をいただきたいと思います。

山田　あらためまして、（二〇二二年）八月までデジタル大臣政務官をやっておりました、山田太郎でございます。今日はなかなか、デジタル政策とか、政府のあり方が批判されるところもあってアウェー感もあるんですけれども、ここではまず、何のためにデジタル庁を作ってきたのか、今課題となっていることは何か、何を取り組んできているのか、そのあたりをご説明させていただきます。

まず、デジタル庁を作ることになった経緯から。これは、二〇〇一年ぐらいからeジャパン構想というのがありまして、一〇年以上の議論――何やっていたんだという話もあるんですけれども――があり、日本はデジタル化がすごく遅れているという指摘、また、コロナ禍も非常に大きな後押しになったと思いますが、ここで、二〇二一年の九月にデジタル庁が発足するということになりました。

実際、私自身含めて何をやってきたかというと、自民党の中で三回にわたってデジタル庁を作る提

山田太郎氏（オンライン出演）

言を出しています。一回目の提言が、デジタル庁というものが必要なのだ、という議論。二回目の提言が、どういう組織にするのかということ。三回目の提言がその中身。特に中身に関しての提言は、私自身が責任者として提言書を作ったものが、そのままデジタル庁の仕事の中身になりましたので、この辺りをご説明するということが、今日の趣旨に合うのかと思っております。

当初デジタル庁の役割というのは、デジタルガバメント、すなわち行政をデジタル化して効率化しようというところにとどまっていたのですが、私としては、それではデジタル社会に対してデジタル庁が効果を発揮できないということで、まずは準公共分野に関して、国がある程度介入していくというところを打ち立てました。

準公共分野とは何かと言いますと、医療の部分と教育の部分と防災の部分、それにプラスアルファ。ここにある程度介入するとはどういうことかといいますと、例えば教育の分野ではスタディログ、これは日々の情報も扱いますので細心の注意を図っていく必要があると思っておりますけれども、そういったものの活用。医療の分野では、今、病院においてレセプトや電子カルテのデジタル化が非常に進んできていますが、病院を超えた場合、例えば自身が色々なところで健康診断をやっていたとしても、そういう情報は共有されません。もちろん批判のご指摘もあるのですが、例えばウェアラブルなどで心電図をとられたとしても、それが診療で使われることはない。そうすると、病院に行くたびに血を採られて、心電図をとられて、レントゲンを撮られる。しかもそのときに悪いところが見つからなければ、結局、病気とも認定されません。よく三分診療などと言われますが、皆さん色々な病院にかかっていますし、それまでの変化を捉えるためにデータを中心としたあり方にすべきではないかというものです。それが民間であったとしても、枠組みを超えた場合に、スタンダードなガイドラインを作って連携できないだろうかというのが、準公共分野におけるプラットフォーム議論です。デジタル庁としてはそこで強い力を持って、このプラットフォームを作っていこうということでやらせていただいています。

これは防災の面においても活用可能で、持病を持っていらっしゃる方が避難所に逃げたとして、何の薬を処方されているかということが分からない、覚えていない、家に置いてきちゃったということになると、二次被害として大変なことになります。処方箋がデジタル上で管理されていれば、例えばマイナンバーを照合すれば、その人の飲んでいた薬というのが分かって、これを取り寄せることによって命が救われる、そうしたことが展開できます。こうしたことをやらなければということで、準公共分野に対する施策をデジタル庁が責任を持ってやっていこうと、中身のデザインをさせていただきました。

中身についてもう一点、日本のデジタル化を進めるためには、日本全体のマスターデータの整備も必要だろうということで議論をしてきました。いわゆるベースレジストリですが、そういったものの整備にも力をかけてきました。これどういうことかというと、一番分かりやすいのは土地情報であります。今日の会場には弁護士の先生方が大変多いと思いますが、皆さんご存知のとおり、訴訟上含めて、日本の番地の付け方は非常にいい加減だと言われています。山奥のほうに行くと番地がないとか、そういうこともありますが、そもそも番地の付け方については、世界的な最近の常識では緯度経度で割り振るんですよね。これは、防災の拠点を作ったとして、この住所に置いたとか言っても、実際に災害でめちゃくちゃになっちゃった場合には、物資等を届けようがありません。こうした場合には、緯度経度の方が有利だと思っておりますので、緯度経度プラスポリゴンでもって、個々の、いわゆる地理データ、番地データを整備できないだろうかという話です。

　他に、企業データ、事業所データに関する整備も必要ですし、あるいは、これも機微でありますが、日本の場合、国民の情報の基本は戸籍プラス住民票で、カナ情報を持っていないんですね。なので、これも例えば災害時に、小山（オヤマ）さんなのか、小山（コヤマ）さんなのか分からない場合が出てくる。災害場所で、オヤマさんがコヤマさんというふうに呼ばれたとしても、自分ではないと認識してしまうケースがありえます。そういった意味で、漢字が正となっているといった点も整備しなければなりません。最近キラキラネームなどとも言われますけれども、呼び名をマスターにできないだろうか、ということです。もちろん、その最終的な国民のデータを国が一括して管理することに関しては色々なご批判もありますので、まずは地方自治体、市区町村が中心となって管理する枠組みの中で、整備できることがあるだろうと考えています。土地だったり、事業所であったり、その個人のベースとなるデータの整備をしっかりして、これがネットワークでつながってくれば、データ利活用についても効果が出せるのではないか、と。そういうことをやらせていただいてきました。

それから、社会がデジタル化するに際しての、さまざまな障害への対応も必要です。時代が変わってきて、例えば医療もそうですけれども、対面でなければ診療や診断ができないだとか、そういう時代ではないだろう、と。工事現場などもそうですね。必ずしも全部目視が必要なのか。そういった、過去の規制を洗い出して、もちろん規制があるということは、何らかのリスクがあるということなので、すべての規制を撤廃すべきではないと思いますけれども、時代にそぐわなくなった規制に関しては、デジタルを前提として見直しを図るべきではないか、と。そこで、デジタル臨調というのを作って四万項目ぐらいを洗い出しまして、来年の通常国会において、二〇〇〇から四〇〇〇項目、一気に一括政省令の変更をしていくことができないだろうかという議論もさせていただいています。

光の部分ということでは、こうした形で進めてきたのですが、一方で、デジタル庁として最大の前提としてこだわってきたのは、デジタル化を進めることで、逆にデジタル格差を起こしてはならないということです。誰一人取り残されないということをキャッチフレーズとして、例えば高齢者だったり、デジタルに弱い人たち、障がいを持たれている方々。あるいは子どもたちもそうでありますが、家庭の経済状況によって、タブレットを持っている、持っていない、パソコンを持っている、持っていないということで学習の状況が違ってはなりません。あるいは、先ほどから議論になっております、プライバシーや個人情報保護の問題もあります。これについては一言付け加えさせていただきますと、個人情報保護委員会と個人情報保護法の論点からは、正直申し上げて議論等が欠落している部分があると思っています。情報に関する、きちんとしたプライバシー権、あるいは自己コントロール権も含む必要があるのではないかというような議論は、庁内等でも実は一部あるんですが、そういったことをしっかり詰め切らないまま私は退任してしまいました。

それからもう一つ、スペシフィックなテーマとして、子どもを見守る仕組みも必要だろうと考えています。子どもが虐待等に遭った場合に関しては、その後の色々な法令等の処置でもって、報告しなければならないとか、守らなければならないといった法律的処置ができているのですが、それを事前に見つけ出す、予防といった部分。事件が起こってからでは、子どもたちの生命・身体は守れませんので、そういった情報を前もって探知できるかどうか。子どもたちに何か変化が起こっているのではないかということを日々の情報から見つけ出すということですが、これも、事前にきちんと同意が取れていた情報なのか、親の同意なのか、子どもの同意なのかなど、非常にシビアな議論です。また、そのデータそのものを取得することが、本当に個人情報保護法上の目的内なのか、目的外ではないか、こういった議論もあるかと思います。

それから、まさにそうしたことを国家として管理してしまうと、これはやはり、過去の大きな反省もありますが、いわゆる監視国家ということにもなりかねませんので、どうやって分散された形で各自治体が中心となって情報を扱って、現場レベルにおいて管理ができるのか。また、管理主体が移動した場合、パネルディスカッションの①でも事例として申し上げましたが、目黒女児虐待事件の結愛ちゃんのようなケースがあった場合に、本来は児相間できちんと情報が共有されていれば、ああした事件はなかったのではないか。そうした反省点にも立って、どうやって主体間で情報を渡しあえるのか、そういった議論のテーマがありました。

もう一つ大きな議論のテーマとして、先にプラットフォームのお話をしましたが、いわゆる行政データの管理の合理化から、クラウドを原則としたシステムの再構築を全国でしていこうということでデジタル庁を中心に号令をかけているわけですが、このクラウドを提供しているプラットフォーマーの技術が、アメリカ製を中心としたものが非常に多いという事実があります。

この問題、どうしてもベースのところに関してアメリカ製の技術を使わなければいけないことについては、ヨーロッパにおいても大議論になっています。例えばイタリアなどは独自で作るとか、EUの中でも各国でその対応、プラットフォームのアーキテクチャのあり方はまちまちなのですが、日本においても、国民データを扱うデータセンターは必ず国内になければならない、国産ベンダーがしっかり管理するべきなのだという議論があります。とはいえ今の資本の論理からいった場合に、何をもって国産なのかということもありますし、日本のデジタル技術の脆弱性——私ももともとSEとして情報をいじってきた、民間企業からの出身でありますけれども——すなわち、データベース技術が日本にはないところが致命的でありまして、どうしても日本製だけではクラウドの技術が整えられない。

これは、パネルディスカッション第一部でも議論になったデータ主権の問題にもなるのですが、クローズドなクラウドであるべきという場合には、ソブリンクラウド（情報セキュリティや法令順守を担保し、単一の国・地域内でのみ提供するなどして、他の国・地域の法令の影響を排除してデータ主権を担保したクラウドサービス）というハイブリッドな考え方もあります。例えばいわゆる国防上、自衛上の機密性3と言われる情報、それから国民の重要な情報に関しては、ソブリンクラウドの形でもって、プライベートクラウドの中で扱うべきなのではないかということです。一方、何がパブリックなのか、プライベートなのかということについても、政府内でさまざま議論があるところです。

それから、こちらも議論しきれていませんが、データ保護の問題に関しても、個人のデータコントロール権について、日本はアメリカ型とヨーロッパ型に挟まれて、DFFT（データフリー・フロー・ウィズ・トラスト）という形でもって議論されています。情報がグローバルな中で活用されるということはもちろん重要だけれども、どうやってその保護をしていくのか（＝トラスト）。データ保護のあり方については、どちらかというとヨーロッパを中心として参考にしながら、ヨーロッパのGDPR、あるいはEDPSと比べると少し緩い形のところで、日本型がどうあるべきなのかということの議論が、進められているところであります。

最後に、今後のデジタルを含めた決済のあり方についても、大きな課題です。ウェブスリーやNFT、デジタル通貨といった議論の背景にあるのは、例えばアフリカみたいなところは、最初からモバイル通貨という形でもって、携帯電話上で色々な資金決済ができるようになっていますが、日本ではこの決済方法はできないことになっております。これは、国家主権という観点で考えた場合に、国家が最終的に通貨権を譲りたくないというところだと思いますが、一方で、その不自由さから離れたいという側面もあります。より裏側から見れば、アメリカには、ＳＷＩＦＴ（銀行間の国際的な決済ネットワーク）など色々な決済方法が――マネー・ローンダリング等も含めて――コントロールできるかといったところを最後はしっかり握りたい、したがって、国家の管理を離れてモバイル通貨やデジタル通貨の形にしたいという勢力もあります。これが、ヨーロッパ対アメリカの微妙な関係の背景になっているところでありまして、それを我々は、双方をきちんとフェアに見ながら、日本としてはどうあるべきなのか、議論をしてきているということです。

なかなか、始まったばかりのことも、日進月歩の部分も多く、今日は駆け足で、色々な課題とデジタル庁が取り組んできたこと、私自身が取り組んできたことをご紹介しました。皆さんが議論されてきた点というのは、政府内でも論点として挙がり、話してきたことですので、今日は色々なご意見をいただきながら、これをぜひ政策作りの参考にさせていただきたいと思っています。

コーディネーター　短い時間でデジタル庁の課題を全部挙げるのは無理な話でありまして、非常に駆け足でお話いただくことになり、申し訳ありませんでした。

準公共分野におけるプラットフォームづくりの問題やベースレジストリの問題についてお話をいただきましたが、第２部討論の最初の論点としては、日本のデジタル化政策の中心インフラとして、個人番号制度、いわゆるマイナンバー及びマイナンバーカードが据えられているという問題について考えたいと思います。

日弁連は、これまでマイナンバー制度について、いわゆるプライバシー保護との関係で色々な問題を指摘する意見を述べてきました。前提として、マイナンバーとマイナンバーカードは関連しますけれども、別のものです。したがって別々に問題点を挙げたいと思います。

まず、マイナンバーは、国民と外国人住民の全員に対して、重複しない、原則生涯不変の、個人を特定する番号として割り振られたものです。そして、一応その利用目的は、法律で税、社会保障、防災の三分野に限定されています。しかし、ここには四点の問題があります。第一に、税、社会保障分野だけでも非常に広範であるということ。第二に、刑事事件の捜査や破壊活動防止法による処分の請求の場合にも利用が認められているなど、例外が多いこと。第三に、先ほど出ましたけれども、個人情報保護委員会の監督権限が及ばない刑事事件の捜査等の分野があること。第四に、まさに今後の政策課題として利用分野の拡大が予定されていることなどから、マイナンバーが共通番号化することによって、名寄せによるプライバシー侵害の問題があるのではないかと考えています。これに関しては、分野別番号制にした上で、暗号技術を使って情報連携をしているオーストリアなどの例があって、そういう対処の仕方もあるのではないかなと考えています。

それから、マイナンバーカードについて。これは、本人確認とマイナンバー確認に使えるICチップ入りのカードで、ICチップには電子証明書が格納されています。このマイナンバーカードは、利用分野が制限されていません。政府のほうは、デジタル社会化のツールである便利なICカードにしようとして、多目的利用化を図っています。特に健康保険証などとの一体化で、二〇二四年三月末には全住民がカードを取得していることを目指して、現在高額ポイント付与などの施策もやっているところです。

ここにも三点の問題があります。第一に、そもそもこのカードの取得自体に任意取得の原則がありますので、健康保険証などとの一体化は、事実上の取得強制になるのではないかという問題。第二に、カードの券面には秘密にしておくべきマイナンバーが記載されているのに、これを日常持ち歩きさせようとしていることについての危険性。第三に、利用分野の制限がないので、カード内ＩＣチップに格納された電子証明書のＩＤが、マイナンバーに代わる名寄せのマスターキー化する危険性があるのではないかということ。

以上それぞれが、日弁連の考えている問題点なんですけれども、取材活動などされていると思いますので、まずは若江さんのほうからご意見をお伺いできますでしょうか。

若江　私としては、マイナンバーについては、使用目的を法定事務に制限したり、利用できる主体を制限したり、アクセスした履歴もマイナポータルで本人が確認できるようにしている、と。本当だったら使用目的ごとに違う番号を用意して、必要に応じて連携する形にすればなおよかったとは思いますけれども、一応安全設計でつくられていると思っています。

マイナンバーカードについても、公的な個人認証に使う番号についてはマイナンバーと違う番号を用意するなど、一つのＩＤに対して、なるべく個人に関するすべての情報が紐づけられないようにという注意を払ってできていると思います。デジタルの世界ではデータの検索や照合が容易になってしまうから、名寄せの危険が高まることを意識して作ったのではないかなと思います。
最近では、マイナンバーを民間利用させようという議論も耳にします。もちろん、現在デジタル庁で検討しているところにはまだ入ってきていないわけですけれど、外側では結構そういう意見を聞いたりします。しかしそうすると、やはり名寄せの危険も高まってしまうので、当初の危機意識みたいなものが、ちょっと薄れているのではないかなという気はします。

コーディネーター それでは、もうお一方、宮下先生からもご意見をお願いします。

宮下 マイナンバー制度については、ドイツの教訓があるとおり、些末なデータであったとしても、個人のプライバシーのリスクに様々な形で迫る制度であるということを認識の出発点とした上で、まず、カードについて。マイナンバーカードそれ自体は、本人確認書類として使う分には、プライバシーに大きなリスクがあるとは思っていません。それ自体、公的個人認証として使っていく限りであれば、大きな問題はないのだろうと思います。

しかし、若江さんもご指摘のとおり、利用方法については、カードというよりもマイナンバーの制度それ自体に、やはり大きな問題点を孕んでいます。当初、税、社会保障、災害対策という三本柱を掲げていたものを次々と広げていくとなりますと、利用目的を変更したことになりますので、通常であれば、国民一人一人から同意を取るプロセスが必要になってくるのだろうと思います。

とりわけ、保険証利用のお話が出ましたが、こちらも同じように、カードを本人あるいは有資格者等の本人確認として利用する分には、すなわちオンライン資格確認のための本人確認であればプライバシー侵害のリスクは小さいと思います。ところが、厚生労働省などの説明によりますと、薬剤の情報ですとか、特定検診等の情報を、医療関係者が閲覧できるようになる、と。過去に自分がかかった病気、薬などを、違う病院や薬局の方も見られるようになるというのは、まったくもって従前なかった制度で、プライバシーのリスクも大きくなります。利用者に対する十分な説明と利用者の完全なオプトイン、明確な同意が必要な制度だと思っております。

コーディネーター　今、名寄せや医療情報が見れるようになることなどによる危険性についてご指摘がありましたが、この点について山田さんのほうから、一言コメントをお願いします。

山田　悩ましいところですが、基本的に、例えば今、色々な申請制度や、お薬の件もそうだと思うんですけれども、色々なシステムと色々な仕組みが、それぞれの個別の固有番号で管理されているために、横がつながっていないので、大変不便な状況にあることは間違いがないと思うんですね。これをどうするのかというところで、デジタルの世界からすれば、当然一つのＩＤで管理できれば、非常に利便性が高まるということでありまして、そこは皆さんご理解いただけると思います。

ただ、ご指摘があったことはもっともでありまして、それが悪用されたりとか、別の目的で使われたりという場合に、やはり色々な懸念があるだろうと思います。デジタル化のその先にあるのは利便性とリスクの表裏一体です。利便性が高まって統合性が高まれば、当然悪いことを考える、目的外に使おうとする人たちは使いやすくなるということになりますので、そのリスクを持ちながら、それをいかにヘッジできるのか、今日議論いただいているような内容を、きちんと詰めていく必要があると思っています。

もう一つコメントさせていただきたいのは、今日は非常に冷静なご議論をいただいていると思うんですけれども、マイナンバーとマイナンバーカードについては国民の間でもグチャグチャな議論になっておりまして、マイナンバーカードというのはあくまでも、個人認証しているだけの仕組みなんですね。なので、特段、カードの中に何か情報が入っているわけではありません。私は私で、山田太郎だということを証明するだけのものであります。ただ、マイナンバーカードそのものに、私は政務官になったときにこれは相当指摘したんですけれど、住所が書いてあったりとか、顔写真が貼ってあったりとか、別にデジタルで個人認証するんだったら何にも書いてなくていいものが、記載されている。さらに言えば、多分今後は、来年以降そうなんですが、スマホ搭載という形になっていきますので、強制的に持たせたり、持ち歩いたりということが、本来必要なのかどうか。

加えて、隠さなければいけない番号が裏面にばっちり書いてあって、灰色の目隠しがされているビニールカードに入れてしっかり管理してくださいというようなことが言われて——うちの母親などはマイナンバーカードを落としたり見られたりしたらいけないということで、銀行の貸金庫にしまってあるという、信じられないような状況にありますが——いわゆるアナログの世界でも国の最高の個人認証の身分証にし、さらに欲張って、デジタルの世界でも個人認証の仕組みとして、デジタルなのに持ち歩かなければいけないという結構中途半端な状況にあることは間違いがないと思っています。そういったところは是正していく必要があるだろうと思っております。

もう一つ、マイナンバーに関しては、ご指摘のとおり、三分野を超える場合に関しては、ちゃんと法的担保をしていく必要があるだろうと思います。かなり色々な分野で使っていきたいと議論しているようですので、来年の法改正等を含めて、その辺の法律審議というのは、これからやるのだと思っています。

ただ一方で、先ほど少し申し上げましたが、日本の場合は、致命的なところがカナ情報が正ではないというところで、例えば「さいとう」の「さい」の漢字などは一〇〇種類ぐらいあると言われたりもします。そういう意味で、漢字を中心として読み方が安定していない中で、個人を一意に特定しようとするとなると、このような日本における特殊性というのもあるんですけれど、マイナンバーの有効性は高いということもあります。また、マイナンバーに代わるものがあるのかという議論も必要なんだろうと思っておりまして、その辺りをしっかり分解して、何が問題なのか、利便性が高まれば、必ずそれと同じぐらいリスクが高まる、そのリスクをいかにヘッジしていくのか、といったところが、これからの議論であると思っています。

コーディネーター　マイナンバーをどう利便性との関係で使っていって、なおかつ名寄せなどによるプライバシー侵害を防いでいくのか、今後とも議論させていただきたいと思います。

それでは次に、デジタル庁によるデジタル政策による利便性への期待と懸念を、討論の論点とします。今回実行委員会では、過去にとられてきた政策が表現を変えて繰り返し出てきているように見えたということで、一九九四年以降、三〇年に及ぶ国のＩＴ政策、ＩＴ戦略を検討しました。その結果について、三点ほど問題点を指摘したいと思います。

第一に、三〇年に及ぶＩＴ戦略を、どのように踏まえて、何をどう修正し改善していくのか、その効果をどう検証していくのかというＰＤＣＡサイクルがあまり回ってないのではないのか、ということです。国民にきちんと説明がされてないのではないのか、情報公開が不十分なのではないのかというのもその一環だと思います。

第二に、先ほど来の自己情報コントロール権の意味内容、それをどれぐらい保障していくかということも絡むんですけれども、デジタル社会を形成するための一〇原則の二番目に、公平・倫理というのが掲げられています。この内容としては、データのバイアス等による不公平な取り扱いを起こさないこと、個人が自分の情報を主体的にコントロールできるようにすること等により、公平で倫理的なデジタル社会を目指すと説明されています。しかし、実際に作られた法律や施策では、自己情報コントロール権の保障という観点が弱いのではないかという疑問があります。そして、ＧＤＰＲなどでも保障されているようなプライバシー・バイ・デザイン、つまり設計段階から組み込まれるプライバシー保障の原則が、きちんと位置づけられていないのではないかという疑問があります。

そして第三に、コロナ禍においても、ＣＯＣＯＡやマイナンバーカードが、国が思っているほど普及しませんでした。これは、やはりメリットが分かりにくいことや、提供したデータがどの範囲で利用されているのかが分かりにくいという不安感が原因ではないのかと思います。後者は、プライバシーをしっかり守るという法制度の整備をしていかないと乗り越えられないのではないかと考えております。

では、この論点につきまして、まず山本さんのほうからお願いします。

山本　今、我が国のデジタル化どうあるべきかという話がありましたけれども、現状としては、目立っている方向性と目立っていない方向性があるのではないかと思っています。

目立っている側面の一つは、インフラとしてのデジタル化、とにかくインフラを整備するという、ある種手続き的、手段的な部分です。もう一つが、インフラとしてのデジタル化を進めていく上で、官民連携が欠かせなくなってきているという点です。インフラとしてのデジタル化を進める上で、官民がある種のパートナーシップを結ぶこと自体は、否定できません。やはり専門的な技術が求められるので、政府にそれだけの技術、あるいは知識があるのかというと、なかなか難しい。そうすると民間を頼らなければいけない。しかし、その関係性がべったりしてきますと、やはり官としてはパートナーである経済界、あるいはプラットフォーム企業の利益というものに配慮せざるを得なくなってきます。今日はプロファイリング、アテンションエコノミー、それからフィルターバブル、エコーチェンバーのような問題が指摘されたわけですけれども、こうした配慮によって、なかなかこういった領域に踏み込みづらくなってきているのではないかなと思います。

目立っていない方向性としては――もちろん取り組みは進んでいると思いますけれども――命を守るためのデジタル化。これは例えば、児童虐待の世帯予測等ですが、これも当然、アルゴリズムのフェアネスとかＡＩの倫理性に関わる問題、差別を再生産しないかなど、色々な問題があります。これらを十分意識しつつも、児童虐待等が繰り返され、報道もデジャブ感がある中で、デジタルを使って命を守っていくという姿勢が重要だと思います。しかし、産業振興の方が目立ってしまい、あるいはそちらのイメージが強くなってしまい、弱者保護や包摂のためのデジタル化という議論がいまいち盛り上がってこない。

民主主義とか、インクルージョン、ダイバーシティの実現手段として、デジタル化を位置づけるという視点が弱いわけです。こういう部分が、日本ではなかなか見えてこない。これは台湾の例もありますが、何のためのデジタル化かという議論が本来は重要であるはずなのに、日本ではだいたい効率化とか経済合理性の話になってしまう。私は、憲法価値の実現のためにデジタル化があるのではないか、と考えています。この順序を明確にしなければ、なかなか国民はついてこないのではないかと思っています。こうした観点からも、何より情報自己決定権、あるいは自己情報コントロール権の確立が重要なのではないかと思っています。

デジタル基本権について、今日もどこかでお話がありましたが、EUは今年の一月にデジタル権利及び原則に関する宣言というものを出しまして、デジタル化を踏まえて、基本的人権をいかにアップデートすべきかという文書を策定しております。また、アメリカでも、昨年一〇月にAI権利章典（AI Bill of Rights）というものを提案しています。こうした、デジタル化を踏まえた基本的人権のアップデートという「憲法論」が、日本では極端に少ないのではないかと思っておりまして、この辺りも今後の課題になってくるのかなと思います。

シンポジウムの様子

コーディネーター　若江さんの方から、時間的にほんの一言で申し訳ないのですけれども、教育に関するデジタル化の問題について、ご発言いただけますでしょうか。

若江　デジタル庁や文科省などがまとめた教育データ利活用ロードマップを取材したときに、少し不安に感じるところもありました。例えば、ＡＩ型の教材が積極的に評価されていたんですけれども、今、ＡＩ型の教材というのは、算数のような比較的答えが出やすいものだけではなくて、五教科すべて、社会とか国語とか、人間の価値観に影響する分野でも導入されつつあるわけです。しかし、ＡＩの考える良い人間というのは、過去のデータを基にして考えられているわけですから、過去の「優等生」を基準として効率的に育てるに良いかもしれないですけれども、未来に向けたいい教育になるかというのは分からないなと、そこら辺のきちんとした議論も、まだ足りていないのかなと思ったりしました。

コーディネーター　せっかくですので、最後に山田さんのほうから、今の問題提起について、一言ご意見をいただいて締めていきたいと思います。

山田　教育についてもたくさん言いたいことがあったんですけれども、最後ということであれば、今日の議論を通じて非常に重要だと思っていることについて発言させていただきたいと思います。すなわち、申し訳ないのですけれども、情報基本法が、日本にはないんですよね。

日本における議論では、情報公開がどうあるべきか、情報保護の問題、情報保存の問題、アーカイビングの問題、これらすべて最終的な方針であって、戻るところがないんですよね。同時に、情報の自己決定権や所有権の問題についても、情報基本法のようなものがない中で、単に利便性とか、課題を解決しなければいけないというアドホックな形で、デジタルの力で何か解決しようという追いかけっこをしてきてしまった、と。これまでの三〇年を振り返ってのお話がありましたけれども、情報に対するあり方や課題というのが一通り出そろっていると思いますから、ここでしっかり、情報に対する基本法を捉えた上で、我が国としてどうあるべきなのかを詰めていかねばならないと思います。EUとも対抗、ないし寄り添っていくのかもしれませんけれども、そういった意味でも、基本的な部分をそろそろ詰めて立てなければならないのではないか、と。

その過程において、教育へのAI導入のあり方、何が問題で、何が有効で、限界なのかということを含めて、例えば人工知能との付き合い方だったり、著作権との関係だったりと、全然解けていない問題がたくさんありますので、そういったことを考えていければ、と。したがって、この基本法の構築について、実は急がなければならないのではないかと、私自身はすごく問題意識を持っています。

コーディネーター　今後、さらに皆さんとの意見交換をさせていただければと思います。それでは、これでパネルディスカッションを締めさせていただきます。どうもありがとうございました。

第4章 プライバシー権保障のための仕組み

第1節　デジタル社会が傷付ける個人の尊厳——プライバシー、自己情報コントロール権及び自律を哲学する

第1項　現代のプライバシー権が守るもの

現代のプライバシー権は、「私事を隠すための権利」というだけでなく、人格的自律（個人の尊厳）や表現の自由を守るための権利として理解されるべきである。つまり、プライバシー権は、個人の尊厳や表現の自由を基礎とする民主主義と密接に関係しているのである。

政治思想家ハンナ・アレントは、その代表的著書『人間の条件』（一九五八年）において、近代の「社会的なもの」が押しつける画一主義から私たちの個性（人格的生存）を守るプライバシー領域の重要性を示唆した。すなわち、アレントによれば、古代ギリシアの市民の生活においては、公的領域は言論など個性が尊重された自由な領域である一方、私的領域は人間の動物性を隠すべき領域に過ぎなかった。ところが、近代になると、「社会的なもの」として国民国家が登場した。この国家権力は、私たちの個性を制限して画一化し、公的領域から多くの自由を排除し、それらを私的領域に追いやった。このようにして、近代の私的領域は著しく豊かなものとなり、国家権力から制限されずに、人格を自由に発展させるために不可欠なプライバシー領域となった。

このプライバシー領域で守ろうとしていたものが人格的自律や表現の自由であった。そして、この

プライバシー領域は、デジタル技術の発達によって普及したインターネット社会において、多様な言論活動の領域までをも含むものとなったと言えよう。プライバシー権が守る領域とはこのように広い領域なのである。

このようなプライバシー権の理解を前提にすれば、プライバシー権侵害の典型がプライバシー領域へ介入する「監視」であるということも想像しやすいだろう。そして、この場合の「監視」には、アレントが「ノーマンルール」（無人支配）と表現したように、監視者が必ずしも存在するわけではない。にもかかわらず、人々は常に監視されている可能性を認識する。監視社会の実現にはそれで十分なのである。

第2項　自己情報コントロール権

典型的なプライバシー権侵害である監視は、主としてプライバシー情報の取得・収集であった。しかし、デジタル社会の発展は、取得された莫大なプライバシー情報を関連づけ、データベース化し、解析による行動予測（プロファイリング）などの利活用することも可能にした。そして、通常、本人はそのようなデータベース化を知らず、知ったとしてもどうすることもできない（個人の脆弱化）。そして、データベース保有者は、支配しようとする相手方の自由意思が従う法則を探知し、それを利用することができれば、その相手方を意のままに操ることが可能となる。これは、個人の人格的自律（個人の尊厳）や民主主義にとって由々しき事態である。

その例がケンブリッジ・アナリティカ事件である。同事件では、フェイスブック利用者の個人データが収集・解析され、投票行動の操作に利用されていたことが明らかになったが、これは自己情報の無断利活用である。そして、無断利活用を阻止できなかった結果、フェイスブック利用者の投票行動、つまり投票に対する自由意思が操られた可能性がある。

このように、現代のデジタル社会においては、個人の人格的自律（個人の尊厳）や民主主義を守るためには、プライバシー情報の取得・収集の段階のみならず、保存・利活用という情報処理の全過程におけるコントロールが必要とされ、自己情報コントロール権という考え方が定着してきた。

第3項　ビッグデータ社会がもたらす自律的思考の退化

自分の頭で考えること、すなわち自分で判断基準を定立し、それに従って理論的に思考し、結論を出すということの重要性を強調した哲学者はカントであった。それは当時の経験論が、習慣的に観察される経験的事実に引きずり回され、理論的思考を欠いた経験的事実をそのまま普遍的真理として認識してしまう危険があったからである。つまり、いかに膨大なデータによって基礎づけられた法則であっても、思考を介さずにそれを普遍的法則と解することは、誤謬を生み出す危険があるのである。

とはいえ、膨大なデータを思考によって解析するのには時間と手間がかかる。他方、デジタル社会の発展が生み出したビッグデータが示す事実的因果関係は客観的なものである。こうして、人間たちは自らの自律的思考能力を使用する手間を省き、ビッグデータが示す客観的な結果に盲従してしまう傾向が生まれてしまい、ときに個人の尊厳を損ない、差別を生じさせかねない。

山本龍彦教授著の『おそろしいビッグデータ』（朝日新書、二〇一七年）によれば、ビッグデータが発見したとされる、私たちの思考によってはにわかには理解しがたい相関性の例がいくつか挙げられている。例えば、カーリーフライポテトを好む人はスティックタイプのポテトを好む人よりも知能指数が高いというものや、黒人の刑事被告人の方が白人の場合よりも再犯率が高いといったものである。これらはビッグデータによる解析結果というのであるから、いずれも莫大なデータによって客観的に基礎づけられているものと思われる。

これらの解析結果が生み出す問題は明らかであろう。とりわけ後者は不当な黒人差別を生み出すに違いないであろう。その原因はもちろん、ビッグデータが示す事実の意味を思考によって基礎づけようとする作業を省くことによるものである。すなわち、黒人の再犯率の例の場合、その原因が肌の色ではないことは明白であり、おそらく、差別や貧困や生活環境などが原因であろう。にもかかわらず、黒人の刑事被告人の方が白人の場合よりも再犯率が高いという事実がビッグデータによって普遍的法則であるかのように認識されれば、許しがたい人種差別思想を生み出しかねないのである。

自律的思考は、アレントによれば最高の人間性を示すものではないとしても、動物的条件反射よりはずっと高い人間的な価値が認められるものであろう。実際、カントの時代にはこのような自律こそが人間の尊厳の中心的要素であると考えられていたのである。ところがデジタル社会の発展により生まれたビッグデータ社会は、このような人間の自律的思考能力を奪う危険性を孕んでいるのである。

第2節　国内の法制度の現状と課題

第1項　個人情報保護法

①個人情報保護法とプライバシー保護

個人情報保護法は、二〇〇三年五月二三日に制定され、二〇〇五年四月一日に完全施行された。その後、同法は、二〇一五年九月に全面的な改正がなされ（二〇一七年五月三〇日完全施行）、二〇二〇年六月五日及び二〇二一年五月一二日にも大幅な改正が行われたが、改正を経るごとに、プライバシー情報を保護する判例理論についての注意が薄れ、個人情報保護法さえ遵守していればプライバシー侵害ではないかのような誤解すら生まれている。

個人情報保護法は、「個人情報の有用性に配慮しつつ、個人の権利利益を保護すること」を目的としている（一条）。「有用性に配慮」した結果、同法の基本的な考え方は、個人情報の収集（取得）及び利用について、本人（情報主体）の個別同意を原則不要とし、個人情報取扱事業者に対して利用目的の通知・公表（二一条）、不適正取得及び本人同意のない要配慮個人情報の取得の禁止（二〇条）、本人同意のない目的外利用の禁止（一八条）、不適正利用の禁止（一九条）といった義務を課すにとどまる。つまり、同法は、利用目的を公表しておきさえすれば、本人からの同意を個別に取得することなく、その目的の範囲内での利用が許されるという仕組みをとっているのである。

個人情報保護法は、それが誰の情報であるかが特定される個人識別情報でありさえすれば、最小限度の一律な取り扱いを求めることとして、その個人識別情報に対し、最小限度の保護を図った法律である。

同法は、①適用対象となる情報の範囲が、判例理論で争いのないプライバシー情報（一般人の感受性を基準にして、他人に知られたくない私的なことがら）よりも広げられ、単なる本人識別情報にまで拡張されている反面、②プライバシー情報であれば、第三者提供等に対しては本人同意が求められているところ、事前に個人情報の収集目的、利用範囲等を公表しておけば、本人同意がなくとも利用してよいとして、プライバシー情報より保護の水準が下げられていること、に特徴がある。

同法の制定・施行により、プライバシー情報であっても、事前の同意なく利用してよいこととされたわけではないし、同法はプライバシーの保護水準を引き下げるものでもなく、判例理論を修正する特別法でもない。同法は、必ずしもプライバシー情報とはいえない単なる個人識別情報という広い範囲での個人情報の処理に関して底上げを図っているが、本来プライバシー保護のための手段であるべき個人情報の保護に向けた形式的手続の遵守が自己目的化して、プライバシー侵害を招かないよう注意する必要がある。

その後、個人情報保護法は、二〇二〇年六月五日及び二〇二一年五月一二日に大幅な改正が行われた。以下では、これらの改正を踏まえた個人情報保護法を概観しながら、未だに残る課題を明らかにする。

②自己情報コントロール権の保障の不十分性（憲法的価値理念の不十分性）

（1）自己情報コントロール権の保障が法の目的になっていない

個人情報保護法一条は、「……個人情報の有用性に配慮しつつ、個人の権利利益を保護することを目的とする」と同法の目的を定めている。そして、同条の「個人の権利利益」は、個人の人格的な権利利益と財産的な権利利益の双方を含むものと解されている。

しかし、「個人の権利利益」というだけでは、デジタル社会における個人情報の利活用に対応して保護されるべき個人の権利利益とは何なのかが曖昧になってしまう。この点、同法三条では「個人情報は、個人の人格尊重の理念の下に慎重に取り扱われるべきものであることに鑑み、その適正な取扱が図らなければならない」との基本理念が示されているが、それだけではやはり「個人の権利利益」が何であるかを明確に示すには至っていない。

プライバシー権や自己情報コントロール権は、人間の尊厳に関わる重要な権利であり、個人の人格的自律や民主主義を守る上で不可欠の権利である。このようなプライバシー権や自己情報コントロール権の背景にある憲法的な価値理念を個人情報保護法の目的に据えてこそ、デジタル社会において経済合理性や効率性の論理で進む個人情報の利活用から、個人の権利利益を保護するための防波堤ができる。山本龍彦教授は、「個人情報保護の目的は、『個人情報を保護すること』にあるのではなく、個人が主体的に自らの人生をデザインする自由、人生をやり直す自由、集団的属性によって短絡的に能力などを評価されない自由（以上はいずれも『個人の尊重』原理と関連している）を守ること、あるいは民主主義を維持・発展させることにあるのである」と述べ、「個人情報保護法もまた、経済秩序において、このような憲法の価値理念を——経済合理性とある程度調和するようなかたちで——実現していくという、憲法上の目的をもった『憲法具体化法律』の一つと考えられるのである。」と結んでいる（前記『おそろしいビッグデータ』一六五頁）。

個人情報保護法一条には、このような視点が十分に盛り込まれているとは言えない。憲法的価値理念を示す意味でも、自己情報コントロール権の保障を明記すべきである。

（2）裁判例及び条例

もっとも、個人情報保護法は、第三者提供に際しての本人同意原則（二七条一項、二八条、三一条一項）、利用目的の通知の求め（三二条二項）、開示請求（三三条、七六条）、訂正等請求（三四条、九〇条）、利用停止等請求（三五条、九八条）、目的外利用・提供に際しての本人同意原則（六九条二項一号、七一条一項）などの規定により、限定的ではあるものの自己情報コントロールの仕組みを導入している。

そして、かかる規定の存在を根拠に、自己情報コントロール権の法的権利性を認めた裁判例もある。すなわち、自衛隊情報保全隊市民監視事件において、仙台地判二〇一二年三月二六日（判時二一四九号九九頁）は、「遅くとも行政機関個人情報保護法が制定された平成一五年五月三〇日までには、自己の個人情報を正当な目的や必要性によらず収集あるいは保有されないという意味での自己の個人情報をコントロールする権利は、法的保護に値する利益として確立し」たと判示した。また、同事件の控訴審である仙台高判二〇一六年二月二日（判時二二九三号一八頁）も、「個人情報保護法制の整備が進められた平成一五年から平成一六年当時においても、行政機関が取得、保有した個人に関するどのような情報がプライバシーとして法的保護に値するのか、行政機関のどのような行為がプライバシー侵害を構成するかなどを検討するに当たっては、自己情報コントロール権の考え方、また、個人の権利利益の保護をも目的としつつ行政機関としてあるべき姿を示した考えられる行政機関個人情報保護法の定め（同法三条等）は斟酌されるべきものといえる。」と判示した。

最高裁も、早稲田大学名簿提出事件（最判二〇〇三年九月一二日／民集五七巻八号九七三頁）において、情報法制におけるプライバシーの概念を明記して、個人情報がプライバシーに係る情報として法的保護の対象となることを宣明し、住民基本台帳ネットワークシステムの憲法適合性が争われた最判二〇〇八年三月六日（民集六二巻三号六六五頁）において、「何人も、個人に関する情報をみだりに第三者に開示又は公表されない自由」が法的保護の対象になることを示した。

他方、地方公共団体においても、目的規定に「自己情報コントロール権」（八幡市個人情報保護条例一条）、「自己の個人情報を管理する権利」（国立市個人情報保護条例一条、草加市個人情報保護条例一条）、「個人の自己情報に関する権利」（春日市個人情報保護条例一条）を明記したり、前文に「個人が自己に関する情報を自ら実効的にコントロールできるようにすることが必要である」（大阪府個人情報保護条例）、「個人情報について、個人が自らコントロールする権利を実効的に保障」（沖縄県個人情報保護条例）することを明記している例が見られた。しかし、これらの条例は、二〇二一年法改正に伴う制改廃によって、権利の明記が消失した（八幡市個人情報保護条例には現在も権利の明記があるが、確認できる同条例の最終改正二〇二二年三月三日となっているため、二〇二一年法改正を踏まえたものではないと思料される）。

③クッキー情報等への規制

（1）クッキーについて

クッキー（Cookie）とは、端末（パソコンやスマートフォン、タブレット等）に自動的に記録・蓄積されていくデータ（端末識別子）である。クッキーは、ウェブサイト管理者が当該サイトの閲覧者が使用する端末のブラウザ（グーグルクロム等の閲覧ソフト）を通じて当該端末に記録するものであることから、クッキーごとに異なるＩＤ、閲覧日時等が記録されることになる。クッキーにより識別できるのは、当該サイトの閲覧に使用された端末のブラウザが同一であることにとどまり、それだけでは特定の個人が識別できるとはいえない。しかし、ウェブサイトにおいて、特定の端末から閲覧した者がインターネット上のサービスを利用するためにアカウントを登録（ユーザーＩＤ、パスワード、その他個人情報を登録）した場合には、当該ウェブサイトの管理者はアカウントに登録された個人情報とクッキーとを照合することにより、閲覧履歴等の情報が特定の個人に関するものであることを識別可能になる（個人データに該当）。

また、クッキーの突合によって複数のウェブサイトの閲覧履歴を把握して、閲覧者の関心事、嗜好等を分析するデータ・マネジメント・プラットフォーム（ＤＭＰ）が利用されている。この代表例は、広告事業者が複数のウェブサイトに共通のタグ（JavaScriptのタグや画像タグ）を設定することで、同一の端末から複数のウェブサイトが閲覧された事実を認識することを可能にし、そうして得られた情報（ある端末はA社とB社とC社のウェブサイトを閲覧しているという情報）をA社に販売するというものである。この場合、広告事業者は、当該端末の使用者を特定できないため、広告事業者が保有する情報は個人データに該当しない。しかし、A社はA社のウェブサイトを閲覧したときに記録されたクッキーと共通タグを紐づけることができ、かつ、アカウント登録されている個人情報と照合することで、特定の個人がB社とC社のウェブサイトを閲覧していたことを認識することが可能となる。その結果、本人の意思に反して、多数の閲覧履歴等の情報がウェブサイト管理者に取得されてしまう。

(2)「個人関連情報」による第三者提供制限

個人情報保護法は、保護の対象となる個人情報を「生存する個人に関する情報」であって、「特定の個人を識別することができるもの」又は「個人識別符号」と定義しており（法二条一項）、個人を識別ができることが要件とされている。そして、個人を識別できるかどうかは、提供先ではなく提供元を基準にして判断するという運用となっている。そうすると、提供元では直接個人を識別できるものではないが提供先では個人を識別することが可能であるという情報については、法によって保護される対象ではないということになる。

しかし、技術の進展とともにインターネット上のユーザーデータの収集、蓄積、統合、分析を行うＤＭＰと呼ばれるサービスが普及してくると、直接に個人を識別できなくても、提供先においてその情報と他の情報とを照合することによって、個人を識別できる情報を得ることが可能になった。前記（1）のクッキーがまさにそれに当たる。

そこで、二〇二〇年改正個人情報保護法は、このような個人を識別することが可能である情報について、個人関連情報（法二条七項）と定義して新たな規制を行うこととした（法三一条一項）。すなわち、個人関連情報とは、生存する個人に関する情報であって、個人情報、仮名加工情報（法二条五項）及び匿名加工情報（同条六項）のいずれにも該当しないものと定義された（同条七項）。そして、これに該当する情報については、第三者に提供することにより提供先において個人データとして取得することが想定されるときには、提供にあたり、データ主体の同意が必要とされる（法三一条一項）。

個人関連情報の第三者提供制限（法三一条）により、リクナビ事件のような第三者提供の同意取得を回避する情報提供サービスを規制することが可能となる。

しかし、個人関連情報の第三者提供制限（法三一条）は、「第三者が個人関連情報を個人データとして取得することが想定されるとき」に限定しているため、一般人の認識を基準として個人データとして取得される可能性が高くない場合には同条の規律が及ばない。したがって、このような場合には、個人関連情報が転々流通する中で収集結合され、どの時点かで特定個人と識別されてしまうおそれは残る。

また、そもそも、クッキーが個人情報に該当しないことから、事業者がクッキーを取得することについての規制は及ばず、本人（データ主体）の同意なく取得可能となる。他方、本人は、クッキーのような個人情報に該当しない自己の情報が、どの範囲でどのように利用されているのかを確認する術がない。

④事業者のプロファイリングについて

個人情報保護法は、プロファイリングについて正面から規定していない。

プロファイリングとは、GDPRの定義に従えば、自然人に関する一定の個人の特性を評価する個人データの自動処理の形態を意味する。リクナビ事件では、就職情報サイトのデジタルプラットフォームがアルゴリズムによって算出した内定辞退率を、本人の同意なしに、契約企業に対して提供していたが、この内定辞退率の算出もプロファイリングの一つである。

プロファイリングは、個人の様々な行動記録（購買履歴や閲覧履歴等）から当該個人のセンシティブ情報（要配慮個人情報（例えば、病歴・健康状態、思想信条等））を予測するが、個人情報保護法にはこれを規制する規定がないため、民法の不法行為（人格権侵害）として位置づけられる余地はあっても、個人のプライバシー保護は十分ではない。

⑤自己情報コントロール権を実質化するための権利の不十分性

(1) 個人情報保護法の規定

前述したとおり、個人情報保護法は、第三者提供に際しての本人同意原則（二七条一項、二八条、三一条一項）、利用目的の通知の求め（三二条二項）、開示請求（三三条、七六条）、訂正等請求（三四条、九〇条）、利用停止等請求（三五条、九八条）、目的外利用・提供に際しての本人同意原則（六九条二項一号、七一条一項）などの規定により、自己情報コントロールの仕組みを導入しているが、以下に述べるとおり十分とは言えない。

(2) プロファイリングされない権利が保障されていない

個人情報法保護法ではプロファイリングに関する規定がないため、当然、プロファイリングされない権利の保障も定められていない。

(3) 削除権が十分に保障されていない

〈1〉削除権とは

「人は忘れる。しかし、インターネットは忘れない」。インターネット・デジタル社会の本質を表す言葉であろう。人が忘れることは、過去に過ちを犯した者が更生して人生をやり直す基盤にもなっていたであろう。しかし、インターネット上に過去の過ちが掲載されたままだと、人生をやり直すこと、更生することが妨げられるおそれがある。そのため、忘れられることを法的権利として保障すべきという議論が行われてきた。

スペイン国内における過去の社会保障費滞納に伴う不動産競売に関する新聞記事を検索結果から削除することをグーグル及びグーグル・スペインに対して求めた訴訟において、ＥＵ司法裁判所は、二〇一四年五月一三日、当該新聞記事の検索結果の表示がＥＵ基本権憲章七条（私生活尊重の権利）及び八条（個人データ保護の権利）に照らし、ＥＵデータ保護指令が保障する削除の権利及び異議申立権に違反するとし、「過去」を削除することを命じる判決を出した。同判決は、検索結果の表示が基本権への重大な干渉となっており、それは検索エンジンの運営者が個人データ処理において有している経済的利益のみによって正当化されるものではなく、インターネット・ユーザーの情報アクセスの利益との比較衡量の結果、検索結果の表示及びリンクは、現時点において、当該情報の処理の目的との関係において、情報が不適切で、無関係でもしくはもはや関連性が失われ、または過度であるようにみられるとして、個人データ保護の権利の優越性を認めた。

その後に制定されたGDPRの下においては、市民は削除権（忘れられる権利）（一七条）を保障され、各国の独立監督機関は市民からの削除の申立（七七条）に対して調査し、事業者に命令を出す権限を与えている。実際に、EUでは、削除申立に対する独立監督機関の認容率が約四〇％となっている。訴訟手続によらず、インターネット上のプライバシー保護まで実現できている。

このように、EUでは、準司法的役割を果たす独立監督機関の存在と相まって、削除権が保障されている。

〈2〉個人情報保護法の定め

以上に対し、個人情報保護法は、保有個人データの内容が事実でないときの当該保有個人データの内容の訂正、追加又は削除請求権を定め、個人情報取扱事業者に対し、調査の結果に基づき訂正等を行うことを義務づけている（三四条）。

また、同法は、①保有個人データが利用目的による制限違反、不適正な利用禁止違反又は適正な取得違反により取り扱われているときにおける当該保有個人データの利用の停止又は消去請求権（三五条一項）、②第三者提供制限（二七条一項又は二八条）に違反したときにおける第三者提供停止請求権（三五条三項）、③当該本人が識別される保有個人データを当該個人情報取扱事業者が利用する必要がなくなった場合、当該本人が識別される保有個人データに係る漏えい等の事態で個人の権利利益を害するおそれが大きいものとして個人情報保護委員会規則で定めるものが生じた場合、その他当該本人が識別される保有個人データの取扱いにより当該本人の権利又は正当な利益が害されるおそれがある場合における当該保有個人データの利用停止、消去又は第三者への提供停止請求権（同条五項）を定めている。

このうち、③法三五条五項の利用する必要がなくなった場合は、GDPR一七条一項（a）が定める「必要でなくなった場合」に認められる削除権（忘れられる権利）に類似するものであるが、GDPRでは管理者に無条件での削除義務を定めているのに対し、個人情報保護法では「違反を是正するために必要な限度で」のみが義務の対象であり、その場合でも利用停止又は消去のどちらかを行うことで足りるのであり（同条六項）、その意味では消去権や消去義務を独立で定めているわけではない。また、GDPRの削除権は、本人（データ主体）が取扱いの根拠となる同意を撤回したときにも認められるが、個人情報保護法では同意撤回の場合における削除権は定められていない。

また、①及び③は、利用停止又は消去に多額の費用を要する場合その他の利用停止等を行うことが困難な場合であって、本人の権利利益を保護するため必要なこれに代わるべき措置をとることを許容している（三五条二項ただし書）。②は、第三者提供の停止請求権のみであり、消去請求権は定められていない（三五条三項）。

監督機関による救済についても、個人情報保護委員会には、個人からの削除申立を受理して救済をする仕組みがないため、削除を求める個人は訴訟による司法上の救済を求めるしかない。

このように、個人情報保護法では、削除権の内容や救済手続がＧＤＰＲと比べるとかなり見劣りする。これは、ＧＤＰＲでは基本権としての個人データ保護権が基底にあることを明記しているのに対し、日本の個人情報保護法では基本的人権としてのプライバシー権や自己情報コントロール権が明記されておらず、憲法的価値理念が希薄であることに由来していると考えられる。

〈３〉判例

個人情報保護法上の削除請求は限定的であるが、これとは別に、民法上の人格権ないし人格的利益に基づく削除請求は可能であり、二つの最高裁判例がある。

一つは、インターネット上で検索エンジンを提供する検索事業者（グーグル）に対して、自己が過去に逮捕された事実が書き込まれた検索結果（ＵＲＬ等情報）の削除を求めた事案である。最三小決二〇一七年一月三一日（判時二三二八号一〇頁）は、「検索結果の提供は検索事業者自身による表現行為という側面を有する」とした上で、「検索事業者が、ある者に関する条件による検索の求めに応じ、その者のプライバシーに属する事実を含む記事等が掲載されたウェブサイトのＵＲＬ等情報を検索結果の一部として提供する行為が違法となるか否かは、当該事実の性質及び内容、当該ＵＲＬ等情報が提供されることによってその者のプライバシーに属する事実が伝達される範囲とその者が被る具体的被害の程度、その者の社会的地位や影響力、上記記事等の目的や意義、上記記事等が掲載されたときの社会的状況とその後の変化、上記記事等において当該事実を記載する必要性など、当該事実を公表されない法的利益と当該URL等情報を検索結果として提供する理由に関する諸事情を比較衡量して判断すべきもので、その結果、当該事実を公表されない法的利益が優越することが明らかな場合には、検索事業者に対し、当該URL等情報を検索結果から削除することを求めることができるものと解するのが相当である。」と判示し、当該事案においては逮捕事実を公表されない法的利益が優越することが明らかではないとして削除を認めなかった。

もう一つは、ツイッター（インターネットを利用してツイートと呼ばれる一四〇文字以内のメッセージ等を投稿することができる情報ネットワーク）のウェブサイトに投稿された各ツイートに、自己の過去の逮捕事実が掲載され、それが一般の閲覧に供し続けられることは、プライバシーに属する事実をみだりに公表されない利益等が侵害されているとして、人格権ないし人格的利益に基づき、各ツイートの削除を求めた事案である。最二小判二〇二二年六月二四日は、「上告人が、本件各ツイートにより上告人のプライバシーが侵害されたとして、ツイッターを運営して本件各ツイートを一般の閲覧に供し続ける被上告人に対し、人格権に基づき、本件各ツイートの削除を求めることができるか否かは、本件事実の性質及び内容、本件各ツイートによって本件事実が伝達される範囲と上告人が被る具体的被害の程度、上告人の社会的地位や影響力、本件各ツイートの目的や意義、本件各ツイートがされたときの社会的状況とその後の変化など、上告人の本件事実を公表されない法的利益と本件各ツイートを一般の閲覧に供し続ける理由に関する諸事情を比較衡量して判断すべきもので、その結果、上告人の本件事実を公表されない法的利益が本件各ツイートを一般の閲覧に供し続ける理由に優越する場合には、本件各ツイートの削除を求めることができるものと解するのが相当である」と判示し、当該事案においては逮捕事実を公表されない法的利益が優越するものと認めるのが相当として、削除を認めた。

前者は、検索サイトにおける検索結果の提供に表現行為の側面があるという点を考慮し、削除を認めるハードルを「明らかな優越」と高く設定しているのに対して、後者は、検索サイト以外のツイッターやフェイスブックなどのSNSに残る逮捕歴等の情報の削除の場合には「優越」という一般的な比較衡量の基準を設定しており、削除が認められやすくなると思われる。

以上のように、訴訟による司法的救済は可能であるものの、削除請求の相手方を特定するという手間もあるため、相応の費用と時間を要する。その結果、削除請求を諦めて泣き寝入りしてしまうことも多く、救済に結びつきにくい。この点は、EUの独立監督機関が有している準司法的機能を日本の個人情報保護委員会が有していないという違いが、大きく影響するところである。

（4）データポータビリティ権が保障されていない

データポータビリティ権とは、本人が自己の個人データを持ち運ぶ権利であり、本人が自己の個人データを保有するA社に対して、それをB社に移転（送信）してもらう権利である。個人に自己の個人データをどこに保有させるかという選択肢を与えることにより、データ管理者間の競争を促し、ひいてはプライバシー保護を強化するサービスの発展も期待できる。
しかし、個人情報保護法にはこういった権利を保障する規定はない。

⑥個人情報保護委員会

(1) プライバシー保護のみを目的としていない

個人情報保護委員会は、個人情報保護法一三〇条に基づき、内閣府設置法四九条一項の委員会、つまり内閣府の外局として設置されている。

同委員会は、「個人情報の有用性に配慮しつつ、個人の権利利益を保護するため」という個人情報保護法の目的（一条）の下、個人情報の適正な取扱いの確保を図ることを任務とし（一三一条）、民間、行政機関、独立行政法人等及び地方公共団体等に対する監視・監督等を行う。

しかし、個人情報保護法がプライバシー権や自己情報コントロール権といった憲法的価値理念を明記していないことと相まって、個人情報保護委員会の任務も、「個人情報の有用性に配慮」しながらの「個人の権利利益の保護」という、個人情報の利活用と保護の均衡・調整を図ることになってしまっている。この点については、利活用と保護を対等に比較衡量するものではなく、個人の権利利益の保護を最重要の任務とする趣旨であるとの解説がなされているが（宇賀克也『新・個人情報保護法の築城解説』有斐閣、二〇二一年、七四〇頁）、プライバシー権や自己情報コントロール権といった憲法に由来する基本的人権の保障が明記されていない以上、個人の権利利益が有用性を理由に十分に保護されない結果となるおそれは否定できない。

実際、ＪＲ東日本が二〇二一年七月から開始した、不審者・不審物検知機能（うろつきなどの行動解析、顔認証技術）を有した防犯カメラを導入し、不審者などを探索する取り組みについて、日弁連は、「鉄道事業者における顔認証システムの利用中止を求める会長声明」（二〇二一年一一月二五日）において、ＪＲ東日本の上記取り組みは顔認証データというセンシティブ情報の収集であり、利用者の同意のない運用はプライバシー権の侵害になると警鐘を鳴らした。しかし、ＪＲ東日本は、「個人情報保護委員会事務局にも相談の上、法令に則った措置を講じています」と説明していた。つまり、個人情報保護委員会が上記取り組みにお墨付きを与えた形になっていた。これは、同委員会が個人情報の利活用に重きを置きすぎていて、プライバシー保護のみを目的としていないことによる弊害の一例と言える。

(2) プライバシー保護のための体制になっていない

個人情報保護委員会が設置されたことにより、ＥＵとの対話、交渉、省庁縦割りであったガイドラインの一本化、組織体制の強化、国際関係における窓口の一本化が図られたほか（『ジュリスト』一五五一号、二〇二〇年一一月、一五頁）、リクナビ事件のほかにも、フェイスブックへの行政指導（二〇一八年一〇月二二日）や、破産者情報のウェブサイト掲載への停止命令（二〇二〇年七月二九日）といった対応がなされるなど一定の成果も見られる。

しかし、他方で、前述したＪＲ東日本の顔認証システム利用に対する対応のように、個人情報保護委員会が適切な対応をしたとは言い難い事案も存在する。

個人情報保護委員会の職員定員は二二一名（二〇二三年度）であるところ、民間部門に加え、行政機関や独立行政法人等及び地方公共団体等を監視監督の対象に、適切かつ実効的な監督権限を行使し、プライバシー保護を図るには、現在の体制は不十分である。公正取引委員会の事務総局の定員は、九二四名（二〇二三年度）であることを踏まえると、せめて同程度の職員数が必要である。

⑦プライバシー影響評価に基づくプライバシー・バイ・デザイン

デジタル社会におけるプライバシー保護を充実させるためには、前述したとおり、自己情報コントロール権に基づく同意原則や削除権等の権利保障が必要である。しかし、これらが満たされれば、プライバシー保護が十分なものとなるわけではない。また、同意原則に反してプライバシーが侵害された場合には事後救済（損害賠償請求）による解決が図られることになるが、プライバシーは事後救済のみでは十分な救済とならない。そこで、プライバシー侵害の可能性をできるだけ低減させるための取り組みが望まれる。

その一つが、プライバシー・バイ・デザイン（ＰｂＤ）である。ＰｂＤは、あるシステムを構築する際に、事前に実施されるプライバシー影響評価（PIA: Privacy Impact Assessment）の結果を受けて、プラバシー保護強化技術（PETs: Privacy Enhancing Technologies）の検討がなされ、最終的に総合的なプライバシー保護への取り組みが達成される仕組みをいう。例えば、ドライブレコーダーが事故等の自動車への衝撃があったときにその前後の映像のみを自動的に保存し、それ以外の場合には映像の自動保存をしないという機能になっている場合、それは常時撮影録画することによって生じる乗車している者や通行人等に対するプライバシー侵害と、事故時の早期事案解明や安全対策との調和を図るものと言える。

日本では、番号法（マイナンバー法）に基づく特定個人情報保護評価制度があるものの、個人情報保護法では同様の制度は定められていない。

第2項　個人情報保護法とプライバシー保護を図る判例理論との関係

①判例法によるプライバシー保護

日本において、裁判例でプライバシー保護が最初に打ち出されたのは、『宴のあと』事件判決（東京地判一九六四（昭和三九）年九月二八日／判時三八五号七二四頁）だと言われている。そこで打ち出されたプライバシー権侵害の要件は、（1）公開された内容が、①私生活上の事実らしく受け取られるおそれのあり、②一般人の感受性を基準にして当該私人の立場に立った場合公開を欲しないであろうと認められ、③一般人に知られていないことがらであること、（2）このような公開によって当該私人が実際に不快、不安の念を覚えたこと、であった。同判決は、結論として、政治家をモデルとした小説の出版に対し、プライバシー権を「私生活をみだりに公開されないという法的保障ないし権利」とし、その侵害に対しては、民法七〇九条により侵害行為の差止や精神的苦痛による損害賠償請求権が認められるべきとの判断を示し、損害賠償請求を認めた。

プライバシー侵害が問題となるのは表現の自由との調整が争点となった事案が多い。例えば、「石に泳ぐ魚」事件で、最判二〇〇二（平成一四）年九月二四日は、「予想される侵害行為によって受ける被害者側の不利益と侵害行為を差し止めることによって受ける侵害者側の不利益とを比較衡量して決すべきである」として、「プライバシー及び名誉感情の侵害」により、小説の差止請求を認容した。また、少年実名報道事件（長良川事件報道損害賠償請求事件）で、最判二〇〇三（平成一五）年三月一四日は、「プライバシーの侵害については、その事実を公表されない法的利益とこれを公表する理由とを比較衡量し、前者が後者に優越する場合に不法行為が成立するのであるから」として、前科等にかかわる事実の公表が争点となった「逆転」事件判決（最判一九九四年二月八日）を引用し、「本件記事が週刊誌に掲載された当時の被上告人の年齢や社会的地位、当該犯罪行為の内容、これらが公表されることによって被上告人のプライバシーに属する情報が伝達される範囲と被上告人が被る具体的被害の程度、本件記事の目的や意義、公表時の社会的状況、本件記事において当該情報を公表する必要性など、その事実を公表されない法的利益とこれを公表する理由に関する諸事情を個別具体的に審理し、これらを比較衡量して判断することが必要である」として、プライバシー侵害の一般的な判断基準であることを示した。このように、他人に知られたくない私的情報を公開あるいは第三者提供されない権利としてのプライバシー権の存在及びその侵害の判断基準は、判例法で確立したものといえる。

そして、他人に知られたくない私的情報も、時代ごとに、社会の意識の変化に伴ってその範囲を拡大してきた。例えば、住居情報を保護法益として認めた裁判例（「ジャニーズおっかけマップ・スペシャル」事件・東京地判一九九八（平成一〇）年一一月三〇日、NTT誤掲載事件・東京地判一九九八（平成一〇）年一月二一日）や、講演会に参加した学生の学籍番号・氏名・住所及び電話番号をプライバシーに係る情報として法的保護の対象とした判例（早稲田大学名簿提出事件・最判二〇〇三（平成一五）年九月一二日）のように、基本的な個人識別情報であってもプライバシー侵害を認めうると理解されるようになった。

他方、公開あるいは第三者提供の段階以前である、情報の収集段階からの権利保護も認められてきた。例えば、京都府学連事件で、最判一九六九（昭和四四）年一二月二四日は、憲法一三条を引用した上で、「個人の私生活上の自由の一つとして、何人も、その承諾なしに、みだりにその容ぼう・姿態（以下、「容ぼう等」という）を撮影されない自由を有するものというべきである。これを肖像権と称するかどうかは別として、少なくとも、警察官が、正当な理由もないのに、個人の容ぼう等を撮影することは、憲法一三条の趣旨に反し、許されないものといわなければならない」として、法律、承諾、または令状がない場合の警察官による容ぼう等の撮影は、現行犯的状況、証拠保全の必要性及び緊急性、相当な方法の要件がそろわない限り許されないとした。また、最判一九九五（平成七）年一二月一五日は、外国人登録法に基づく指紋押捺について、「性質上万人不同性、終生不変性をもつので、採取された指紋の利用方法次第では個人の私生活あるいはプライバシーが侵害される危険性がある」、憲法一三条は、「国民の私生活上の自由の一つとして、何人もみだりに指紋の押捺を強制されない自由を有するものというべきであり」として、一般論としての指紋押捺拒否権を認め、これを制限する必要性、相当性を審査し、その制限が許されるとした。他人に知られたくない私的情報を収集されない自由が、肖像権やセンシティブ情報以外のプライバシー情報にまで認められるのかは判例上明らかではない。

もっとも、住基ネット訴訟において、最判二〇〇八（平成二〇）年三月六日は、京都府学連事件判決を引用して、「憲法一三条は、国民の私生活上の自由が公権力の行使に対しても保護されるべきことを規定しているものであり、個人の私生活上の自由の一つとして、何人も、個人に関する情報をみだりに第三者に開示又は公表されない自由を有するものと解される」とした。ここで示された規範は、憲法一三条の保障は肖像権だけでなく個人識別情報にまで及ぶこと、その保障は情報の収集、開示・公開にも及ぶことを示唆する。

したがって、正当性なくあるいは必要性・相当性がない状態でプライバシー情報を収集した場合にも、一般的に不法行為は成立しないというのではなく、個別利益衡量により不法行為が成立しうるとするのが判例理論と整合的ではないかと思われる。

②個人情報保護法の規律枠組み

個人情報保護法は、その保護範囲を個人識別情報とし、他人に知られたくない私的情報より広く設定し、その収集、利用等に対しては、利用目的を特定し、公表することを求めるにとどまる。もちろん、個人情報取扱事業者は収集した後の情報の正確性の確保、安全管理、開示等の義務を負うが、同法はそもそも事業者が本人に個別に利用範囲を知らせ、同意をする機会を与えないままに個人情報を収集することを妨げていない。また、そのように収集された後も、本人が容易に知りうる状態に置いていれば、本人に通知することなく第三者への提供が許される場合がある。

現在、デジタルプラットフォーマーが保有する市民の情報は、誰もが「他人に知られたくない私的情報」の程度に至っているが、その収集・利用行為について、プライバシー権保護との利益衡量を図ってもらえる機会は乏しい。その最大の原因は、個人情報保護法による保護の程度が構造的に低いこと、また、デジタル社会においては、単なる個人識別情報が、個々の閲覧履歴、移動履歴等を統合するマスターキーとなってセンシティブ性を有するに至っていることに対して、クッキー等を事前同意なしに収集・利用できないとするなどの対応をできていないことにあると思われる。

そして、二〇一五年法改正において、第一条（目的）につき、従来「個人情報の有用性に配慮しつつ、個人の権利利益を保護することを目的とする」とされていたところの冒頭に「個人情報の適正かつ効果的な活用が新たな産業の創出並びに活力ある経済社会及び豊かな国民生活の実現に資するものであることその他の」との文章が付加され、「個人の権利利益を保護する」との目的が希薄化された。さらに、要配慮個人情報という概念が導入され、「本人の人種、信条、社会的身分、病歴、犯罪の経歴、犯罪により害を被った事実その他本人に対する不当な差別、偏見、その他の不利益が生じないようにその取り扱いに特に配慮を要するものとして政令で定める記述等が含まれる個人情報」（二条三項）は、原則として同意なく収集できないこと、オプトアウトの方法での第三者提供ができないことなどが定められた。要配慮個人情報という概念の設定は、プライバシー保護のための前進のように見える。しかし、ここには注意すべき問題がある。一つは、前項で検討したように、そもそもセンシティブ情報は、同意なく取得できないことは判例理論でも承認されており、その収集や第三者提供の可否は個別の利益衡量によって実質的になされていたが、法改正の結果、法令に基づく場合など例外的に同意なく収集できる場合が列挙され（二〇条二項）、個別の利益衡量を図る機会がないまま、形式判断で同意なく収集、第三者提供ができるように読めてしまうことである。仮に、この規定が判例理論より優越するとなれば、プライバシー保護のレベルは低下することになってしまう。個人情報保護法は、あくまでもプライバシー保護を図る判例理論より一段低いレベルにおける個人識別情報全般に対する取扱いを向上させる目的の制度であるから、個人情報保護法に適合していても、比較衡量によりプライバシー侵害の不法行為が成立することはある。したがって、個人情報保護法に適合している限り不法行為は成立しないという解釈は誤りである。

もう一つは、要配慮個人情報という概念の設定は、実社会で混乱を招いているのではないかという懸念である。それは、法二〇条二項を反対解釈すると、「要配慮個人情報に該当しない情報は、すべて利用目的の公開を条件として収集してよい」との結論になり得るからである。もちろん、このような解釈は誤りだが、誤解を前提とする処理が行われないように留意する必要がある。

さらに、前述したＪＲ東日本の顔認証システムの取り組みについてお墨付きを与えた個人情報保護委員会の対応も、プライバシー保護のレベルを低下させるものであった。顔認証システムの利用は指紋を遙かに超える個人識別性を備えた顔認証データというセンシティブ情報の収集、利用の問題が含まれているから、単に個人情報保護法の適合性という問題にとどまらず、GDPRが定めるように、原則として収集は禁止されるものと取り扱うべきであり、それがプライバシー保護に関する判例理論とも適合する。数十年にわたって形成された判例理論によるプライバシー保護水準を、本来プライバシー保護に専念する機関と期待され、憲法で保障された人権を保護するために活動することが期待されている第三者機関である個人情報保護委員会が、後退させ、プライバシー侵害にお墨付きを与えていくことは、単なる運用上の誤りという問題を超えて、人権保障のシステムを揺るがす大問題であろう。

司法によるプライバシー保護のための努力や理論、司法を通じて人権保障を図るという憲法の構造を脅かさないためのシステムの再構築が求められる。

③電気通信事業法

デジタル社会の進展は、電気通信技術による情報の流通を前提にしているため、個人情報保護法による規律のほか、通信の秘密（憲法二一条二項）を保護するために制定された電気通信事業法による規律も検討する必要がある。

ケンブリッジ・アナリティカ事件では、インターネットが形成する情報空間（サイバー空間）における健全な言論環境が確保されないおそれがあるのではないか、それは健全な民主主義システムに対する脅威になるのではないかとの問題を世に知らしめた。また、リクナビ事件では、クッキー情報の取扱いが問題とされた。

そこで、日本においても、大量の情報を取得・管理・利用・提供する電気通信サービスの安定的かつ確実な提供を確保し、デジタル技術の利活用に対する利用者の不安を取り除き、多様な保護法益（ユーザーのプライバシー、自由な情報発信や知る権利、健全な言論環境、健全な民主主義システム等）の確保を図っていく必要があるとして、総務省に電気通信事業ガバナンス検討会が設置された。同検討会の前身である総務省プラットフォームサービス研究会の「中間とりまとめ」（二〇二一年九月）では、クッキー情報を念頭に、「通信サービスの利用に関わる利用者端末情報とそれに紐づく情報の保護については、「通信関連プライバシー」として保護されるべき利用者の権利として、把握されるべき」、「電気通信事業法等における規律の内容・範囲等について、eプライバシー規則（案）の議論も参考にしつつ、クッキーや位置情報等を含む利用者情報の取扱いについて具体的な制度化に向けた検討を進めることが適当である」とされていた。

しかし、同検討会の報告書（二〇二二年二月）では、当初検討されていた「利用者の事前同意の取得」という個人情報保護法では達成できていない自己情報コントロール権を実効化する内容から、「通知・公表でも可能」という個人情報保護法と同様の内容に変更され、規律の対象となる情報も「契約・登録の有無にかかわらず、全ての利用者の情報（オンライン識別子に紐づけられた履歴も含む）」から「契約・登録した利用者の情報のみ（オンライン識別子のみに紐づけられた情報は除外）」に変更されるなどし、その報告書の内容で法改正が行われた。

その結果、デジタルプラットフォームにおける情報の流通を十分に規制するものとはならず、通信の秘密の保護を通じたプライバシー権・自己情報コントロール権の保護も不十分となっている。

④独占禁止法

情報通信技術やデータを活用して第三者に多種多様なサービスの「場」を提供するデジタルプラットフォーム事業者は、革新的なビジネスや市場を生み出し続けるイノベーションの担い手になっており、消費者の便益向上にもつながっている。複数の利用者層が存在する多面市場を担うデジタルプラットフォーム事業者の提供するサービスは、ネットワーク効果、低廉な限界費用、規模の経済等の特性を通じて拡大し、独占化・寡占化が進みやすいとされている。また、ネットワーク効果、規模の経済等を通じてデータが集中することにより、利用者の効用が増加する反面、デジタルプラットフォーム事業者にデータが集積され、そのデータを基本とするビジネスモデルが構築されると、それによってさらにデータの集積・利活用が進展するといった循環が生じる。こうしたデータの集積方法として、個人情報等の取得又は利用と引換えに財やサービスを無料で提供するというビジネスモデルが採られることがあるところ、デジタルプラットフォーム事業者がサービスを提供する際に消費者の個人情報等を取得又は利用することは、消費者との取引における優越的地位の濫用（独占禁止法二条九項五号）にあたる場合があるのではないかということが検討された。

二〇一九年一二月一七日、公正取引委員会は、「デジタル・プラットフォーム事業者と個人情報等を提供する消費者との取引における優越的地位の濫用に関する独占禁止法上の考え方」を発表した。そこでは、優越的地位の濫用となる行為類型として、①個人情報等の不当な利得（利用目的を消費者に知らせずに個人情報を取得すること、利用目的の達成に必要な範囲を超えて、消費者の意に反して個人情報を取得すること、個人データの安全管理のために必要かつ適切な措置を講じずに、個人情報を取得すること、自己の提供するサービスと継続して利用する消費者に対して、消費者がサービスを利用するための対価として提供している個人情報等とは別に、個人情報等その他の経済上の利益を提供させること）、②個人情報等の不当な利用（利用目的の達成に必要な範囲を超えて、消費者の意に反して個人情報を利用すること、個人データの安全管理のために必要かつ適切な措置を講じずに、個人情報を利用すること）を挙げている。

また、「考え方」では、消費者がサービスを利用するためにやむを得ず同意した場合、「やむを得ず同意したものであるかどうかの判断においては、同意したことにより消費者が受ける不利益の程度等を勘案することとし、その判断に当たっては、個々の消費者ごとに判断するのではなく、一般的な消費者にとって不利益を与えることとなるかどうかで判断する」としている。この点について、宮下紘教授は、「従来の個人情報保護法の解釈には見られなかった同意の判断基準に一般消費者の不利益の程度が含まれたことは注目される」と指摘し、「消費者とデジタルプラットフォーム事業者との力関係を踏まえ、同意概念を予防化・構造化させるものと捉え方できる。すなわち、サービス利用と個人データ処理への同意を分離させ（分析・マーケティング目的への同意と個人データの処理への同意とを分離させる『ダブル・オプトイン』の仕組み）、同意の条件の環境整備をすることで、本人への実質的選択権を付与するものである」と述べている（判例時報二五〇三号「デジタル政策とプライバシー保護」一〇五頁)。

⑤特定デジタルプラットフォームの透明性及び公正性の向上に関する法律

二〇二〇年五月二七日に成立した特定デジタルプラットフォームの透明性及び公正性の向上に関する法律(二〇二一年二月一日施行)は、デジタルプラットフォームのうち、特に取引の透明性・公正性を高める必要性の高いプラットフォームを提供する事業者を「特定デジタルプラットフォーム提供者」として指定し、規律の対象とする法律である。

同法は、特定デジタルプラットフォーム提供者に対し、取引条件等の情報の開示及び自主的な手続・体制の整備を行い、実施した措置や事業の概要について、毎年度、自己評価を付した報告書を提出させ、また、利用者に対する取引条件変更時の事前通知や苦情・紛争処理のための自主的な体制整備等を義務づけている。

もっとも、同法は、基本理念(三条)として、デジタルプラットフォーム提供者が透明性及び公正性の向上のための取り組みを自主的かつ積極的に行うことを基本とし、国の関与や規制は必要最小限のものとしているため、プライバシー保護の観点からは限界があるといえよう。

第3節　GDPR（EU一般データ保護規則）

第1項　はじめに

第2節では日本における個人情報保護に関する法制度の課題を概観した。その課題を克服していく上で、参考になるのがGDPR（General Data Protection Regulation、一般データ保護規則）である。

EUでは、GDPRが二〇一六年四月二七日に制定され、二〇一八年五月二五日から適用が開始されている。二〇一六年欧州議会の一般教書演説において、ユンケル委員長が、「ヨーロッパにおいてプライバシーは重要な問題である。それは人間の尊厳にかかわる問題である」と宣言したが、これがGDPRの基本思想を示しており、日本国憲法一三条の理念と整合する。

GDPRは一一章、九九条から構成されているが、以下ではその主な内容を紹介する。

第2項　基本原則

①EU基本権憲章との関係――基本権としての個人データの保護

EU基本権憲章八条には、基本権としての個人データ（ここでは「personal data」の訳語として「個人データ」との用語を用いているにすぎず、個人情報保護法におけるそれとは異なる。以下GDPRについても同じ）の保護が規定されており、これを受け、GDPRが二次法として規定されている。GDPR前文一項でも、「個人データの取扱いと関連する自然人の保護は、基本的な権利の一つである。EU基本権憲章8条1項……は、全ての者が自己に関する個人データの保護の権利を有すると定めている」と規定している。このことから、GDPRが、個人データ保護という人権思想を出発点とするものであることが分かる。個人データ保護を基本権と位置づけるため、その制限は正当な理由がある場合に限り認められることになる。これは、日本における基本的人権の保障とその制限の正当化根拠（法律上の根拠と目的の正当性、手段の必要最小限度性）の考え方と共通する。しかし、日本の個人情報保護法では、プライバシー権・自己情報コントロール権を基本的人権として位置づけていないため、その制限も必要最小限度性を徹底していない。

EUにおいては、プライバシー権として理解される「私生活尊重の権利」と「個人データ保護の権利」は一般的に区別されており、EU基本権憲章でもそれぞれ七条と八条という別の条項が設けられている。私生活尊重の権利は私的事柄への過度な干渉防止の必要性から、個人データ保護の権利は自らに影響を及ぼす事柄への個人の十分なコントロールを保護する必要性から、それぞれの規定が設けられているとされるが、両者は重なり合う部分もあるとされる（宮下紘『EU一般データ保護規則』勁草書房、二〇一八年、二三頁）。

②個人データ処理に関する原則（GDPR5条）

GDPR五条は、個人データ処理に関する原則として、a　適法性、公正性及び透明性、b　目的の限定、c　データの最小化、d　正確性、e　記録保存の制限、f　完全性及び機密性を定め、個人データの管理者に対し、これらの基本原則を遵守していることを説明する責任を課している。

③処理の適法性（GDPR6条）

GDPR五条一項aに規定された「適法性」を具体化するものとして、GDPR六条は、処理の適法性について詳細に定めている。個人データの処理には、①データ主体の同意、②契約の締結・履行に必要な場合、③法的義務の遵守に必要な場合、④データ主体又は他の自然人の生命に関する利益を保護するために必要な場合、⑤公共の利益又は公的権限行使において行われる職務遂行に必要な場合、及び⑥管理者又は第三者の正当な利益の目的に必要な場合のいずれかに基づかなければならない。これらの根拠に基づかない個人データの処理は、違法となる。

①のデータ主体の同意は、自己情報コントロール権の本質的要素といえる。同意は、i 自由に与えられたものであること（例えば、同意を条件としてウェブサイト閲覧に応じる場合には、同意は自由に与えられたものとはいえない）、ii 特定された目的に対するものであること、iii 十分な説明を受けた上でのものであること、iv 明瞭であること、v 積極的行為によって表明されたものであること（例えば、同意のチェックボックスに予めチェックの入っている方式は、同意が積極的行為（自発的行為）とはいえない）といった条件を満たす必要がある（GDPR四条一一項、七条）。また、同意の撤回の自由も保障される（七条三項）。

④透明性の原則（GDPR一二条〜一五条）

（1）透明性の原則

透明性の原則とは、個人データの処理（収集、利用、調査等）及びその範囲、並びにそれらの予定について、データ主体（本人）に明らかにすることである。データ主体が自らに影響を及ぼすプロセスについて理解し、必要に応じてこれに異議を唱えられるようにしなければ、プロセスへの信頼を生み出すことはできないため、透明性の原則が要求される。

GDPRでは、五条一項aにおいて、データが適法に、公平に、かつ透明性のある方法で処理されなければならないと規定し、データが適法かつ公平に取り扱われなければならないという要件に加え、透明性も公平さの原則の基本要素としている。そして、第一二条から一五条において、透明性に関する重要な条項を規定している。

（2）透明性レポート

デジタルプラットフォーマー（DPF）は、利用者のデータがどのように収集され、どのように活用されているのかを示す「透明性レポート」を公表している。透明性レポートには、DPF事業の概要に関する事項、苦情の処理及び紛争の解決に関する事項、開示の状況に関する事項等が記載され、データ主体のみならず、データ主体以外にも明らかにされることから、透明性の確保が適切になされていることを確認するための重要な手段となっている。

EUで合意されたデジタルサービス法（DSA）では、すべてのプロバイダは、少なくとも年一回、関連する期間に行ったコンテンツモデレーション（投稿監視）について、明確で理解しやすい詳細な報告書（透明性レポート）を公表することが義務づけられている。

日本においても、デジタルプラットフォーム取引透明化法（以下、「DPF透明化法」という）において、特定DPF事業者に対し、同法九条に定める事項を経済産業省に報告する義務を課している。

第3項　諸権利

①プロファイリングされない権利

GDPRでは、データ主体の権利として、情報を受け取る権利（一三条、一四条）、アクセス権（一五条）、訂正権（一六条）、削除権（一七条）、処理の制限権（一八条）、データポータビリティ権（二〇条）及びプロファイリングされない権利（二一条、二二条）を保障している。ここでは、そのうちプロファイリングされない権利、削除権及びデータポータビリティ権を紹介する。

データ主体は、プロファイリングを含む処理が不可欠な利益に必要な場合又は公共の利益等に必要な場合に基づいてなされているときには、それに対して異議申立権を行使することができる（二一条）。また、データ主体は、自らに関する法的効果を生み出す又は同様に重大な影響をもたらす、プロファイリングを含む専ら自動化された処理に基づく決定に従わない権利を有する（二二条）。

特定の個人像を評価し、個人の労働力、経済状況、位置情報、健康、嗜好、信頼性、行動などを分析し、予測する目的で個人データを自動処理することをプロファイリングといい（宮下紘『ビッグデータの支配とプライバシー危機』集英社、二〇一七年、七三頁)、自動化された意思決定とは、人的介在なしに技術的方法によって意思決定を行う能力のことをいう。

自動化された個人に対する意思決定とプロファイリングは、利便性をもたらす反面、本人の知らないところで個人情報が収集され、寄せ集められた個人情報によりその個人の評価が行われることから、自律的・主体的に行動する自由を妨げられたり、差別されるといった不利益を受けるリスクも有する。

そこで、GDPRでは、プロファイリング及び自動化された意思決定から生じるリスク、特にプライバシーのリスクを解決するための異議申立権と専ら自動化された処理に基づく決定に従わない権利を定めた。

②削除権(忘れられる権利)

GDPR一七条の表題は「削除権(忘れられる権利)Right to erasure(right to forgotten)」となっている。そして、同条一項は、削除権(忘れられる権利)の内容として、①収集又は処理された目的との関係においてデータがもはや必要ないとされる場合、②データ主体が同意の撤回を行い、かつ当該データ処理に法的根拠がない場合、③データ主体が個人データ処理に異議申立を行い、かつ優先されるべきデータ処理の根拠がない場合、又はダイレクトマーケティングへの異議申立を行った場合、④データが違法に処理された場合、⑤EU法又は加盟国法における法的義務の履行のためにデータが削除されるべき場合、又は⑥保護者の同意に基づき一六歳未満(加盟国法により一三歳以下)の情報社会サービスの提供に関してデータが収集された場合に、データ主体は管理者から不当に遅滞することなく、自己に関する個人データの消去を得る権利を有し、管理者は不当に遅滞することなく、個人データを削除すべき義務を負う旨定めている。

また、データ主体は、管理者が削除義務を履行しない場合には、独立監督機関に無償で異議申立をすることができるとして（GDPR七七条）、権利救済を図っている。この点は日本の個人情報保護法との大きな違いでもある。

もっとも、削除権は、絶対的な権利ではなく、他の権利や自由との調整が必要な場面もある。そこで、GDPRは表現及び情報伝達の自由の権利行使の場合等一定の場合には削除権の行使が制限されると定めている（一七条三項）。

独立した監督機関による削除請求の認容率は約四〇％である。このことは、EU司法裁判所二〇一四年五月一三日判決が示した、削除されることによって保護されるプライバシーの利益と、削除されない利益とを等価的に利益衡量し、前者が上回る場合には積極的に削除が認容されていることを示している。費用や時間を要する訴訟手続によらず権利が実現されていることが重要である。

③データポータビリティ権

データポータビリティ権とは、本人がデータ管理者に提供した個人データを体系的で一般的に利用され、かつ機械で読み取り可能な形式で受け取り、また、妨害無くそのデータを別のデータ管理者に移行する権利をいう（二〇条）。例えば、本人は、A病院が保有する自己の医療データを転院先のB病院に無料で転送するよう求めることができる（一二条五項参照）。

データポータビリティ権は、データ主体が、個人データをあるＩＴ環境から別のＩＴ環境へ移動、複製又は移行することが促進されるので、管理者間の競争を促進する重要なツールとなり、ひいては、プライバシー保護を強化するサービスの発展やデータ主体によるデータ支配を高めることの促進が期待される。

第４項　独立した監督機関

ＧＤＰＲ五一条には、加盟国が規則の適用を監視する独立した公的監督機関を整備することが規定されている。この監督機関の独立性については、五二条一項において、監督機関は「完全な独立性」をもって行動しなければならないと規定し、同条二項において、各監督機関の構成員は、直接又は間接を問わず、外部からの影響を受けず、誰に対しても指示を求めたり誰からの指示も受けたりしないと規定し、さらに三項から六項（構成員の職業の制限、加盟国の人的・技術的・財政的資源等の提供義務等）において監督機関の独立性を確保するための規定が置かれている。

このように、ＧＤＰＲは、さまざまな側面から監督機関の独立性を確保するための入念な規定を置くことにより、個人データ保護の保障の実効性を確保しようとしている。

監督機関の執行権限については、加盟国の監督機関により執行権限にばらつきがあることが指摘されていたが、これを克服するため、ＧＤＰＲ五八条では、調査権限、是正権限、助言・認可の権限を有することが明確にされた。また、監督機関は、データ主体からの異議申立（七七条）を受けて調査し、救済措置を講じることができる。

第5項　データ保護影響評価、データ保護・バイ・デザイン

①概要

ＧＤＰＲのデータ保護・バイ・デザイン（二五条）は、カナダ・オンタリオ州元コミッショナーのアン・カブキアン博士が一九九〇年代に提唱した「プライバシー・バイ・デザイン」に由来する。プライバシー・バイ・デザインは、①事後ではなく事前、救済的ではなく予防的、②初期設定としてのプライバシー、③デザインに組み込まれたプライバシー、④ゼロサムではなく、win-winの関係のポジティブサム、⑤すべてのライフサイクルで保護するための最初から最後までのセキュリティ、⑥可視性と透明性による公開の維持、⑦利用者中心主義に立脚した利用者のプライバシー尊重を原則としている。

ＧＤＰＲは、二五条で「データ保護・バイ・デザイン及びバイ・デフォルト」、三五条で「データ保護影響評価」、三六条で取扱対象の情報が機微であるなどリスクが高い場合の監督機関への事前協議手続を定めている。

②データ保護影響評価

データ保護影響評価は、「処理について説明し、処理の必要性と比例性を評価し、そして個人データの処理から生じる自然人の権利及び自由へのリスクを管理することを手助けするために企図された

プロセス」と説明されている。

GDPRが特にデータ保護影響評価を実施すべき場合として定めているのは、①プロファイリングを含む自動処理に基づき、かつ自然人に関する法的効果を生み出す又は自然人に同様に重大な影響を及ぼす決定に基づいて自然人に関する個人の側面について体系的かつ広範な評価を行う場合、②センシティブ情報や有罪判決又は犯罪行為と関連する個人データの大規模な取扱いの場合、③公衆がアクセス可能な場所における体系的な監視が大規模に行われる場合である（三五条三項）。

商業上の利益、公共の利益又は取扱業務の安全性にかかわらず、管理者は、予定されている個人データの取扱いに関してデータ主体又は代理人に見解を求めることになっている（三五条九項）。

③データ保護・バイ・デザイン及びバイ・デフォルト

データ保護影響評価の結果を踏まえて、管理者は、技術水準や運用費用等を考慮し、処理の段階においてデータ処理最小限化や仮名化の措置等の適切な技術的・組織的措置を講ずるものとされ（GDPR二五条一項）、また、初期設定において利用目的を超えて個人データが処理されないように適切な技術的・組織的措置を講ずるものとされている（同条二項）。

第6項　十分性認定

データは国境を越えて流通するため、個人データの保護を確保するためにはEU域内のみならず、その域外においてもEU域内と同等のデータ保護を確保することが求められる。そこで、EU及びE

ＥＡ（欧州経済領域）からの個人データの第三国又は国際機関への移転については、当該第三国又は国際機関が欧州委員会による十分性（保護の十分な水準確保）の認定を受けていることが必要とされている。十分性を認められた国等については、少なくとも四年ごとの定期的な審査を要求されている（ＧＤＰＲ四五条三項）。

データの第三国への「移転」は、特定の名宛人に対しデータを移転する場合が基本であるが、クラウドコンピューティングについては、ＥＵ及びＥＥＡに設置されたクラウド提供者のネットワークからデータを移転されたものを域外移転であるとみなした上で法的規律を課している。

日本は、二〇一九年一月二三日、欧州委員会から、個人情報保護法、同法に係る補完的ルール並びに公的な説明、保証及び公約を表明した文書に基づき、十分な保護の水準を満たしているとの十分性認定を受けた。

もっとも、日本が十分性認定を受ける過程において、日本は欧州データ保護評議会（ＥＤＰＢ）と欧州議会から様々な懸念を指摘されていた。例えば、ＥＤＰＢからは、日本の個人情報保護委員会の監視監督権限について、捜査機関が企業からの自発的な個人情報の提供を受けることについての監視の対応や自動処理とプロファイリングに関する事案の監視について懸念が示された。

また、日本の警察活動については、①逮捕されていない被疑者の指掌紋、顔写真及びＤＮＡ型データの収集が安易に行われていることや、②指掌紋データ等が不起訴や無罪判決が確定した後であっても当該人物が生存している間は消去されずに保存・利用されていること、③Ｎシステム（警察庁が管理、運営しているシステムで、日本国内各地の主要国道や高速道路を通過するすべての車両を二四時間撮影記録し、盗難車両や手配車両の確認など犯罪捜査のために利用されている）、④監視カメラや顔認証システムで取得した個人データの処理（収集の目的、収集する情報の内容、利用方法、保存期間、廃棄、被写体の利用請求権等）について法律上の根拠が無いといった問題があり、十分性認定を確実なものにするためにはこれらの課題を解決する必要がある。

第4節　今求められる法制度

以上を踏まえて、日本国内の法制度の課題克服に向けた提言を以下に述べる。

第1項　自己情報コントロール権の明記

ＧＤＰＲは、「人間の尊厳」を基調とするＥＵ基本憲章において規定された個人データの保護への権利を具体化するものである。個人の尊重の理念を憲法価値とする日本国憲法の下においてもプライバシー権ないし自己情報コントロール権は憲法一三条により基本的人権として保障されると解される以上、日本においてもＧＤＰＲ並みの個人データに関する具体的権利が保障されて然るべきである。

そして、それを実効的なものにするには、まず、個人情報保護法に自己情報コントロール権の保障を明記して、基本理念を明らかにすべきである。

第2項　デジタルプラットフォーマー（ＤＰＦ）への規制

①規制の必要性

ＧＡＦＡＭのように世界規模で展開しているＤＰＦは、世界中の個人に関するデータを収集・集積しているため、データの独占化・寡占化が進みやすい一方で、そのようにして収集され結合された個人データは監視の対象となったり、個人の行動を操作することにもつながる。それ故、個人データを保護し、個人の人格的自律を確保するための規制の必要性が求められている。

プライバシー保護をＥＵ並みに引き上げるためには、個人情報保護法をＧＤＰＲ並みに引き上げることを目指していくべきことになる。しかし、既に多くの市民が利用しているＧＡＦＡＭのような巨大なＤＰＦについては、日本で生活しているという理由でＥＵよりもプライバシー保護の水準が劣るのは適切ではないため、早急にＥＵで適用されているＧＤＰＲ並みのプライバシー保護法改正に先行して、ＤＰＦが規制対象となる電気通信事業法の早急な改正が求められる。

実際、電気通信事業法改正論議の中でもクッキーに対する事前同意を求める規制が検討されていた。しかし、規制に反対する事業者の強い反対により、その改正は実現されず、不十分な改正にとどまってしまった。そこで、改めて早急に同法を改正するなどして、以下に述べるようなＤＰＦ規制の導入を図るべきである。

②クッキーを始めとした、市民のデジタル社会における行動履歴を同定し得る情報については、事前同意を要件として取得し、同意が得られない場合もサービスから排除しないこと

ＤＰＦへの規制を考える上で、まず確認すべきは自律的な個人であることを確保するための自己情報コントロール権の実効化である。自己情報コントロール権の基本は自己の情報の処理に関する同意であり、これはＧＤＰＲでも原則とされている（事前同意原則）。

クッキーは、それ自体では個人を識別するものではないが、他のデータと結合することで個人を識別することも可能となるため、プライバシー保護のための規制の必要性がある。ＧＤＰＲでは、クッキーのようなそれ自体では個人を識別するものではない情報も個人データとして保護の対象とし（四条一号）、事業者がクッキー情報を含む個人データを処理するには本人（データ主体）の同意が必要とされている（六条）。

しかるに、日本では、利用目的さえ公表しておけば個別同意を取得することは原則として不要とされており、「個人関連情報」として改正された点を除いて、クッキー情報についての同意を要求する明確な法令の規定が存在しないため、同意原則は徹底されておらず、同意なく第三者に提供されている場合も多い。また、独占禁止法二条九項五号の優越的地位の濫用として規制する方法もあるが、それもクッキー情報を十分に規制するものでもない。したがって、クッキー情報に事前同意原則を適用するよう電気通信事業法の改正がなされるべきである。

また、同意をしないことでサービスから排除されることは、事実上同意を強制するものとなるため、そのようなことがないよう、市民の側において拒否を行う自由の余地を認め、真に任意性のある同意が可能となるようにすべきである。

③収集している個人情報のみならず、個人識別可能性の情報についても、その種類、利用範囲を明示し、利用結果、第三者提供の結果についての公開を図ること

前記②で述べたように、GDPRは、保護される個人データの範囲を識別可能なすべての情報としているため（四条一号）、他の情報（会員登録情報等）との照合によって個人識別が可能なクッキー情報等も個人データとして保護の対象となる。そして、GDPRは、個人データとして保護の対象となるクッキー情報についても、その収集、利用、調査又はその他の方法で処理されていることや、どの範囲で処理されているか、また処理される予定であるかについてデータ主体に透明性が確保されること（透明性の原則）などを定めている。その結果、データ主体は、自己のクッキー情報がどのように利用されたのか、第三者に提供されたのかについても確認することができる。

日本の個人情報保護法においても、個人情報と個人関連情報とを峻別して異なる保護や規制を行うことには限界があるため再検討が必要であり、GDPRが定めるように、個人識別可能性のある情報についても、その種類、利用結果、第三者提供の結果についての公開を図るべきであるが、まずは早急にDPFに対する規制として導入すべきである。

④利用者に対して、プロファイリングされない権利、削除権、データポータビリティ権等ＧＤＰＲで規定されている諸権利を保障すること

プロファイリングされない権利、削除権（忘れられる権利）、データポータビリティ権は、日本の個人情報保護法で保障されていないため、これらの権利を明文化した規定を導入すべきである。

第3項　プライバシー権・自己情報コントロール権の実質化のために個人情報保護法について、以下の諸点を改正し、プライバシー保護をＧＤＰＲと同水準に引き上げるべきである

①収集の必要性・相当性のない個人情報を処理しないこと

「要配慮個人情報に該当しない情報は、すべて利用目的の公開を条件として収集してよい」との誤解を解消ないし生まず、判例理論で形成されてきたプライバシー保護を十分なものとするためには、日本の判例法理と同趣旨の内容が明記されているＧＤＰＲ五条及び六条を参考にし、これらと同様の規律を明文で定めることによって、必要性・相当性のない個人情報が処理されないようにすべきである。

②他の情報と組み合わせれば個人識別が可能となり得るような個人識別可能性のある情報についても、保護の対象とすること

前記第2項②で述べたとおり、早急な対策としてはデジタルプラットフォーマー（ＤＰＦ）に対する規制が図られるべきであるが、本来的には、ＤＰＦに限らず全事業者についても、他の情報と組み

合わせれば個人識別が可能となり得るような個人識別可能性のある情報についても保護の対象とすべきであり、それは個人情報保護法の改正によって実現されるべきである。

③プロファイリングされない権利、削除権、データポータビリティ権等を保障すること

各権利を保障すべきことは、前記第2で述べたとおりである。早急な対策としてDPFに対する規制が図られるべきものであるが、本来的には、DPFに限らず全事業者に対しても、本人（データ主体）のプロファイリングされない権利、削除権及びデータポータビリティ権等が保障されるべきである。

④個人情報保護委員会について、プライバシー保護に専任する機関とするようその存在目的を設定し直し、調査権限等を充実させて、プライバシー保護機能を強化すること

個人情報保護委員会は、「個人情報の有用性に配慮しつつ、個人の権利利益を保護するため、個人情報の適正な取扱いの確保を図ること」を任務としており（法第一三二条）、プライバシー保護に専任する監督機関にはなっていない。しかも、同委員会は、番号法第一九条第一七号により、規則を制定して特定個人情報の提供先を拡大する権限さえ付与されていることからも明らかなように、個人情報の保護だけではなく、個人情報の利活用を図ることさえその権限とされている。この点は、「取扱いと関連する自然人の基本的な権利及び自由を保障し」（GDPR第五一条第一項）と、明確にプライバシー保護のための第三者機関として機能が純化されているGDPRにおける監督機関と異なる。

真にプライバシー保護を図るならば、法律上保障されている権利を行使したにもかかわらず事業者が適切に義務を履行しない場合における救済手段として、個人情報保護委員会による救済措置が講じられるべきである。そのためには、個人情報保護委員会の存在意義について、GDPRが位置づける独立した監督機関同様、プライバシー保護に専任する機関とするようその存在目的を設定し、自己情報コントロール権という基本的人権の保障を実効的にする点にあることを明確にすべきである。

このような存在意義（目的）を確立することで、個人情報保護委員会の役割や権限も自ずと定まってくるのであり、権利救済に必要な調査権限や監督権限の強化・充実、そのための体制整備も図られる。

第4項　デジタル政策の民主化

①市民のプライバシーを最大限保障することを大前提として、同意原則を十分に尊重し、不参加者に不利益を与えないように制度を設計し、その範囲で利便性や効率化等を図ること

デジタル社会で実現される利便性や効率化は、それを望まない市民を排除して形成されるべきではなく、プライバシー権及び自己情報コントロール権を優先し、個人の人格的自律を確保したいと考える市民に不利益を課さず、人権を尊重することを大原則とした仕組み（アーキテクチャ）の中で実現することが目標とされるべきである。

そして、行政自身が国全体の最大のプラットフォームになる場合には、行政が保有する個人データがプロファイリングの対象となり得る。しかも、民間との連携も可能となると、監視や個人の行動操作の危険性が大きい。したがって、プライバシー権及び自己情報コントロール権を保障し、個人の人

格的自律を確保するためには、プラットフォームにおける個人情報の収集・利用等について同意原則を徹底した仕組みが構築されるべきである。また、同意しない場合にプラットフォームへの参加が認められなかったり、サービスを受けられなかったりという不利益を受けるとすれば、同意は事実上の強制となるため、そのような措置を許さない規制も必要である。

②プライバシー影響評価を事前に行った上でその結果を公表し、市民の意見を反映し、あらかじめプライバシー保護に配慮した制度設計を行うこと（プライバシー・バイ・デザイン）

プライバシー保障及び自己情報コントロール権の保障の強化を実現するためには、事前同意原則の徹底や具体的な権利保障とともに、デジタル社会実現のための制度やシステムを構築するに先立ち、同制度やシステムによるプライバシーへの影響を評価し、その評価結果に基づき、制度・システムの設計段階からプライバシー保護を組み込むこと（プライバシー・バイ・デザイン）が重要である。

特に、行政自身がプラットフォームとなり、市民がそのプラットフォームを利用することが予定されている場合には、プライバシー保護は市民の最大の関心事にもなるため、ＧＤＰＲのデータ保護評価を参考に、プラットフォームの利用によるプライバシーへの影響・リスクの程度を分析し、その結果を市民に公表して意見を求め、その意見に対して政府が説明責任を尽くす手続により制度設計をしていく必要性は大きい。また、このような手法により市民が積極的に意見を述べて制度構築していくことは、デジタル社会における民主化の契機ともなる。

コラム②

主権者の幸福に資するデジタル社会とは？

デジタル社会において、利便性や行政の効率化ばかり優先されず、自分に関する情報を管理するデータ主権を取り戻す取り組みとして、スペインのバルセロナとオランダのアムステルダムで海外調査（二〇二二年五月三〇日から六月三日）した内容を中心に、海外での取り組みをいくつか紹介する。

バルセロナにおける市民参加型プラットフォーム「ディシディム」

①バルセロナでは、二〇一四年に、政党政治への不信と国家やEUへの反発から、市民参加型の市政の実現を目的とした「バルセロナ・コモンズ」が組織され、市議会選挙で第一党になり、住宅問題の活動家アーダ・コラウ氏が新市長に就任した。その市政の中で、スマートシティの計画を市民中心に根本的に変更し、市民参加型のプラットフォーム「ディシディム」（Ｄｅｃｉｄｉｍ）が構築された。この名は、現地のカタルーニャ語で「我々が決める」という意味の言葉にちなんでいる。

ディシディムのウェブサイト上から、市民が、市政について様々な提案をし、意見交換をし、賛否を表明し、最終的には政策として市議会に提案し実現する仕組みだが、匿名の仕組みで、住民登録の有無だけを確認し、住民登録に記載される他のデータ（氏名や住所など）は一切収集されない。

②まず、市の自治体行動計画の提案書を策定するプロセスでは、ディシディムを通じて市民から提案を募集し、提案の採否、優先度を決定した。バルセロナの人口の七・五%にあたる市民が参加し、一万件を超える提案のうち一四六七件が公式の自治体行動計画に盛り込まれた。

また、二〇二〇年から四年間の参加型プロセスでは、市の予算から三〇〇〇万ユーロ（日本円で約四三億円）を確保し、バルセロナ市民が、市議会に対して各地区で実施する投資プロジェクトを提案し、また優先順位を付け、さらに、最終的にプロジェクトを進めるか投票するという参加型プロセスが行われている。二〇〇〇件近くのプロジェクトが提案され、最終的には七六のプロジェクトが進められているが、道の改修、子どもの遊び場の改築、スポーツ施設にLEDのスコアボードの設置をするなど多種多様なプロジェクトであり、ウェブサイト上で進捗状況も確認できる。

高齢者等デジタル弱者への市職員のサポートとして、市職員が一二台のカートを使用して市内を巡回し、区域の交通網が悪い場所や高齢者の多い地域を回ったり、反対に地下鉄の駅周辺など人の往来がある場所でも市民から意見を聞いたりしたそうである。高齢者施設や学校などでディベートを行い、提案を受けたりもした。人口の多い地域に偏らないように各区分毎に最低一件は投票にかけたり、総予算の半分は各区に均等に割り振ったうえで、残りの半分を各区の人口、世帯収入、平均寿命、面積などで補正し、貧困層が多い地域に手厚く予算配分するなどの工夫もされた。

ＥＵにおけるデコード（ＤＥＣＯＤＥ）プロジェクト

①ＥＵでは、二〇一六年にＧＤＰＲが採択され、その一環としてデコードプロジェクトが開始された。デコード（ＤＥＣＯＤＥ）とは、分散型市民所有データエコシステムの略称で、個人が自分に関するデータの公開や利用を安全にかつプライバシーの保護を図りながら管理する仕組みを、研究開発するプロジェクトである。二〇一七年から二〇一九年にかけて、スペインのバルセロナとオランダのアムステルダムで実証実験が実施された。

②アムステルダムでは、例えば、アルコールを購入する際に、通常、氏名、写真、住所、生年月日が記載されたＩＤカードの提示が必要になる。匿名の身分証明の実証実験では、パスポートのチップをスキャンしたデータの中で、「○○市居住」「○歳以上」との情報のみで、不要な個人情報を共有することなく年齢確認できるようにした。他にも、地域密着型のオンライン・プラットフォームで必要な情報のみを開示し、具体的な住所を共有することなくアクセス可能にした。

アムステルダムで実証実験に携わった団体であるＷＡＡＧでは、デコードの考え方について、「自分のデータを共有するときに市民に自己決定権があることが重要視されるべきであること」や「独自性・独立性を保ち、市民が自分のデータを管理できること（けっして自分たちが商品とならないこと）」が繰り返し語られ、市民が了解したデータだけを開示できる仕組みを作る必要性が強調された。

③バルセロナでは、先程のディシディムにおいて、行政は利用者の個人情報等を把握していないが、デコードの技術を統合し、市民が提供するデータをきめ細かく選択し制御できるようにしたそうである。例えば、ディシディムを利用してバルセロナ市議会に請願を行う際に、住所や名前などの個人情

報を登録しなくても、居住地などの認証要件を登録すれば匿名で請願書を提出することを可能にした。他にも、騒音や汚染などの要因を記録する環境センサーを住民が自宅等に設置し、そこで得られたデータを暗号化し、匿名でコミュニティと共有できるようにし、どの情報を誰とどのような条件で共有するのかその人が決められ、コントロールできる仕組みを作成した。

バルセロナでも、デコードの開発理念として「データ主権は市民にあること」が挙げられ、個人のプライバシー保護を図りながら、市民がどのようなデータを誰に提供するかを、自ら決めることのできる仕組みであることが強調された。

台湾におけるデジタル民主主義の取り組み

①台湾のデジタル大臣であるオードリー・タン氏は、デジタル民主主義とは「デジタル技術を使って誰もが政治参加できるようにすること」であり、「インターネットやソーシャルメディアを用いて主体的・自発的に市民が意見を発信するとともに、それを議題とし、解決できるような『参加型民主主義』を実現すること」であるという。

②台湾における「市民参加」の仕組みがいくつかあるが、その一例として、二〇一九年にプラスチック製ストローを全面的に禁止した政策が挙げられる。あるハンドルネームの人物がプラットフォームにプラスチック製の皿とストローの段階的な使用禁止を求めた書き込みをした。この提案に対し、請願に必要な五〇〇〇名の署名がすぐに集まり、企業が紙などの再生可能な資源からストロー

を製造することを承諾し、政策として法制化することになった。後になって、その提案をした人物が一六歳の女子高校生であることが分かったそうである。タピオカミルクティーのために大量のプラスチックストローが使われ環境に悪影響を与えることを憂慮して書き込んだとのことで、まだ参政権を持っていない女子高校生の提案が社会を変えたことで世間を驚かせた。

選挙権の有無にかかわらず、メールアドレスと台湾の電話番号さえあれば政策に対する意見を投稿できる「ジョイン」というプラットフォームが政府によって運営されているが、最もアクティブなのが一五歳前後と六五歳前後とのことである。

インターネットは少数者の声を救い上げる重要なツールとされるが、デジタル接続ができる人しか民主主義に参加できなくなる恐れがあるため、インクルージョン（誰かのことを忘れていないかを探す）が大切とされる。また、台湾では、5G（第五世代移動通信システム）の導入を地方から行ったり、都市と地方との教育格差を是正する取り組みなどもされている。

最後に

民主主義の基礎として、議論の基礎となる正確な情報が自由かつ平等に提供され受け取ることができること、自由な議論の場が確保されること、自由に政策提言し政府にアプローチできることが必要である。また、データ主権の観点で言えば、自身の情報として何を提供し・何を提供しないか自由に決められること、その利用に当たってもデータの主体である本人の認識と齟齬のないように保たれる必要がある。本人に危害を為す偽りの情報については補正の機会が認められることが必要である。

私たちは、世界各地の取り組みや新たな技術に注視しつつ、オンライン上で生成される個人情報の蓄積・管理、運用に関して、市民自らが個人データの秘匿や共有をコントロールできる仕組みを確立することにより、主権者による情報主権が全うされた自律的なデジタル社会の実現を目指すべきである。

（なお、海外調査など詳細については、日本弁護士連合会ホームページにある「第六四回人権擁護大会シンポジウム第二分科会基調報告書」三六七頁以下の「海外調査報告」参照）。

参考文献

オードリー・タン・近藤弥生子『まだ誰も見たことのない「未来」の話をしよう』ＳＢクリエイティブ、二〇二二年

大野和基『オードリー・タンが語るデジタル民主主義』ＮＨＫ出版新書、二〇二二年

おわりに——提言として

二〇二二年九月三〇日、日本弁護士連合会は、第六四回人権擁護大会で、「デジタル社会において人間の自律性と民主主義を守るため、自己情報コントロール権を確保したデジタル社会の制度設計を求める決議」を採択した。

以下のとおり、国に対し、デジタル社会において人間の自律性と民主主義を守り、プライバシー権・自己情報コントロール権を確保するための法制度や原則の確立を求めた。

1項は、電気通信事業法の改正を、2項（1）は、個人情報保護法の改正をそれぞれ念頭に置いたものである。最小限、この程度のプライバシー保護のしくみを初期設定で確保しないまま、デジタル化を進めるのは危険である。情報の利活用者・収益者が、主権者であるはずの私たち「情報主体」の情報を自由自在に処理できるようになるおそれが大きいからである。

1項（3）ないし（6）はAI規制を含んでいる。これらは、AIによるプライバシー権その他の人格権の侵害を防いだり、AIにより情報の流通過程ができるだけ歪められず、主権者が民主主義社会において、自由な意思決定をするために必要な信頼性のある情報を得たりするための手段を確保するための政策提言である。

自分たちの人権を自分たちで守っていく社会を次世代につないでいけるのか、憲法一二条でいう

「不断の努力」の有無が、今まさに問われている。

1　デジタルプラットフォーマー（プロバイダ、通信事業者を含む）に対する自己情報コントロール権を確立し、民主主義の基盤を崩さないようにするため、以下の内容を含む法律を制定すべきである。

（1）クッキー（Cookie）を始めとした、市民のデジタル社会における行動履歴を同定し得る情報については、事前同意を要件として取得するものとし、同意が得られない場合にもサービスから排除しないこと

（2）収集している個人情報のみならず、個人識別可能性のある情報についても、その種類、利用範囲を明示し、利用結果、第三者提供の結果についての公開を図ること

（3）利用者に対して、プロファイリングされない権利、削除権、データポータビリティ権等、ＧＤＰＲ（一般データ保護規則）で規定される諸権利を保障すること

（4）収集した情報に対して適用されるＡＩのアルゴリズム（ディープラーニング後のものも含む）及びその適用後のデータ処理について、少なくともその基本構造を公開し、説明すること

（5）フェイクニュースに対する自主規制ルールの設定と実践を行うとともに、その結果を公開すること

（6）信頼性の高い情報、多様な意見との接点の確保が図られるためのアルゴリズムの設定、実践を行うとともに、その結果を公開すること

2　デジタル社会における市民のプライバシー権・自己情報コントロール権の保障を実質化するため、以下の点を既存法の改正又は新たな法律の制定によって具体化すべきである。

（1）個人情報の保護に関する法律（個人情報保護法）について、以下の諸点を改正し、プライバシー保護をＧＤＰＲと同水準に引き上げるべきである。

①収集の必要性・相当性のない個人情報を処理しないこと

②他の情報と組み合わせれば個人識別が可能となり得るような個人識別可能性のある情報についても、保護の対象とすること

③プロファイリングされない権利、削除権、データポータビリティ権等を保障すること

④個人情報保護委員会について、プライバシー保護に専念する機関とするようその存在目的を設定し直し、調査権限等を充実させて、プライバシー保護機能を強化すること

（2）公権力が、自ら又は民間事業者を利用して、市民のデジタルデータを網羅的に収集・検索する方法で監視する行為を禁止すること

（3）個人番号や個人番号カードが、行政機関や民間事業者による情報監視の基盤とならないよう、個人番号制度は抜本的な見直しを行うか、個人番号及びマイキーＩＤ等といった個人識別符号の利用範囲の大幅な限定等を行うこと

（4）既存の政府の情報収集機関の他、デジタル庁や警察庁サイバー局の設置等により、公権力によ

る個人情報の収集管理が強化されている状況において、情報機関の監視権限とその行使について、厳格な制限を定め、独立した第三者機関による監督を制度化すること

（5）顔認証システムについて、法律により、官民を問わずその利用を原則禁止とした上で、厳格な設置・運用条件を設定するとともに、その基礎データを供給し得る監視カメラについても厳格な設置・運用条件等に関する要件を明示し、更に個人情報保護委員会の管理監督下に置くこと

3　日本のデジタル社会の推進に当たっては、市民のプライバシー権・自己情報コントロール権の保障を実質化するとともに、デジタル政策を民主化するため、政府は、以下の諸点を遵守すべきである。

（1）市民のプライバシーを最大限保障することを大前提として、同意原則を十分に尊重し、不同意者に不利益を与えないように制度を設計し、その範囲で利便性や効率化等を図ること

（2）プライバシー影響評価を事前に行った上でその結果を公表し、市民の意見を反映し、あらかじめプライバシー保護に配慮した制度設計を行うこと（プライバシー・バイ・デザイン）

（3）行政の効率化を最上位の目標とすることなく、必要なシステムの設計においても、最大限に地方自治を尊重したものとし、また地方自治体レベルでの設計も許容することとし、かつ意思決定に際しては地方自治体の意見を十分に聴取して、これを反映させること

（4）市民提案型の制度を採用するとともに、それが実現されるまでの間においても、制度設計について、行政機関、業界側だけでなく、消費者側、市民側の代表者を少なくとも半数程度は参加

させ、その意見を反映させること

（5）オンライン上で生成される個人情報の蓄積・管理、運用に関して、市民自らが個人データの秘匿や共有をコントロールできる仕組みを確立すること

監修者略歴

[全体]

武藤糾明（むとう・ただあき）

福岡県弁護士会。1997 年弁護士登録。第 64 回人権擁護大会シンポジウム第 2 分科会実行委員会実行委員長。日弁連情報問題対策委員会副委員長。監視カメラ・顔認証システム、秘密保護法等を担当。住基ネット訴訟、マイナンバー訴訟、ハンセン病訴訟、B 型肝炎訴訟などに関与。論文に、「実装される監視社会化ツール」（『世界』2021 年 4 月号）、「医療情報の結合とプライバシーの危機」（『月刊保団連』2023 年 2 月号）など。

吉澤宏治（よしざわ・こうじ）

山梨県弁護士会。1999 年弁護士登録。第 64 回人権擁護大会シンポジウム第 2 分科会実行委員会事務局長。日弁連情報問題対策委員会副委員長。同秘密保護法・共謀罪法対策本部事務局次長。共通番号制度、秘密保護法等を担当。

[第 1 章]

坂本団（さかもと・まどか）

大阪弁護士会。1993 年弁護士登録。日弁連情報問題対策委員会元委員長。大阪大学法科大学院客員教授。主な著書は、『開かれた政府を求めて』（共著、花伝社、1995 年）、『情報公開・開示請求実務マニュアル』（共著、民事法研究会、2016 年）、『名誉毀損の法律実務―実社会とインターネット』（共著、民事法研究会、2014 年）など。

[第 2 章]

二関辰郎（にのせき・たつお）

第二東京弁護士会。1994 年弁護士登録。ニューヨーク州弁護士。最高裁司法研修所教官、日弁連情報問題対策委員会委員長、BPO 放送人権委員会委員長代行などを歴任。共著に『エンタテインメント法実務』（弘文堂、2021 年）、『新基本法コンメンタール　情報公開法・個人情報保護法・公文書管理法』（日本評論社、2013 年）など。

[第３章]

水永誠二（みずなが・せいじ）

東京弁護士会。1989年弁護士登録。第64回人権擁護大会シンポジウム第2分科会実行委員会副委員長。日弁連情報問題対策委員会委員長。マイナンバー問題等を担当。住基ネット差止訴訟、マイナンバー訴訟などに関与。論文に、「プライバシー保障のための『同意』のあり方」（『月刊保団連』2023年9月号）など。

[第４章]

野呂圭（のろ・けい）

仙台弁護士会。2000年弁護士登録。日弁連情報問題対策委員会前事務局長。仙台弁護士会会長。マイナンバー訴訟等に関与。

[コラム①]

山口宣恭（やまぐち・のぶやす）

奈良弁護士会。2001年弁護士登録。著書に、『個人情報保護法改正に自治体はどう向き合うべきか』（共著、信山社、2022年）など。日弁連では、個人情報保護条例、公文書管理条例などを担当。

[コラム②]

瀬戸一哉（せと・かずや）

埼玉弁護士会。2009年弁護士登録。第64回人権擁護大会シンポジウム第2分科会実行委員会事務局次長。日弁連では、感染者対策と個人情報保護、刑事手続きにおける個人情報の取り扱いなどを担当。

執筆者（執筆協力者を含む）一覧

本書籍は、以下の弁護士（敬称略、執筆時の所属弁護士会を示した）の分担作業によって完成された。

第1章
坂本団（大阪）、齋藤裕（新潟県）、高木篤夫（東京）、齋藤亮介（京都）、谷麻衣子（千葉県）、古家和典（東京）

第2章
二関辰郎（第二東京）、生田美弥子（第二東京）、清水勉（東京）

第3章
水永誠二（東京）、水町雅子（第二東京）、細川亮（岩手）、大箸信之（旭川）、大住広太（第二東京）、三宅弘（第二東京）、出口かおり（東京）、角口貴秋（茨城県）、石坂俊雄（三重）、安齋由紀（第二東京）

コラム①
山口宣恭（奈良）、森田明（神奈川県）、小池知子（東京）、幸田雅治（第二東京）、武田賢治（仙台）、田村信彦（栃木県）、向田敏（山形県）、結城圭一（大阪）

第4章
野呂圭（仙台）、彦坂敏之（神奈川県）、長瀬幸子（埼玉）、瀧田和秀（千葉県）、伊藤しのぶ（茨城県）、石川茂吏（静岡県）、田村智明（青森県）、武藤糾明（福岡県）

コラム②
瀬戸一哉（埼玉）、秋山淳（第二東京）、鈴木雅人（第一東京）、遠山りえ（札幌）、牧田潤一朗（第二東京）

おわりに
武藤糾明（福岡県）

編　日本弁護士連合会（にほんべんごしれんごうかい）

日本のデジタル社会と法規制
——プライバシーと民主主義を守るために

2023年10月25日　初版第1刷発行

編者 ——日本弁護士連合会
発行者 ——平田　勝
発行 ——花伝社
発売 ——共栄書房
〒101-0065　東京都千代田区西神田2-5-11出版輸送ビル2F
電話　03-3263-3813
FAX　03-3239-8272
E-mail　info@kadensha.net
URL　https://www.kadensha.net
振替 ——00140-6-59661
装幀 ——佐々木正見
印刷・製本 —中央精版印刷株式会社

ISBN978-4-7634-2087-9 C0032